黄土丘陵沟壑第三副区
水土流失原型观测及规律研究

黄河水利委员会天水水土保持科学试验站　编

黄 河 水 利 出 版 社

图书在版编目(CIP)数据

黄土丘陵沟壑第三副区水土流失原型观测及规律研究/黄河水利委员会天水水土保持科学试验站编.—郑州：黄河水利出版社,2004.10

ISBN 7-80621-847-5

Ⅰ.黄…　Ⅱ.黄…　Ⅲ.黄土高原-水土保持-研究Ⅳ.S157

中国版本图书馆 CIP 数据核字(2004)第 109166 号

出 版 社:黄河水利出版社

地址:河南省郑州市金水路 11 号　　邮政编码:450003

发行单位:黄河水利出版社

发行部电话及传真:0371-6022620

E-mail:yrcp@public.zz.ha.cn

承印单位:黄委会设计院印刷厂

开本:787 mm×1 092 mm　1/16

印张:13

字数:300 千字　　印数:1—1 500

版次:2004 年 10 月第 1 版　　印次:2004 年 10 月第 1 次印刷

书号:ISBN 7-80621-847-5/S·61　　定价:38.00 元

本书编辑委员会

前　　言

水土流失及其导致的土地退化、河流湖泊和水库泥沙淤积、水质污染等问题，是全球最严重的自然灾害，已对人类的生存和发展构成很大的威胁。中国是世界上的人口大国和农业大国，也是世界上水土流失最为严重的国家之一，仅在我国黄土高原地区，水土流失面积即达45万km^2，年输入黄河的泥沙约16亿t，由此造成上游地区沟头延伸、沟床下切、沟岸扩张、土地生产力下降，下游水库淤积、河床抬高、洪水泛滥、区域生态环境恶化。为了弄清楚什么是水土流失，探索水土流失发生发展的成因和机理，认识水土流失的类型及其危害，从20世纪40年代初，作为我国最早从事水土保持科学研究的机构之一，黄河水利委员会天水水土保持科学试验站就已在黄土高原丘陵沟壑第三副区开展了坡面水土流失观测、典型小流域土壤侵蚀规律和流域治理的试验研究，积累了许多宝贵资料，取得了一系列具有实用价值的科研成果。

1943年，我国第一代水土保持工作者在美国罗德民博士的帮助指导下布设了我国黄土高原第一个具有代表性的坡面径流小区——梁家坪坡面径流场，并开始观测和试验研究，从此拉开了我国水土流失原型观测及其规律研究的序幕，成为我国系统研究坡面水土流失规律开展最早、规模最大、持续时间最长的径流泥沙观测试验，它的开展填补了我国水土流失规律研究领域的空白。通过60余年对黄土高原丘陵沟壑第三副区水土流失规律的试验研究，先后涌现出一批著名的水土流失规律及水土保持研究专家，发表学术论文1 000余篇，出版专著10多部，诸多科研成果已被广泛应用于城建、交通、防汛及教学等各个领域，取得了辉煌的成就，形成了具有一定实力的科研队伍，为治黄事业的发展做出了重大贡献。

本书整理汇编了几十年来在黄土高原丘陵沟壑第三副区有代表性的科研成果及学术论文30余篇，其中包括水土流失原型观测及规律研究、水沙变化及效益分析、小流域典型暴雨对土壤侵蚀调查等方面的内容，以期对今后同类型区的水土流失规律研究提供指导。

水土流失因其影响因子繁多、产生机理复杂，其形成的内在规律仍是今后相当长一段时期需要主攻的研究方向。随着“维持黄河健康生命”治黄新理念的提出，水土流失原型观测及规律研究工作作为其重要内容，得到了高度重视。做好这项工作，需要上下齐心协力，不断进取，继续拼搏。本书的编辑工作得到了黄河水利委员会天水水土保持科学试验站领导的关怀和参加这项工作人员的大力支持，王建军、刘启鸣、徐峰、崔亚忠等参加了部分资料的收集整理工作，在此深表感谢。

编委会

2004年9月

目　　录

罗玉沟流域土壤抗蚀性分析

李建牢[1]　刘世德

摘　要　本文采用野外观测和室内模拟试验相结合的方法对罗玉沟流域土壤抗蚀性指标进行确定，并应用模糊贴近度方法进行了抗蚀性聚类分析。结果表明，罗玉沟流域不同土壤的抗蚀性有明显的差别：山地褐色土土壤抗蚀性表现为强或较强，山地灰褐土土壤抗蚀性为弱或较弱。

土壤抗蚀性，是指土壤抵抗雨滴击溅和水流分散、悬移的能力。当侵蚀外营力一定时，土壤侵蚀状况与地面物质抗蚀能力的强弱有关。应用通用土壤流失方程(USLE)虽可反求出土壤可蚀性因子 K 值，但由于这种方法需要有大量较长系列标准小区的观测资料作为计算依据，而实际开展土壤侵蚀调查研究的区域内很少具备这一条件，因此在土壤侵蚀调查研究工作中，通常采用野外观测和室内模拟试验相结合的方法来确定土壤抗蚀性指标。

1986 年，在《罗玉沟典型小流域土壤侵蚀特征研究》课题中，采用上述方法对该流域不同土壤的抗蚀性进行了试验研究，并应用模糊贴近度方法进行了抗蚀性聚类分析。

1　试验条件与研究方法

罗玉沟流域位于甘肃省天水市北郊，流域呈狭长形，沟系分布为羽状，面积 72.79km^2，多年平均侵蚀模数 7 500t/km^2，是黄土丘陵沟壑区第三副区具有一定代表性的流域。

试验土样为该流域的山地褐色土和山地灰褐土 2 个土类 6 个土属的 9 个土种，其分布面积占流域面积的 97%。冲积土类土壤因母质组成比较复杂，且多分布在河谷、河滩和低阶地上，土壤侵蚀作用较弱，分布面积仅占流域面积的 3%，故试验中未予考虑，试验土壤的主要性质见表 1。

降雨是土壤侵蚀的直接动力。在缺少植被保护的地面上，雨滴破坏土壤的团粒结构并使之板结，其结果导致土壤的渗透性大大减弱，并使分散的土粒在地表径流的作用下沿坡向下运动。由此可见，土壤抗蚀性的强弱，主要表现在土壤对水的击溅、分散和悬移的抵抗能力上，因此把一定粒径的土壤自然颗粒抵抗均匀水滴击溅而被分散的性能，作为土壤抗蚀性指标。具体研究方法是：结合土壤侵蚀量定位观测点，采不同土种土样各 500g，风干后用土壤筛分选 0.7～1.0cm 粒径的土粒若干，将土粒置于直径为 10cm 的金属网络圆盘上，用注入自来水的酸式滴定管击溅土粒(滴落高度 15cm，滴水速度 50 滴/min)，记录分散土粒所需的水滴数，为使滴落水头的水压稳定，在滴定管上加装马利奥(特)瓶供水。

---

[1]李建牢，男，陕西渭南人，教授级高级工程师，现任天水水土保持科学试验站站长。

表 1　　试验土壤主要性质

代号	土类	土属	土种	有机质（%）	平均粒径（mm）	<0.005mm 黏粒含量（%）	分布面积占流域面积（%）
ⅠA	山地褐色土	发育于花岗岩、变质岩上的褐色土	黑色土	3.855 2	0.022 0	21.20	0.8
ⅠB	山地褐色土	发育于黄土上的褐色土	黑砂土	2.755 0	0.012 9	29.40	3.3
ⅠC	山地褐色土	发育于坡积物上的褐色土	粗骨土	3.434 7	0.022 0	27.80	1.2
ⅡA_1	山地灰褐土	发育于黄土上的灰褐土	耕作黑土	0.901 8	0.010 8	31.50	0.9
ⅡA_2	山地灰褐土	发育于黄土上的灰褐土	耕作黑鸡粪土	1.023 4	0.018 2	23.60	47.3
ⅡA_3	山地灰褐土	发育于黄土上的灰褐土	耕作黄坂土	1.032 0	0.016 8	22.80	13.7
ⅡB_1	山地灰褐土	发育于红黏土上的褐色土	耕作黑红土	1.062 6	0.015 3	24.80	15.7
ⅡB_2	山地灰褐土	发育于红黏土上的褐色土	杂色土	0.726 7	0.012 5	28.50	6.0
ⅡC	山地灰褐土	发育于黄土坡积物上的灰褐土	粗骨土	2.200 0	0.030 4	19.30	8.1

2　试验结果与数据处理

2.1　试验结果

各种土壤试验结果见表 2。

表 2　　各种土壤试验结果

土壤代号	ⅠA	ⅠB	ⅠC	ⅡA_1	ⅡA_2	ⅡA_3	ⅡB_1	ⅡB_2	ⅡC
击散土粒水滴数平均值 a	172.9	276.7	644.6	12.8	20.4	22.6	77.1	28.8	336.3
标准差 b	192.5	207.2	491.7	5.6	10.7	11.7	81.3	23.0	750.0
重复次数	10	10	20	20	30	40	40	50	10

2.2　土壤样品间抗蚀性贴近度计算

根据模糊数学理论，对同一种土壤样品作 N 次重复试验。试验结果可以看做是一个服从正态分布的模糊集。其中任何一次的试验结果 x 值，对于该模糊集的从属度函数为：

$$U\underset{\sim}{A}(x) = e^{-\left(\frac{x-a}{b}\right)^2} \tag{1}$$

式中，a 为试验结果期望值；b 为试验结果标准差。

不同样品的任何两个模糊集之间的贴近度为：

$$R(\underset{\sim}{A}i, \underset{\sim}{A}j) = \frac{1}{2}[\underset{\sim}{A}i \cdot \underset{\sim}{A}j + (1 - \underset{\sim}{A}i \odot \underset{\sim}{A}j)] = \frac{1}{2}[e^{-\left(\frac{ai-aj}{bi+bj}\right)^2} + 1] \tag{2}$$

式中，$\underset{\sim}{A}i \cdot \underset{\sim}{A}j = \max[\min(\underset{\sim}{A}i, \underset{\sim}{A}j)]$为 Ai 与 Aj 的内积；$\underset{\sim}{A}i \odot \underset{\sim}{A}j = \min[\max(\underset{\sim}{A}i, \underset{\sim}{A}j)]$为 Ai 与 Aj 的外积。

根据式(2)，可求得不同土壤样品间贴近度模糊矩阵(为了书写方便，数据均扩大 100 倍)为：

$R(Ai, Aj) =$

ⅠA	ⅠB	ⅠC	ⅡA$_1$	ⅡA$_2$	ⅡA$_3$	ⅡB$_1$	ⅡB$_2$	ⅡC	
1	96.74	81.09	76.02	78.47	79.07	94.24	81.98	80.47	ⅠA
96.74	1	87.90	60.74	62.53	62.98	80.98	65.68	85.53	ⅠB
81.09	87.09	1	59.95	60.68	60.86	68.75	61.95	98.82	ⅠC
76.02	60.74	59.95	1	90.23	86.51	78.92	86.56	65.24	ⅡA$_1$
78.47	62.53	60.68	90.23	1	99.56	84.20	96.79	65.83	ⅡA$_2$
79.07	62.98	60.86	86.51	99.56	1	85.42	98.38	65.98	ⅡA$_3$
94.24	80.98	68.75	78.92	84.20	85.40	1	90.35	71.71	ⅡB$_1$
81.98	65.68	61.95	86.56	96.99	98.38	90.35	1	66.79	ⅡB$_2$
80.47	85.53	98.82	65.24	65.83	65.98	71.71	66.79	1	ⅡC

2.3 土壤抗蚀性聚类分析

进行聚类分析，分类单元之间必须具有模糊等价关系，即满足以下三个条件：

自返性：$r_{ji} = 1$　对称性：$r_{ij} = r_{ji}$　传递性：$R_n = R_{n+1}$

从上面矩阵看出，R 具自返性和对称性，但不具传递性。因此，必须通过模糊矩阵合成，将其转化为模糊关系，才能进行分类。由计算知 $R^{16} = R^8$ 为模糊等价关系。据此可以进行聚类分析(根据模糊矩阵的对称性，只写出左下部的一半)，分析结果(数据均扩大 100 倍)如下矩阵：

$R^8(Ai, Aj) =$

ⅠA	ⅠB	ⅠC	ⅡA$_1$	ⅡA$_2$	ⅡA$_3$	ⅡB$_1$	ⅡB$_2$	ⅡC	
1									ⅠA
96.74	1								ⅠB
81.09	87.90	1							ⅠC
76.02	60.74	59.95	1						ⅡA$_1$
78.47	62.53	60.68	90.23	1					ⅡA$_2$
79.07	62.98	60.86	86.51	99.56	1				ⅡA$_3$
94.24	80.98	68.75	78.92	84.20	85.40	1			ⅡB$_1$
81.98	65.68	61.95	86.56	96.99	98.38	90.35	1		ⅡB$_2$
80.47	85.53	98.82	65.24	65.83	65.98	71.71	66.79	1	ⅡC

取不同水平 λ 值，得出不同土壤抗蚀性分类结果：

取 $\lambda_1 = 0.89$，分(ⅡA$_1$，ⅡA$_2$，ⅡA$_3$，ⅡB$_2$，ⅡB$_1$)、(ⅠA，ⅠB，ⅠC，ⅡC)两类；

取 $\lambda_2 = 0.92$，分(ⅡA$_1$)、(ⅡA$_2$，ⅡA$_3$，ⅡB$_2$)、(ⅡB$_1$，ⅠA，ⅠB)、(ⅠC，ⅡC)四类；

取 $\lambda_3 = 0.95$，分(ⅡA$_1$)、(ⅡA$_2$，ⅡA$_3$，ⅡB$_2$)、(ⅡB$_1$)、(ⅠA，ⅠB)、(ⅠC，ⅡC)五类；

取 $\lambda_4 = 0.97$，分(ⅡA$_1$)、(ⅡA$_2$，ⅡA$_3$，ⅡB$_2$)、(ⅡB$_1$)、(ⅠA)、(ⅠB)、(ⅠC，ⅡC)六类。

根据实践经验，选择结合次数出现飞跃前后的中值，选 $\lambda = 0.95$，将罗玉沟流域土壤抗蚀性分为5类(见表3)。

表3　罗玉沟流域土壤抗蚀性分类

抗蚀性等级	抗蚀性评语	土种代号	分散土粒平均水滴数	分布面积占流域面积(%)	备注
Ⅰ	强	ⅠC,ⅡC	708.5	9.3	均为粗骨土,分布于梁坡、坡麓、多为荒坡
Ⅱ	较强	ⅠA,ⅠB	224.8	4.1	分布于海拔1 700m以上的梁顶、梁坡,多为林草地
Ⅲ	中	ⅡB_1	77.1	15.7	分布于各支沟深凹地、农地,侵蚀严重
Ⅳ	较弱	ⅡA_2 ⅡA_3,ⅡB_2	24.6	67.0	ⅡB_2分布于各支沟两岸,其余分布在梁顶、梁坡或陡坡、农地
Ⅴ	弱	ⅡA_1	12.8	0.9	分布于黄土浅凹地,平坦、水分条件好的农地

3　结果与讨论

(1)罗玉沟流域不同土壤的抗蚀性有明显的差别。山地褐色土多分布在海拔1 700m以上的北山梁顶、梁坡,此处气候温暖湿润,植被条件较好,土壤有机质含量高,因此土壤抗蚀性表现为强或较强;山地灰褐土为本流域主要农耕地土壤,受人类活动影响,有机质含量低,结构差,侵蚀严重,故土壤抗蚀性为弱或较弱。

(2)同一类型不同土属的土壤,因成土母质不同,其抗蚀性亦有差别,一般是C属>B属>A属。C属土壤多发育于坡积物上,均为粗骨土,因此抗蚀性较强。A属土壤多发育在黄土母质上,多为粉壤质土,黏粒含量仅20%左右,抗蚀性最差。B属土壤多发育在红黏土上,黏粒含量达25%~40%,故蚀性介于A属与C属之间。

(3)本文所得罗玉沟流域土壤抗蚀性分类结果,基本可满足土壤侵蚀调查与分类,但要对土壤侵蚀作出预测预报,还需把径流小区测得的土壤可蚀性因子K值,与此法所得结果进行对比分析,建立相关关系后才能完成。这项工作尚有待于进一步深入研究。

(本文发表于《中国水土保持》1987年第11期)

罗玉沟流域坡面土壤侵蚀与土壤理化性质

刘世德[1]　李建牢

摘　要　本文结合坡面土壤侵蚀的研究,在罗玉沟流域的上、中、下游选择3个断面,共设立16个点。在观测面蚀的同时,对该流域的2个土类6个土属的9个土种,分别测定和分析了影响坡面侵蚀的抗蚀性、抗冲性、透水性、有机质和养分含量等有关的土壤主要理化性质。初步阐述了坡面土壤侵蚀与土壤理化性质的关系和相互影响;耕种侵蚀土壤性质的恶化成为该流域坡面泥沙流失的主要源地,从而使其土壤肥力和生产力下降,又进一步加速了土壤侵蚀的发展。研究结果启示人们,必须重视对土壤侵蚀的综合防治。

土壤侵蚀,是指土壤及其母质在外营力的作用下,遭受破坏、搬运和堆积的过程;从广义上讲,凡是引起土壤恶化的现象都划为侵蚀的范围。其本质是引起土壤理化性质变化、肥力下降和土地利用率降低。同时,由于土壤属性的不良,又会加剧土壤侵蚀的发展,危害甚大。黄土高原丘陵沟壑区,地形起伏,沟壑纵横,夏秋之际,暴雨频繁,加之黄土疏松深厚,土壤侵蚀十分严重,给黄河输送了大量泥沙。研究土壤侵蚀与土壤理化性质的关系和相互影响,对了解本地区土壤侵蚀程度和土壤肥力现状以及加强侵蚀防治,提高土地生产力均有重要的意义。

1986~1987年结合坡面土壤侵蚀的研究,在流域的上、中、下游选择了桥子沟、刘家河、烟铺等3个断面,按利用状况、土壤类型和地形部位设立16个点,在观测面蚀的同时,分别测定和分析了不同土壤类型的有关理化性质。

1　流域概况与侵蚀土壤的演变规律

罗玉沟流域位于甘肃省天水市北郊。流域呈狭长形,沟系分布为羽状,面积72.79km^2,其中现代侵蚀沟沿线以上的坡面面积占流域面积的48.4%,沟壑面积占51.6%,属黄土梁状丘陵地貌。地形从西北向东南倾斜,最高凤凰山顶海拔1 895.6m,最低左家场测流断面沟底为1 165.1m,平均海拔1 537.6m。主沟全长21.81km,平均比降3.35%。地面物质有第四纪黄土和第三纪红土,洪积冲积物和部分风化变质岩,其中黄土覆盖面积占3/4左右。流域坡度比较平缓,小于15°的坡面占总面积的48.4%,大于25°的坡面占23.6%,平均坡度为19°08′。该流域属大陆性季风气候,冬春干旱少雨,夏秋降水集中,多年平均降水量531.1mm,平均无霜期184天,平均风速1.3m/s,年最多风向静风,出现频率40%。本流域是黄土丘陵沟壑区第三副区具有一定代表性的流域。

罗玉沟流域的土壤类型较为复杂,且坡面土壤侵蚀也较严重。这是由于自然因素和

---

[1]刘世德,男,甘肃天水人,高级工程师。

历史条件的综合影响,发生了强烈的土壤侵蚀过程形成的。根据成土过程、发育阶段和侵蚀程度将流域内的土壤分类见表1。

表1　　罗玉沟流域土壤分类

土类	土属	土种	土名	占流域面积(%)	代号
山地褐色土(Ⅰ)	A—发育于变质岩花岗岩山地褐色土	肥力高,侵蚀微度,山地褐色土	黑色土	0.8	ⅠA
	B—发育于黄土地褐色土	肥力较高,侵蚀轻度,山地褐色土	黑砂土	3.3	ⅠB
	C—发育于黄土碎屑坡积物褐色土	肥力低,侵蚀中度,褐色土型粗骨土	粗骨土	1.2	ⅠC
山地灰褐土(Ⅱ)	A—发育于黄土地灰褐土	肥力较高,侵蚀轻度	耕作黑土	0.9	ⅡA_1
		肥力中度,侵蚀中度,耕作灰褐土	耕作黑鸡粪土	47.3	ⅡA_2
		肥力较低,侵蚀强度,灰褐土	耕作黄坂土	13.7	ⅡA_3
	B—发育于红黏土山地灰褐土	肥力较低,侵蚀强度,灰褐土型粗骨土	耕作黑红土	15.7	ⅡB_1
		肥力极低,侵蚀剧烈,灰褐土型粗骨土	杂色土	6.0	ⅡB_2
	C—发育于黄土碎屑坡积物灰褐土	肥力低,侵蚀强度,灰褐土型粗骨土	粗砂土	8.1	ⅡC
冲积土(Ⅲ)	A—发育于阶地冲积土		沙绵土	2.1	ⅢA
	B—发育于河漫滩冲积洪积土型粗骨土		砂土	0.9	ⅢB

罗玉沟流域的山地褐色土,分布在凤凰山—麦地湾一带的北山梁顶、梁坡,海拔在1 700m以上,气候温暖湿润,林草覆盖较好,侵蚀轻微。但因地势较高,冬季气温较低,仅属灰褐土向褐色土过渡性质,面积仅占流域面积的5.3%。冲积土多分布在河谷、河滩和低阶地上,土壤侵蚀作用较弱,面积仅占流域面积的3%。

山地灰褐土为本流域典型的地带性土壤,分布面积达91.7%,又是主要的农耕地。该土类的分布演变规律用现代加速侵蚀作用的观点来看,垂直分异比较明显,即由梁顶—沟谷,土壤的变化趋势是黑鸡粪土(部分为黑土)→黄坂土→黑红土→红胶土。黑土位于平坦的梁坡台地,谷坡下部凹地,均处于强度侵蚀带;红胶土位于谷坡下部或沟坡,处于最强烈侵蚀带;山地灰褐土经过长期的侵蚀冲刷,土壤表层因侵蚀变为黑鸡粪土;如果侵蚀作用加剧,表土的淋溶层全被剥蚀,结核层外露,则形成黄坂土;若黄坂土继续受到侵蚀,红土出露,即进入另一个质变阶段,由红黏土母质发育的灰褐土阶段。这种土还处于幼年发育时期,没有完整的层次,经过耕作熟化变为黑红土和红胶土。

土壤是历史的自然体。罗玉沟流域侵蚀土壤的现状，是在一定的生物气候带和母质基础上，以水力侵蚀为主，并经受长期人为农业生产活动影响的结果。因此，土壤的理化性质从属于上述的演变规律而变化，特别是耕种侵蚀土壤，受其人为影响很大，土壤属性复杂多变。

2 影响侵蚀的土壤主要理化性质分析

当侵蚀外营力一定时，在土地经营类型和经营管理水平大致相同的情况下，土壤侵蚀的状况在很大程度上与土壤抵抗降雨冲刷能量的强弱有关，而土壤抵抗降雨冲刷能量的强弱与土壤类型及其主要理化性质有关。

2.1 土壤物理性质

土壤的物理性质如下：

(1)抗蚀性。土壤抗蚀性的强弱，主要表现在土壤对水的击溅、分散和悬移的抵抗能力上。因此，可以把一定粒径的土壤自然颗粒抵抗均匀水滴击溅而被分散的性能，作为土壤抗蚀性指标。对山地褐色土和山地灰褐土 2 个土类 6 个土属的 9 个土种，采用野外观测和人工室内模拟相结合的方法来确定土壤抗蚀性指标。冲积土类分布面积仅占流域面积的 3%，土壤侵蚀作用较弱，故未予考虑。

具体做法是结合土壤侵蚀量定位观测点，采不同土种土样各 500g，风干后用土壤筛分选 0.7～1.0cm 粒径的土粒若干，置于直径 0.5cm 的金属网络圆盘上，用注入自来水的酸式滴管击溅土粒（滴落高度 15cm，滴水速度 50 滴/min），记录分散土粒所需的水滴数。为使滴落水头的水压稳定，在滴定管上加装马利奥（特）瓶供水。各种土壤试验结果见表 2。

表 2　各种土壤击溅分散试验结果

土壤代号	ⅠA	ⅠB	ⅠC	ⅡA_1	ⅡA_2	ⅢA_3	ⅡB_1	ⅡB_2	ⅡC
击散土粒水滴数平均值 a	172.9	276.7	644.6	12.8	20.4	22.6	77.1	28.8	336.3
标准差 b	192.5	207.2	491.7	5.6	10.7	11.7	81.3	23.0	750.0
重复次数	10	10	20	20	30	40	40	50	10

根据上述试验结果，应用模糊贴近度方法进行抗蚀性聚类分析，将该流域的土壤抗蚀性分类见表 3。

由表 3 可以看出，罗玉沟流域不同土壤的抗蚀性有明显的差别：山地褐色土多分布在海拔 1 700m 以上的北山梁顶、梁坡，气候温暖、湿润，植被条件较好，土壤有机质含量高，土壤抗蚀性表现为强或较强；山地灰褐土为本流域主要农耕地土壤，受人类活动影响，有机质含量低，土壤结构差，侵蚀严重，故土壤抗蚀性为弱或较弱，是该流域坡面产沙的主要源地。不同土属的土壤，因成土母质不同，其抗蚀性亦有差别，一般是 C 属 > B 属 > A 属。C 属土壤多发育于坡积物上，均为粗骨土，因此抗蚀性较强；A 属土壤多发育在黄土母质上，多为粉壤质土，黏粒含量仅占 20%左右，抗蚀性最差；B 属土壤多发育在红黏土上，黏粒含量达 25%～40%，故抗蚀性介于 A 属与 C 属之间。

表 3　　罗玉沟流域土壤抗蚀性分类

抗蚀性等级	抗蚀性评语	土种代号	分散土粒平均水滴数	占流域面积(%)	备　注
Ⅰ	强	ⅡC ⅠC	708.5	9.3	均为粗骨土,分布于梁坡、坡麓,多为荒坡
Ⅱ	较强	ⅠB ⅠA	224.8	4.1	分布于海拔 1 700m 以上的梁顶、梁坡,多为林草地
Ⅲ	中	ⅡB_1	77.1	15.7	分布于各支沟浅凹地、农地,侵蚀严重
Ⅳ	较弱	ⅡB_2 ⅡA_2 ⅡA_3	24.6	67.0	ⅡB_2 分布于各支沟两岸,其余在梁顶、梁坡或陡坡,农地
Ⅴ	弱	ⅡA_1	12.8	0.9	分布于黄土浅凹地和平坦水分条件好的农地

(2)抗冲性。土壤的抗冲性是土壤对抗流水和风等侵蚀营力的机械破坏作用的能力。土体在静水中的崩解情况,可作为土壤抗冲性的指标之一。具体做法是采用分割成两个半圆的容重环刀取样(呈圆柱体),然后放在静水中,观察土体崩解成锥体所需的时间。现将不同土壤抗冲测定结果列表于后(见表 4)。

表 4　　不同土壤类型抗冲性测定结果

项目	采样深度	ⅠA	ⅠB	ⅠC	ⅡA_1	ⅡA_2	ⅡA_3	ⅡB_1	ⅡB_2	ⅡC
崩解速度(min)	0~20cm	127.00	174.00	37.90	6.10	2.90	0.30	1.30	1.00	88.70
	20~40cm	145.00	162.00	16.10	17.30	8.60	8.70	5.00	2.40	55.90
硬度(kg/cm^2)	0~20cm	17.48	17.96	8.65	6.80	8.34	9.99	16.28	18.13	14.72
	20~40cm	17.06	24.61	10.62	13.44	12.88	18.25	31.42	38.99	13.81
根量(kg/cm^2)	0~20cm	3.75	3.16	4.24	—	—	—	—	—	2.24
	20~40cm	2.06	3.79	4.02	—	—	—	—	—	1.72
土壤利用		林地	林地	荒坡	梯田小麦	农地小麦	农地小麦	农地小麦	农地小麦	荒坡
年侵蚀量(t/km^2)		3 685	3 845	5 693	—	7 011	11 990	9 882	14 260	3 299

由表 4 看出,罗玉沟流域内不同土壤的抗冲性和抗蚀性的强弱,基本上是一致的,惟有耕作黑土(ⅡA_1)抗冲性在农耕地中表现最强,而抗蚀性表现则弱。土壤利用情况不同,抗冲性有着明显的差别。其中林地抗冲性最强,草地次之,农地最弱。这是因为林地和草

地土壤中有大量的根系，将土壤缠绕、固结，可使抗冲性增强，而农地土壤中很少见到残存根系，在静水中很易崩解碎裂成很小的颗粒，容易被流水冲刷。

此外，土壤的崩解速率与土壤的紧实度相关性较为密切，特别是在农耕地中表现尤为明显。一般农耕地的表层土壤的崩解速率比底层要小 1/2～1/3，而表层土壤的紧实度比低层亦小 1/2 左右（黄坂土ⅡA$_3$ 表层例外，因其机械组成为粉土，粉粒占 83.5%，其他土种均为重粉质壤土）。这种情况亦说明了农耕地受人为耕作频繁，经常造成上虚下实的土体构型，加之罗玉沟流域内耕作层普遍偏浅（均在 15cm 以下）和土壤抗冲性很弱，遇到高强度的暴雨时，极易造成严重的水土流失，成为该流域泥沙来源的主要基地。同时还可看出，土壤侵蚀量的大小和土壤抗冲性的强弱显著相关（褐色土型粗骨土ⅠC，观测点坡度为 41°，故侵蚀量偏大）。

（3）透水性。土壤水分的渗透能力，是影响水土流失的主要性状之一。土壤渗透速度是估测地表径流和径流系数的重要参数。具体做法是在布设的定点上，分层用单层渗透管法测定，保持恒定水头 10cm，求得 3h 的平均入渗速度。并结合坡面土壤侵蚀量推算的需要，采用快（7.25～9.25mm/min）、较快（5.50～7.25mm/min）、中（4.25～5.50mm/min）、较慢（3.00～4.25mm/min）、慢（2.00～3.00mm/min）、特慢（<2.00mm/min）6 个等级划分土壤透水性的相对强弱（见表 5）。

表 5　　不同土壤类型透水性测定结果

土壤代号	ⅠA	ⅠB	ⅠC	ⅡA$_1$	ⅡA$_2$	ⅡA$_3$	ⅡB$_1$	ⅡB$_2$	ⅡC
渗透速度（mm/min）	9.10	5.00	3.50	4.60	4.03	3.33	3.95	2.88	4.60
透水性评语	快	中	较慢	中	较慢	较慢	较慢	慢	中
砂粒%（0.5～0.05mm）	30.45	21.65	36.90	0	16.33	17.90	17.05	12.73	30.20
>0.25mm 团粒%	82.88	89.99	81.44	72.70	48.57	35.55	45.84	31.89	86.18

注：表中数字均系 0～40cm 土层平均数。

由表 5 可知，山地褐色土多系林草荒地，质地较粗，机械组成中砂粒含量在 20%以上，结构良好，>0.25mm 的团粒总数平均在 80%以上；土壤透水性为中—快，在相同的暴雨条件下，不易产生地表径流和土壤流失，坡面土壤侵蚀微弱（粗骨土ⅠC 例外）。而山地灰褐土除了粗砂土ⅡC（系荒坡）外，均为农耕地，绝大部分为重粉质壤土，机械组成中砂粒含量在 13%～18%之间；>0.25mm 的团粒总数平均在 32%～49%之间，均为无结构的土壤；因此，土壤透水性不良，表现为慢—较慢，一遇暴雨极易产生地表径流和土壤流失，坡面土壤侵蚀极为严重（耕作黑土ⅡA$_1$ 面积占 0.9%，分布于黄土浅凹地，地势平坦，结构良好，侵蚀微弱）。

此外，还可以看出在同一土属内，土壤含沙量和土壤团粒结构含量愈高，则渗透率愈大。如发育于红黏土母质上的黑红土（ⅡB$_1$）和红胶土（ⅡB$_2$）的含沙量分别为 17.05%和 12.73%，>0.25mm 的团粒总数为 45.84%和 31.89%，渗透速度则为 3.95mm/min 和

2.88mm/min。

测定各土壤的密度、容重和孔隙度的结果表明：山地褐色土的密度在2.63～2.66 g/cm³之间，容重在1.10～1.15g/cm³之间，孔隙度在47.97%～54.43%之间；各种土壤间变化不太明显，故难以比较侵蚀程度的强弱。上述情况，也可能由于黄土面积覆盖较大、黄土层较厚的缘故所致。

2.2 土壤化学性质

土壤化学性质主要指影响侵蚀土壤肥力的养分要素，至于用以判断土壤的侵蚀程度仍是尚待深入研究的问题之一。表6是根据在1985年进行的土壤资源调查，对81个土样分析化验所得的结果。

表6　　　　罗玉沟流域土壤养分含量

土壤代号	土壤养分含量(%)				$CaCO_3$ (%)	0～20cm土层内有机质含量的下降(%)	备注
	有机质	全氮	全磷	全钾			
ⅠA	2.713 1	0.126 4	0.220 3	2.330 3	0.19	0	
ⅠB	1.573 6	0.077 5	0.175 7	1.971 3	0.07	42.00	
ⅠC	1.406 4	0.053 3	0.138 5	2.265 8	0.23	48.16	
ⅡA_1	0.901 8	0.046 3	0.148 3	2.004 4		66.76	
ⅡA_2	1.016 5	0.046 3	0.163 6	2.146 8	14.06	62.53	$CaCO_3$含量系本次试验中测定
ⅡA_3	1.005 6	0.044 7	0.173 0	2.147 9	14.17	62.94	
ⅡB_1	1.048 5	0.052 8	0.159 9	2.094 8	12.90	61.35	
ⅡB_2	0.657 2	0.022 8	0.118 3	2.037 1	12.81	75.78	
ⅡC	—	—	—	—	12.24	—	
ⅢA	0.960 0	0.049 0	0.180 9	2.100 8	—	64.62	
ⅢB	0.422 5	0.015 1	0.150 9	2.126 1	—	84.43	

土壤有机质和氮素的含量，是土壤肥力的重要标志之一。资料分析表明，土壤类型不同，土壤有机质和氮素的含量也不同。山地褐色土剖面土壤有机质变动于1.41%～2.71%，氮素变动于0.053%～0.126%；山地灰褐土系侵蚀土壤，由于强烈的冲蚀，使土壤肥力退化，土壤有机质变动于0.66%～1.049%，氮素变动于0.023%～0.053%；阶地冲积土有机质为0.96%，氮素为0.049%；砂土分布于河漫滩，肥力极低，有机质为0.423%，氮素为0.015%。

若将黑土(ⅠA)看做是非侵蚀土，纵观全流域各土种表层内有机质储量的变化与它相比，按照表7的标准来确定土壤的侵蚀程度，可以看出，山地褐色土中的ⅠB、ⅠC属于中度侵蚀，山地灰褐土中的ⅡA_1、ⅡA_2、ⅡA_3、ⅡB_1等均属于强度侵蚀，ⅡB_2属剧烈侵蚀。土壤侵蚀度越高，土壤中有机质含量下降越明显，土壤中的含量就越低，是导致土壤侵蚀稳定性减弱和被侵蚀土壤肥力下降的重要原因之一。

表 7　土壤按侵蚀程度分类

侵蚀程度等级	在 0～20cm 土层内有机质含量的下降率(以百分数计,与非侵蚀土相比)
轻度侵蚀	10～20
中度侵蚀	20～50
强度侵蚀	50 以上

分析资料还表明,流域内各种土壤的含钾量均在 2%左右,且较丰富。因此,影响流域生产力的因素主要是土壤中的氮磷元素,二者的容量因素和强度因素,在一定程度上可以反映土壤生产力及生产潜力的高低。根据西北水土保持研究对杏子河流域土壤中氮磷元素储量分级(见表 8),结合罗玉沟流域土壤资料分析对比(见表 9)可以看出,该流域中的主要农耕地(Ⅱ、Ⅲ)中土壤氮素储量严重不足,磷素储量处于低—中水平,土壤生产力低。据调查,1978～1983 年,该流域 6 年的平均产量 1 425kg/hm²,其中最低的 1981 年平均 817.5kg/hm²,最高的 1978 年为 1 935kg/hm²。水土流失引起土壤性质恶化,肥力下降,是造成土壤瘠薄、产量低下的主要原因之一。

表 8　土壤氮磷元素储量分级

级　别	0～20cm 土层内氮素储量(kg/hm²)	0～20cm 土层内磷素储量(kg/hm²)
高	＞1 875	4 500～6 375
中	1 500～1 875	3 375～4 500
低	1 125～1 500	2 250～3 375
极低	1 125	2 250

表 9　罗玉沟流域土壤氮磷元素储量分级

土壤代号	0～20cm 土层内氮素储量(kg/hm²)	级别	0～20cm 土层内磷素储量(kg/hm²)	级别
ⅠA	2 856.0	高	4 978.5	高
ⅠB	1 752.0	中	3 970.5	中
ⅠC	1 204.5	低	3 130.5	低
ⅡA_1	1 047.0	极低	3 351.0	低
ⅡA_2	1 047.0	极低	3 697.5	中
ⅡA_3	1 009.5	极低	3 909.0	中
ⅡB_1	1 194.0	低	3 613.5	中
ⅡB_2	516.0	极低	2 673.0	低
ⅡC				
ⅢA	1 107.0	极低	4 089.0	中
ⅢB	342.0	极低	3 411.0	中

3　结语

土壤侵蚀普遍存在,在黄土地区还相当严重,带来了一系列严重恶果。在小流域内,当侵蚀外营力大致相同的情况下,坡面土壤侵蚀的状况在很大程度上与地面组成物质的性质有关。罗玉沟流域在黄土丘陵沟壑区第三副区具有一定的代表性,现代沟沿线以上的坡面面积占流域总面积的48.4%,坡面土壤侵蚀比较严重,在流域土壤侵蚀中占有相当的比重。

受其自然因素和历史条件的综合影响,所形成的侵蚀土壤类型较为复杂,土壤的理化性质随着侵蚀的程度而各异,相互影响着侵蚀的发生和发展。特别是耕种侵蚀土壤,人为活动所造成的加速侵蚀,使之关系多变。

土壤主要理化性质分析结果表明,山地褐色土分布在海拔1 700m以上的北山梁顶和梁坡,气候温暖湿润,为罗玉沟流域的主要林草基地或荒坡,土壤有机质和养分含量较高,结构良好,抗蚀性和抗冲性表现较强,透水性良好,土壤侵蚀微弱。山地灰褐土为本流域的农业用地,其分布面积占流域总面积的91.7%,土壤抗蚀性和抗冲性表现弱(或较弱),透水性差,土壤有机质和养分含量低,均为无结构的土壤,坡面土壤侵蚀严重,是该流域坡面产沙的主要源地;同时由于水土流失严重,进一步加速了坡面侵蚀的发展,造成土壤瘠薄,生产力低下。

氮磷钾含量是土壤肥力的重要指标。罗玉沟流域内各种类型土壤的含钾量接近,且较丰富。主要农耕地(山地灰褐土、冲积土)中氮素严重不足,磷的储量处于中(低)水平。从土壤表层内有机质储量的变化分析,农耕地亦多属强度侵蚀,土壤侵蚀程度越高,土壤中有机质和氮素的含量越低,是导致土壤抗侵蚀稳定性的减弱和土壤肥力下降的重要原因之一。

土壤虽是可以再生的自然资源,一旦流失却很难恢复,黄土地区量大面广的坡面侵蚀,往往被人们所忽视。因此,加强土壤侵蚀的综合防治,已成为刻不容缓的任务。

(本文发表于《水土保持学报》1989年第1期)

罗玉沟流域坡面土壤侵蚀的研究

李建牢　刘世德

摘　要　本文介绍了罗玉沟流域土壤侵蚀的基本特征,将流域坡面土壤侵蚀划分为梯田平台微度侵蚀、荒坡轻度侵蚀、农田缓坡侵蚀等7种侵蚀类型,采用定位观测和典型调查相结合的方法,测算了1987年流域坡面土壤侵蚀量,并用美国通用土壤流失方程式的推算值对测算的结果进行了验证。1987年罗玉沟流域坡面土壤侵蚀量约32.5万t,其中农田层状侵蚀量约占总侵蚀量的42.6%,林草地鳞片状侵蚀量约占16.9%,细沟侵蚀量约占36.7%,浅沟侵蚀量约占4%。

1　流域概况与土壤侵蚀的基本特征

1.1　流域概况

罗玉沟流域位于天水市北郊,面积72.79km²,属黄土丘陵沟壑区第三副区。该流域沟床以上各种坡面面积63.14km²,占流域面积的86.8%。其中梁峁坡面积10.56km²,谷坡类面积19.96km²,沟坡类面积32.62km²。流域内坡度较平缓,小于15°的坡面占流域面积的48.4%,大于25°的坡面积仅占23.6%,平均坡度19°左右。

流域内的地面物质主要为第四纪黄土、红土、洪积冲积物及部分风化变质岩,其中以新四纪马兰黄土覆盖面积最大,约占流域地面覆盖物质的3/4。这种黄土结构松散,抗冲抗蚀性极低。

该流域属大陆性季风气候,年平均降水量531.1mm,蒸发量1 293.3mm,干燥度指数$K=1.30$,年平均气温10.7℃,极端最高气温38.2℃,最低气温－19.2℃,全年无霜期184天,平均风速1.3m/s。

1.2　土壤侵蚀的基本特征

罗玉沟流域气候较湿润,空气相对湿度为68%,土壤砂粒(0.05～0.5mm)含量较低,风速不大,水力和重力是主要的侵蚀营力,严重的土壤侵蚀常伴随高强度的暴雨和连续大雨而发生。坡面侵蚀是水力侵蚀中最普遍的形式。在裸露的土壤或农作物幼苗期的土地上,只要遇到高强度的暴雨或连续大雨,都会发生强烈的面蚀。

在降雨条件大致相同的情况下,土地利用方式、植被条件、地形和地面物质组成等因素,与坡面土壤侵蚀关系很密切。由于流域开垦指数高达0.59,因而人为支配土地利用现状对土壤侵蚀起着主导作用。据观测,林地年面状侵蚀量为1 000～3 000t/km²,大于25°的坡耕地年面状侵蚀量为8 000～15 000t/km²,梯田基本不发生面蚀。实质上,坡面侵蚀存在着冲淤反复交替进行的复杂过程。径流从梁顶到坡脚,经历着千变万化的地形地貌,不可能畅通无阻地全部进入沟道。梯田、林地、荒地对径流虽有一定的拦阻作用,但由于面积较小,作用有限。单一的农业生产和粗放的耕作方法,造成土壤有机质贫乏、理化性质恶化,一遇暴雨即引起严重的水土流失。

据观测,农地上的土壤面蚀主要发生在汛期首次暴雨中。坡耕地经过耕翻,土体处于上松下实的状态,遇暴雨会发生大量细沟、浅沟侵蚀现象。1987 年 4 月 19 日,罗玉沟流域下游地区平均降雨量 48mm,坡耕地上细沟侵蚀量达 1 000 ~ 6 000t/km^2。

不同地面物质组成对土壤侵蚀的影响,主要表现在土壤渗透性和抗冲性上。黄土质地疏松,多孔隙,易崩解,抗蚀抗冲性较差,雨滴击溅时土粒易分散,堵塞孔隙,加剧坡面侵蚀。杂色土结构紧密,难崩解,透水性差,排水不良易产生重力侵蚀现象。风化变质岩坡积物颗粒粗糙,结构松散,透水性强,一般情况下侵蚀较弱,暴雨时坡度陡峻的地方会发生强烈的细沟、浅沟侵蚀。

2 流域土壤侵蚀的分区和坡面土壤侵蚀分带、分类

2.1 流域土壤侵蚀区的划分

土壤侵蚀区的划分,是按土壤侵蚀的某些差异性和相似性,将一个地区(或流域)划分为若干连续分布的不重复出现的侵蚀单元。

2.1.1 划分原则

(1)主导因子的差异性和相似性。据分析,影响罗玉沟流域土壤抗蚀力差异的主要因子是地面物质组成,其次是坡度、沟壑密度等因子,因此将三种主要地面物质组成百分比及地面平均坡度、沟壑密度等九个因子指标作为侵蚀分区的依据。

(2)流域界线的完整性和连续性。为了保证分区结果的完整性和连续性,以直接汇入主沟的支毛沟作为划分单元,以保持流域界线的完整性。

2.1.2 划分依据

(1)样本和变量的选择。在流域 198 条一级支沟中,根据均匀布点的原则选择面积 1 ~ 3km^{2}的支沟作为土壤侵蚀分区的样本,分别统计其地面物质组成(黄土、杂色土、风化岩所占百分比)、平均坡度、沟道比降、沟壑密度、沟坡面积比、沟道分枝率、开垦指数等九个因子指标。

(2)变量数据处理。根据在专业图上量得的各变量统计数据 x,应用极差标准化公式 $X = X' - X'_{min}/X'_{max} - X'_{min}$将数值压缩到[0,1]区间,然后应用夹角余弦法计算公式

$$\gamma_{i,j} = \cos\theta_{i,j} = \frac{\sum_{k=1}^{m} X_i \cdot X_j}{\sqrt{\sum_{k=1}^{m} X_i^2 \cdot \sum_{k=1}^{m} X_j^2}}$$

求得各样本沟道间模糊相似系数矩阵 R。取水平集 $\lambda = 0.93$,将样本沟道划分为三大类,并以此为依据将流域划分为三个侵蚀区。

2.1.3 划分结果

(1)土石强度侵蚀区。分布于流域左岸中上游地区,面积 30.14km^2,占流域面积的 41.4%,黄土覆盖面积 23% ~ 59%。平均坡度 29.6°,沟壑密度 6.29km/km^2。该区开垦指数低,植被良好,径流侵蚀力极强,土壤以山地灰褐土为主,抗蚀性相对较强,坡面年侵蚀量为 6 100t/km^2。

(2)杂色土中度侵蚀区。分布于流域左岸下游及右岸中上游,面积 26.8km^2,占流域面

积的 36.9%。杂色土裸露面积 42.2% ~ 66.9%,其余为黄土所覆盖。地面坡度 10.5° ~ 23.8°,沟壑密度 5.57km/km²,植被条件差,易发生滑坡、泻溜等重力侵蚀,年土壤侵蚀量为 5 200t/km²。

(3)黄土轻度侵蚀区。分布于主沟沟头及右岸上游地区,面积 15.8km²,占流域面积的 21.7%。本区黄土覆盖面积 51.4% ~ 100%,其余为杂色土,地面坡度平缓,沟壑密度 3.31km/km²,开垦指数高达 70%,径流侵蚀力较弱,坡面年土壤侵蚀量为 3 700t/km²。

2.2 坡面土壤侵蚀的垂直分带

降雨时,由于径流在每一个坡面上从分水岭到沟床逐渐汇集,因而土壤侵蚀方式和侵蚀强度随地形部位的不同而发生变化。根据地形部位,可将罗玉沟流域坡面划分为三个侵蚀带:①梁峁坡轻度侵蚀带,位于坡面上部地带;②谷坡类中度侵蚀带,位于坡面中部地带;③沟坡类强度侵蚀带,位于坡面下部地带。

2.3 坡面土壤侵蚀类型的划分

土壤侵蚀类型,是指在一定的侵蚀方式作用下,具有一定的侵蚀特点,可以重复出现、零散分布的土壤侵蚀单元。

2.3.1 划分依据

土壤侵蚀是降雨侵蚀力与土壤抗蚀力相互作用的结果。对于某一个小流域而言,降雨侵蚀力相对来说是一致的,土壤抗蚀力主要受植被、地形及人为活动的影响,据此提出流域坡面侵蚀分类的依据为:

(1)土地利用状况。农田,指农作物地和一年生人工草地;林地,指覆盖度大于 60% 的成林地;疏林草地,指覆盖度小于 60% 的灌草丛生的林地;荒草地,包括天然草地、多年人工草地及村庄道路等。

(2)植被覆盖度(指农业用地)。汛期覆盖度 > 60%,轻度鳞片状侵蚀;汛期覆盖度 30% ~ 60%,中度鳞片状侵蚀;汛期覆盖度 < 30%,强度鳞片状侵蚀。

(3)地面坡度(指农业用地)。坡度 < 5°,梯田平台微度侵蚀;坡度 6° ~ 15°,缓坡轻度侵蚀;坡度 16° ~ 25°,中坡中度侵蚀;坡度 > 25°,陡坡强度侵蚀。

2.3.2 划分结果

根据以上因子指标,将罗玉沟流域坡面土壤侵蚀划分为 7 种类型,各类型分布面积及基本特征见表 1。

3 坡面土壤侵蚀量的测算

罗玉沟流域无径流小区观测资料,水文观测资料的系列又很短,因而采用定位观测和典型调查相结合的方法测算流域土壤侵蚀量,并用当地参数采用美国通用土壤流失方程式对测算结果进行验证。

3.1 土壤侵蚀量的观测与调查

(1)层状侵蚀量的定位观测。在流域上、中、下游不同地形部位布设 10m × 10m 样地 16 个,沿样地对角线布设测扦各 20 根,根据暴雨前后测扦出露高度的差推算土壤侵蚀厚度。为了消除因土体下沉所产生的误差,在同样耕作条件下无侵蚀的梯田内(事实上梯田也有一定量的侵蚀)进行同步观测,以便消除土壤下沉对侵蚀量的影响。单位面积上土壤

表 1　　　　罗玉沟流域坡面土壤侵蚀类型划分结果

侵蚀类型组	代号	侵蚀类型名称	划分因子			分布状况	
			土地利用	植被覆盖度（%）	坡度（°）	占流域面积（%）	分布位置
微度（Ⅰ）	I_1	梯田平台微度侵蚀	农地	>60	<5	15.88	多分布于黄土轻度侵蚀沟道
	I_2	林地微度侵蚀	林地			1.87	多分布于侵蚀沟道
轻度（Ⅱ）	II_1	疏林轻度侵蚀	林草地	30~60		5.49	多分布于土石强度侵蚀区
	II_2	荒坡轻度侵蚀	荒地	<30		12.37	多分布于土石强度侵蚀区
中度（Ⅲ）	III_1	农田缓坡侵蚀	农地		5~15	32.57	多分布于黄土轻度侵蚀区
	III_2	农田中坡侵蚀	农地		16~25	21.26	多分布于杂土中度侵蚀区
	III_3	农田陡坡侵蚀	农地		>25	10.56	多分布于土石强度侵蚀区

侵蚀量的计算式为：

$$A = (H_2 - H_1) \times c \times 1\,000$$

式中，A 为单位面积土壤侵蚀量，t/km^2；H_1 为降雨前测扦出露高度，mm；H_2 为降雨后测扦出露高度，mm；c 为土壤容重，g/cm^3。

(2)细沟侵蚀量的典型调查。结合典型暴雨在样地的上、中、下部位布设横断面，实测断面上每一细沟的宽度和深度。假设所有细沟连续与横断面垂直，则细沟切割度（面积百分比）、细沟密度（单位面积细沟长度）和细沟侵蚀量的计算式为：

细沟切割度 = ∑细沟宽度（cm）/（断面宽度（m）×100）×100%

细沟密度 = 细沟切割度（%）/细沟平均宽度（cm）×10^5　（km/km^2）

细沟侵蚀量 = 细沟密度 × 断面面积 × c/10　（t/km^2）

通过对 60 个样本细沟断面进行实测，求得不同地面物质上细沟宽度、深度及断面面积间的关系为：

黄色土　$S = 0.595 b^{1.276} h^{0.825}$

$r = 0.972\,5$

杂色土　$S = 0.946 b^{0.898} h^{1.036}$

$r = 0.986\,3$

风化物　$S = 1.079 b^{0.715} h^{1.127}$

$r = 0.970\,3$

式中，S 为细沟断面面积，cm^2；b 为细沟顶宽，cm；h 为细沟深度，cm；r 为相关系数。

(3)浅沟侵蚀量调查。在三条不同侵蚀类型的典型支沟内，用 1/10 000 地形图调绘浅沟分布线，然后按侵蚀类型统计浅沟分布密度，按实测的平均浅沟断面面积推算不同侵蚀类型的浅沟侵蚀量。

3.2 应用通用土壤流失方程式估算坡面土壤侵蚀量

(1)降雨侵蚀力因子 R 值的确定。根据流域上、中、下游三个雨量站的观测资料,采用魏斯曼的经验公式 $R=\sum EI_{30}(E=E_iP, E_i=210.3+89.1\lg i)$ 求得 1987 年该流域平均降雨侵蚀力 $R=67.11$。

(2)土壤可蚀性因子 K 值的确定。根据实测的流域 9 种主要土壤的机械组成、有机质含量、土壤结构及渗透性,从魏斯曼土壤可蚀性列线图上查得不同土壤可蚀性 K 值,然后用面积加权法求出不同侵蚀类型土壤的综合 K 值。

(3)地形因子 LS 值的确定。从流域 1/10 000 专业图上量测坡面平均坡长和坡度,运用牟金泽 1985 年提出的 $LS=(\theta/5.07)^{1.3}1.02(l/20)^{0.2}$ 计算式,求得不同土壤侵蚀类型的 LS 值。

(4)植物及管理措施因子 C 值的确定。自然植被根据植被类型和覆盖度参照魏斯曼的有关资料确定。农田 C 值以小麦、玉米 7:3 的比例计算,根据不同生长期内降雨侵蚀力分布比例,求得小麦 C 值为 0.259 9,玉米为 0.295 3,农田综合 C 值为 0.270 5。

(5)水保措施因子 P 值的确定。罗玉沟流域坡面水保措施主要是梯田和林草措施。梯田的 P 值已包括在地形因子 LS 中,林草的 P 值已包括在植被因子 C 中,其他耕作措施作用有限,可将 P 值近似看做 1。

3.3 坡面土壤侵蚀量的观测推算结果

根据以上确定的各项参数值,将采用通用土壤流失方程式 $A=R\cdot K\cdot LS\cdot C\cdot P$ 推算的土壤侵蚀量与野外观测调查测算的土壤侵蚀量进行比较,可知二者之间仅相差 13%,除林地($Ⅰ_2$)外,误差均小于 40%,推算值具有较好的精度(见表 2)。

表 2　　坡面土壤侵蚀量观测推算结果

项目		侵蚀类型							
		$Ⅰ_1$	$Ⅰ_2$	$Ⅱ_1$	$Ⅱ_2$	$Ⅲ_1$	$Ⅲ_2$	$Ⅲ_3$	全流域
分布面积(%)		15.88	1.87	5.49	12.37	32.57	21.26	10.56	100.00
侵蚀因子	R	67.11	67.11	67.11	67.11	67.11	67.11	67.11	67.11
	K	59.70	48.11	53.13	54.65	59.06	59.76	61.11	57.72
	LS	0.368 4	4.830 9	6.744 0	6.780 5	3.110 3	6.565 8	10.713 9	4.898 3
	C	0.270 5	0.035 0	0.088 0	0.236 0	0.270 5	0.270 5	0.270 5	0.251 8
	P	1.00	1.00	1.00	1.00	1.00	1.00	1.00	1.00
推算侵蚀量(t)		400	510	2 100	5 900	3 300	7 100	11 900	4 800
观测侵蚀量(t)		0	3 600	3 200	6 000	5 500	7 200	11 300	5 500
其中(%)	层状侵蚀		0	0	0	78.1	37.2	42.1	42.6
	鳞片状侵蚀		100	94.6	94.8	0	0	0	16.9
	细沟侵蚀		0	0	0	19.0	60.2	55.5	36.7
	浅沟侵蚀		0	5.4	5.2	2.9	2.5	2.4	3.8
(推-观)/观			-0.85	-0.34	-0.02	-0.40	-0.01	0.05	-0.13
采用侵蚀量(t)		200	2 000	2 650	5 950	4 400	7 150	11 600	5 150

4 结论

(1)根据地面物质组成等因素,可将罗玉沟流域侵蚀划分为土石强度侵蚀区、杂色土中度侵蚀区和黄土轻度侵蚀区三种类型。

(2)罗玉沟流域沟床以上各种坡面面积 63.14km^2,1987 年土壤侵蚀量约 32.5 万 t,占沟口悬移质输沙量的 58.47%(占全沙量的 46%),其中梁坡、谷坡、沟坡输沙量分别占坡面总输沙量的 16.9%、35.1%和 48%。

(3)流域坡面侵蚀的主要方式是水力侵蚀。农田层状侵蚀量约占坡面土壤侵蚀总量的 42.6%,林草地鳞片状侵蚀量约占 16.9%,细沟侵蚀量约占 36.7%,浅沟侵蚀量约占 4%。

采用观测、调查和推算求得的坡面土壤侵蚀量,虽然仅有一年的资料,但在一定程度上反映了土壤侵蚀量的大小。通过分项观测调查,可以分清坡面不同侵蚀部位、不同侵蚀方式侵蚀量所占的比例,为进一步分析土壤侵蚀成因提供科学依据。

(本文发表于《中国水土保持》1989 年第 9 期)

罗玉沟典型小流域土壤侵蚀特征研究

张恒丰[1]　李建牢　刘世德

摘　要　罗玉沟位于甘肃省天水市城区西北。流域年均降水量531mm,平均侵蚀模数悬移质7 500t/km^2。平沙年(1987年)流域年输沙量坡面、沟道、重力侵蚀所占比例为46%、42%、12%;以地域划分泥沙流失是坡面、沟道各占一半。坡面是洪水和细泥沙的主要源区,沟道是推移质的集中产地。流域及坡面、沟道、重力侵蚀的年沙输移比是0.65及1.0、0.47、0.68,土壤流失主要是随洪输移流失。

1　流域概况

罗玉沟流域位于黄土丘陵沟壑区第三副区的傍山区与深谷区过渡地带。流域面积72.79km^2,呈柳叶形。气候干旱,年均降水量531mm,且集中在7、8、9月。多年平均气温10.7℃,≥10℃活动积温3 360℃,无霜期184天,年均风速1.3m/s,年多静风,出现频率为40%。土壤母质裸露,土地瘠薄,植被盖度差,坡面破碎,沟蚀、重力侵蚀活跃,土壤流失主要是随洪输移流失,常水流失甚少。年均侵蚀模数悬移质7 500t/km^2。本处是陇西构造盆地的东南缘。表层为更新统(Q_3)马兰黄土,多见于峁、梁、谷坡、台地;下层是第三系(N)灰、绿、棕、红杂色黏土夹砂砾岩,常露于沟坡及沟道;基底为前震旦系(AH)片麻岩、花岗岩,出露于凤凰山到滴水崖逆断层北侧。全流域土石山区占41.4%,杂色土区占36.9%,黄土区占21.7%。流域沟坡面积比值是0.153。流域直线长20.5km,流域不对称系数0.103,分水岭发展系数1.49。流域由五级沟道组成树枝状水系网,四级干沟比降一般大于25%,$1 < B/H < 10$。五级溪沟比降3.35%,$1 < B/H < 50$。沟壑密度5.43km/km^2。坡面<15°的面积占48.4%,>25°的面积占23.6%,开垦指数0.59。风蚀轻微,重力侵蚀输沙量占全流域12%,水蚀仍是流域土壤侵蚀的主要方式。

2　土壤侵蚀特征分析

2.1　土壤侵蚀分区及类型

侵蚀分区是以支毛沟小流域为单元,用黄土、黏土、土夹石面积百分比为主要指标,同时参照地面坡度、沟壑密度等九项因子指标。在193条支毛沟中抽取24条样本,面积占总面积的57%。运用级差标准公式,将数值压缩到[0,1]区间,然后用夹角余弦法计算样本相似系数矩阵R,取水平集$\lambda = 0.93$,将样本划分为以下三大类:①土石强度侵蚀区。面积30.14km^2(其中土夹石面积占40%),占流域面积的41.4%,地面平均坡度29.6°,开

[1]张恒丰,男,陕西高陵人,工程师,主要从事水土流失规律研究工作。

垦指数 0.48，被覆较好，沟壑密度 6.29km/km^2，年侵蚀模数坡面是 6 100t/km^2，沟道是 31 100t/km^2。②杂色土中度侵蚀区。面积 26.84km^2(其中杂色土面积占 58%)，占流域面积的 36.87%，地面平均坡度 17.7°，开垦指数 0.74，被覆较差，沟壑密度 5.46kg/km^2，年侵蚀模数坡面是 5 170t/km^2，沟道是21 100t/km^2。③黄土中度(坡面是轻度)侵蚀区。面积 15.80km^2(其中黄土占 65%)，占流域面积的 21.72%，地面平均坡度 13.7°，开垦指数 0.77，被覆差，沟壑密度 3.73km/km^2，坡面年侵蚀模数 3 230t/km^2，沟道是 49 400t/km^2。

土壤侵蚀类型划分，以天然土地块(1 568 块)为单元，假设小流域中降雨侵蚀力均等，用土地块抗侵蚀力为指标(采用农、林、草、荒、村庄、道路的措施比例及地面坡度为具体指标)将坡面划分为微度、轻度、中度、强度四个侵蚀组及微度梯田、林地类型，轻度疏林草、荒草地类型，中度平坡、缓坡、农田类型，中度村庄类型，强度道路类型，强度陡坡农田类型等九种类型。

2.2 土壤侵蚀垂直分带

罗玉沟流域的综合剖面，由高向低，依次是梁顶、梁坡、谷坡、沟坡、阶地、沟道六个地貌部位。各部位因地面坡度、土壤种类、植被和措施现状不同，土壤侵蚀强度由高向低依次是轻—中—强—强—轻—强烈，呈明显的垂直规律分布。(侵蚀模数单位 t/km^2)

(1)梁顶轻微侵蚀带，年侵蚀模数 < 1 000；

(2)梁坡中度侵蚀带，年侵蚀模数 4 500；

(3)谷坡强度侵蚀带，年侵蚀模数 5 000；

(4)沟坡强度侵蚀带，年侵蚀模数 5 600；

(5)阶地轻微侵蚀带，年侵蚀模数 < 1 000；

(6)沟道强烈侵蚀带，年侵蚀模数 30 300 ~ 40 200。

2.3 坡面土壤侵蚀与土壤理化性质

在流域上、中、下游中的 2 个土类 6 个土属 9 个土种中选定 16 个测验点。观测土壤侵蚀性状及侵蚀量变化；并设立样方取样测取土壤抗蚀性、抗冲性、透水性、机械组成、有机质和养分含量等指标，分析其数据指标及相互作用，探索坡面土壤侵蚀与土壤理化性质的关系。

土壤抗蚀性用土壤自然颗粒抵抗均匀水滴击溅而被分散的能力作为标准，各类土的滴击滴数，应用模糊贴近度方法进行抗蚀性聚类分析。得出山地褐色土抗蚀性强，山地灰褐土抗蚀性弱。流域土壤抗蚀性一般规律是，坡积碎屑土层 > 黏土母质的山地灰褐土层 > 黄土母质的褐色土、灰褐土、冲积土。土壤抗冲性是土壤对水流冲刷的抵抗能力，用土体在静水中的崩解时间作标准，发现流域中只有黑土抗冲性最强，其他土壤基本相近。另外土壤中植物根系的多少与抗冲性成正比。土壤透水性用土壤渗透速度作标准，采用恒定 10cm 水头单层透水管野外实地测定，测得各种土壤渗透速度(mm/min)及土中砂粒(0.5 ~ 0.05mm 粒径)的百分数为：黑色土是 9.10、30，黑沙土是 5.00、22，粗骨土是 3.50、37，黑土 4.60(渗透速度)，黑鸡粪土是 4.03、16，黄坂土是 3.33、18，黑红土是 3.95、17，杂色土是 2.88、13，粗砂土是 4.60、30。通过对土壤团粒结构、孔隙度、容重、密度、紧实度、硬度进行测定，结果表明，土壤沙量高、团粒结构疏松，渗透速度就快，反之亦然。

通过对土壤中氮、磷、钾、碳酸钙、有机质及耕作层有机质下降率的取样分析，发现山地灰褐土因多年严重侵蚀造成有机质含量比褐色土低53%~61%,氮素含量低56%~64%。由理化数据,得出山地褐色土(林草用地)土壤养分含量高,结构良好,抗冲性、抗蚀性较强,透水性良好,土壤侵蚀较轻;山地灰褐土(农业用地)土壤养分含量低,抗蚀性、抗冲性较弱,透水性差,持水性差,土壤侵蚀较强,是流域的主要产沙区域。

2.4 坡面土壤侵蚀性状及特征

在流域上、中、下游三个大断面上,布设了10m×10m的正方形测扦网观测样地16处。直接观测次、月的片蚀、纹沟、细沟侵蚀量。在三条支流中调查浅沟侵蚀量,用土壤流失通用方程 $A=R\cdot K\cdot LS\cdot C\cdot P$ 推算流失量,作为校核比较。

2.4.1 样地测验

用测扦直接测读侵蚀深,计算侵蚀量。

2.4.2 通用方程有关因子的确定

降雨侵蚀力 R 采用魏斯曼公式 $R=\sum E\cdot I_{30}$ 计算。土壤可蚀性 K 运用魏斯曼列线图求取,同时用室内模拟方法实测不同土壤抗分散的程度 D,得出 D 与 K 的关系式为:

$$K=0.9195D^{-0.1145}\quad |Y|=|-0.8627|>Y_{0.01}$$

式中,D 为击散一定大小土颗粒所需水滴数。计算出Ⅰ$_1$梯田可蚀性为0.5970t/hm^2,Ⅰ$_2$林地0.4811t/hm^2,Ⅱ$_1$疏林草0.5313t/hm^2,Ⅱ$_2$荒草地0.5465t/hm^2,Ⅲ$_1$平坡农田0.5906t/hm^2,Ⅲ$_2$缓坡农田0.5978t/hm^2,Ⅲ$_3$陡坡农田0.6141t/hm^2。地形因子 LS(坡长与坡度),运用公式:

$$LS=\left(\frac{\theta}{5.07}\right)^{1.3}\times 1.02\left(\frac{l}{20}\right)^{0.2}$$

植物及管理措施 C,可根据植物生长期及年降雨侵蚀力 R 的时间分布求得。结果 C 在Ⅰ$_1$是0.2705,Ⅰ$_2$是0.035,Ⅱ$_1$是0.088,Ⅱ$_2$是0.236,Ⅲ$_{1\sim3}$是0.2705。水土保持措施 P 计算采用1,用方程推算。

2.4.3 坡面土壤侵蚀分布

坡面是流域洪水、细泥沙的主要产区。平沙年(1987年)输移比近似为1。坡面水蚀年输沙量为32.5万t,占流域悬移质总量的58.5%,占流域全沙量的46%;沟坡及谷坡侵蚀最强,分别占坡面总量的48%及35%;梁面侵蚀占坡面总量的17%,坡面水蚀以层状及细沟方式为主,分别占坡面总量的43%及37%,鳞片侵蚀量占17%,浅沟侵蚀量占3%。

2.5 沟道土壤侵蚀性状及特征

沟道是流域水沙输送通道,是承上启下的关键枢纽地带。沟道泥沙采用纵、横断面汛前汛后实测的方法。在黄土区、杂土区、土石山区各选一条流域,在1~5级沟道上,布设100m长测段18个,10m间隔等距平行布设横断面112个,在沟道主流线上布设纵断面4个,在不同土壤的不同坡度上布设11m的泻溜测扦方格网72处,另外调绘三个小流域专业图库,直接取得实测侵蚀数据。根据沟道产沙方式、侵蚀部位、产沙量、输沙量、积存量及输移比数据,进而从泥沙数量、泥沙颗粒组成、沟道形态上来分析研究沟道泥沙来源和输移规律。

2.5.1 罗玉沟沟道水文网特性

罗玉沟沟道呈树枝状向上分岔,四级冲沟分岔数是4.00,三级冲沟分岔数是4.75,二级切沟分岔数是 5.15,一级切沟分岔数(浅沟数)是 10.25。沟壑密度土石山区为 6.29km/km^2,杂土区是 5.46km/km^2,黄土区是 3.73km/km^2。流域平均沟壑密度是 5.43km/km^2。另外 1~5 级沟道的沟壑密度依次是 3.26、1.19、0.50、0.25、0.23km/km^2。1~4 级的干沟,沟底比降多大于 25%,沟槽宽深比 $1 < B/H < 10$。五级溪沟比降 3.35%,宽深比 $1 < B/H < 50$。沟槽股流势能大、流速大、下切冲刷力强,加之沟道弯曲,旁蚀较严重,沟壁滑坡、崩塌特别发育。沟床年输沙量占沟道的 73%(沟床面积仅占 22.5%),说明沟道以床沙流失为主的特点。目前罗玉沟水文网是以不稳定的幼青年活跃期干沟为主,溪沟床相对较为稳定,沟蚀泥沙平沙年(1987 年)输沙量 29.2 万 t,其中 1/3 强是粗砂、卵石及土球,随洪推移下泻,构成流域推移质主要来源,占流域推移质总量的 70%,重力侵蚀占 30%。

2.5.2 沟道侵蚀性状及泥沙输移特征

沟道侵蚀是一个复杂的峰谷相间的断续侵蚀过程,几次暴雨洪水侵蚀输沙量就占年总量的 90%以上。侵蚀过程及程度大小和暴雨、洪水过程及大小成正比。沟床洪水期流速一般大于 3m/s,床底主流最大切应力大于泥沙抗阻应力,常见沟底泥沙上翻的“揭河底”现象,就是汛期沟床下切侵蚀的主要方式,造成大量泥沙随洪下泄,汛期输沙占全年的 5/6。非汛期小洪水及汛前第一次洪水时,流域中大量冬春风化堆积泥沙集中随洪输移入沟,水流含沙量达 0.7~0.9t/m^3,各级沟床洪水泥沙大量淤积,1987 年外来沙停淤量占流域产沙总量的 16.6%。因而非汛期沟道输沙量不大,仅占全年的 1/6。这是沟道侵蚀在汛期、非汛期两个时段明显的特征。

罗玉沟沟道密度大、比降陡、流速大、水流冲刷力强,挟沙能力强,沟壑多呈深“V”字形。杂土区沟道比降及沟蚀强度 1~5 级依次比较是缓与轻、陡与强烈、陡与强烈、缓与中、平与轻。这种沟蚀网造成在 1~4 级干沟中沿程累计输移比是 0.45、0.53、0.60、0.61,呈递增趋势,5 级溪沟明显递减为 0.47,输移比数值过程在最大干沟处成峰。所以丘三区小流域沟道年输移比数值小于 1,且形成沟道比降陡、侵蚀模数大、输移比大、坡蚀轻则沟蚀强的输移规律。

2.6 重力侵蚀性状及特征

罗玉沟流域 1987 年 1/10 000 比例尺专业调查表明,重力侵蚀主要是滑坡、崩塌、泻溜三种方式。对滑坡、崩塌的侵蚀量和产沙量用现场实际丈量体积方法确定;泻溜建立了 2 处径流和 11m 测扦方格网 72 处,直接读测。

调查发现活动滑坡 144 处,其中主沟(5 级沟)两侧 29 处,支沟(1~4 级干沟)115 处;崩塌 95 处,其中主沟两侧 26 处,支沟 69 处;泻溜的面积为 2.23km^2,其中土面泻溜主沟沟壁是 1.61km^2,陡谷坡 0.18km^2,石泻溜面在基岩陡坡面是 0.44km^2。估算年侵蚀量 44.6 万 t,滑、崩、泻比重分别是 42%、28%、30%。年输沙量 8.5 万 t,年输移比 0.68。重力侵蚀年输沙量的 88%在沟道产生,12%由坡面产生。

罗玉沟沟壁坡度大多数大于 25°,极不稳定,加之沟道弯曲,旁蚀严重,因而沟壁重力侵蚀滑、崩、泻特别发育,但滑坡、崩塌发生的具体时间偶然性很大,尚难定论。对于重力侵蚀的产沙量大小、产沙时期发现与暴雨、洪水形成时期与大小基本一致。1987 年 4 月 19 日,一次 49mm 的暴雨,暴雨中心桥子沟重力侵蚀严重,流失量达 3 800m^3,暴雨边缘的李家沟重力侵蚀较轻,流失量仅 56m^3。

2.7 土壤侵蚀及危害

土壤侵蚀使土地“挂椽”,土地由肥沃变瘠薄,田园产量由高变低,坡度由缓变陡,沟道由短变长、由浅变深,滑坡、崩塌、泻溜活跃,水流含沙量高,水土流失严重。流域自然景观呈现出植被稀疏、沟壑纵横、山体破碎,一片荒凉的景象。流域内在潜力、持水能力、抗蚀能力、抵抗灾害能力低,旱、水、泥沙、滑坡灾害多发,长期威胁着人民生命财产的安全。目前滑坡使流域 30%的村庄受到威胁,几个村庄 50 年来曾两度搬迁。1965 年 7 月 7 日洪水泥沙漫冲天水市城区,造成大街淤泥厚度近 1m,堵塞交通,冲毁良田 257.7hm^2,塌房 3 858 间,财产损失 140 万元,死亡 154 人,所以对此种灾害必须引起特别重视。

罗玉沟风蚀轻微,水蚀和重力侵蚀严重,尤以沟蚀最强烈,年侵蚀模数平沙年达 4.02 万 t/km^2。流域泥沙流失坡、沟各占一半,坡面是洪水和细泥沙的主要源区,沟道是重力侵蚀和推移质的集中产地。土壤侵蚀分为 3 区、9 类型、6 个侵蚀带,流域输移比平沙年是 0.65,土壤流失主要是随洪输移流失,常水流失甚少。平沙年(1987 年)共发生 9 次洪水,其中降水 227mm,流失水量 35 000m^3/km^2,流失(悬移质)泥量 7 500t/km^2。全年降水量 523mm,流失水量 40 600m^3/km^2,流失(悬移质)泥量 7 650t/km^2。

3 结论

(1)罗玉沟流域划分为 3 个侵蚀小区、9 种侵蚀类型、6 个侵蚀带。

(2)平沙年流域年输沙坡面、沟道各占一半。其中重力侵蚀占 12%,沟道外来沙停淤量占流域总产沙 16.5%。坡面是洪水和细泥沙的主要源区,沟道是流域推移质和重力侵蚀的集中产地。

(3)平沙年小流域坡面、沟道、重力侵蚀的输移比是 1.0、0.47、0.68,流域平均是 0.65,沟道累计输移比在 4 级干沟处显峰。

(4)目前本地域存在旱、洪、泥沙、滑坡四大多发灾害,严重威胁着人民生命财产的安全,应该引起足够重视。

罗玉沟流域沟道土壤侵蚀特征研究

张恒丰　郭保文　陈志军

摘　要　罗玉沟流域位于甘肃省天水市城区西北，溪水穿城而入藉河。活跃期沟道面积仅占流域的13.2%，但产沙及输沙占流域的58%和42%。其输沙量中，沟床下切量占32%，沟床旁蚀量占41%，沟壁水蚀量占26%，沟头溯源侵蚀量占1%。平沙年沟道泥沙年输移比0.47，沟沙是流域推移质的集中产地。

罗玉沟流域位于黄土丘陵沟壑区第三副区的傍山区与深谷区过渡地带，面积72.79km^2，呈柳叶形。气候干旱，年均降水量531mm，且多集中在7、8、9月。土壤母质裸露，土地瘠薄，植被很差，坡面破碎，沟蚀活跃，土壤侵蚀严重。本处是陇西构造盆地的东南缘，表层为更新统（Q_3）马兰黄土，多见于峁梁谷坡和阶台地上；下层是第三系（N）灰、绿、棕、红杂色黏土，多露于沟坡及沟道；基底为前震旦系（AH）片麻岩及花岗岩，出露于凤凰山到滴水崖逆断层北侧。流域直线长20.5km，流域不对称系数为0.103，分水岭发展系数为1.49，有支毛沟193条，组成树枝状水系网。根据STKAnTer水系分级标准，流域内沟道分为5级，主沟比降3.35%，支毛沟比降普遍大于25%。1～4级沟道是间歇性"V"形干沟，沟蚀带地面坡度55°。5级冲沟是有少量常流水的宽浅型溪沟，沟蚀带地面坡度35°。

1　研究途径及方法

沟道泥沙研究的主要内容是沟道产沙方式及侵蚀部位，提供年、汛、非汛期产沙量、输沙量、积存量及输移比数据。从泥沙数量、泥沙颗粒组成、沟道形态上，分析研究沟道性状、泥沙性状、沟道泥沙来源和输移规律。采用常规实测方法，在黄土区、杂土区、土石山区3个不同侵蚀类型小区中，各选1条代表小流域，在1～4级支沟道中及5级主沟床上，布设18个测段，10m间隔等距平行布设横断面112个，在主、支沟床的主流线上实测4条纵断面。在3个小流域中调绘1/10 000专业图件，直接取得第一手实测侵蚀数据。

1.1　沟道纵、横断面测量

采用统一水准联网施测，用FA－32自动安平水准仪，依照国家四等水准网测量方法和精度要求，一测回读数误差不超过±0.5mm，1km长测高误差15mm，小于规定的25mm。横断面测量，高程在联网基点上引测。测点采用红漆头竹扦标示点位，使用标准水平尺执尺，用FA－32自动安平水准仪汛前、汛后各测一次，用J22级经纬仪定线测读水平距，一测回测点水平距误差不超过±5cm。为了保证测量精度，每次测量程序固定，施测基本位置固定，这样测得的点位数据可靠性在0.9左右。纵断面测量，施测的是沟道洪水主流线纵断面，用水准仪测高，用皮尺丈量距离，同步用视距校核；用BM点控制固定测段，以分段比较断面变化。目前借用水文资料可靠性在0.7左右，纵横断面的测量精度、可靠性与水文资料同级，所以此测量方法可行。

1.2　填图

桥子西沟、赵家河沟、芦家湾沟 3 条小流域的侵蚀性状、测验设置 1/10 000 填图，使用 1/10 000地形图及相同比例尺的航测地块图作底图，要求 1cm^2 最少有一个调绘点，实际中 600m^2 土地、土类、侵蚀形态都要填记标图，小于 600m^2 的要详细记载用符号标准。所以，制成的小流域侵蚀种类分布图、浅沟线及沟道分布、土地利用现状图、测线测点布设图精度较高，实用性强。

1.3　沟道重力侵蚀观测及测量

利用横断面垂直滑坡、崩塌点位，10m 间距布设固定控制断面，汛期前后测量，方法同上。泻溜采用测扦方格网汛期前后直接观测侵蚀深的方法。在各种土壤的不同坡度上共布设 72 处观测点，观测精度 ±0.5mm，可靠性 0.7 左右。

1.4　沟道侵蚀的产沙量、输沙量、存积量计算

沟道侵蚀的产沙量、输沙量、存积量计算方法共分四步，首先计算和校核 112 个横断面的各个测时中的沟道宽、沟床宽、沟壁高、沟壁坡度、沟型、断面最大下切深、断面最大淤积深、下切量、淤积量、傍蚀量、傍淤量、沟壁流失量、沟壁堆积量、沟壁滑坡及崩塌的流失和堆积量等 17 项数据；第二步利用各横断面的数据资料计算 18 个测段的 17 项数据；第三步利用 18 个测段的 17 项数据计算 3 个侵蚀类型小区中的 1～5 级沟道的 17 项数据；第四步利用“第三步”的各种数据计算汛期、非汛期、全年 3 个时段的各区各级沟道的沟床增蓄量、沟沙移蓄量、沟壁增蓄量、沟道侵蚀量、沟道产沙量、沟道输沙量、沟道输移比、累计输移比、沟道侵蚀模数等 9 项数据。这种计算方法称做水土保持沟蚀计算方法。

2　研究结果

土壤侵蚀是一个随机性很强的多因子动态大系统，要研究它的特征难度很大，工作量也很大。沟道土壤侵蚀特征研究是流域土壤侵蚀特征研究的重要组成部分，通过布设纵横断面产沙、输沙变异的实际观测及 3 个类型区的 3 条代表小流域的调查研究，有以下几方面成果。

2.1　沟道水文网特性

罗玉沟沟道网呈树枝状向上分岔，4 级沟分岔数是 4.00，3 级沟分岔数是 4.75，2 级沟分岔数是 5.15，1 级沟分岔浅沟数是 10.25。沟壑密度在占 41.4%的土石山区为 6.29km/km^2，在占 36.9%的杂土区为 5.46km/km^2，在占 21.7%的黄土区为 3.73km/km^2，流域平均为 5.43km/km^2(用 1/50 000 地形图求得的沟壑密度为 3.54km/km^2)。另外各级沟道的沟壑密度，1 级切沟是 3.26km/km^2，2 级切沟是 1.19km/km^2，3 级冲沟是 0.50km/km^2，4 级冲沟是 0.25km/km^2，5 级冲沟是 0.23km/km^2。罗玉沟干沟沟底比降(1～4 级)多大于 25%，沟道洪水断面宽深比 $1 < B/H < 10$，5 级溪沟是 $1 < B/H < 50$。沟槽股流冲刷能力强，势能大、流速大，加之沟道弯曲，沟床下切、旁蚀严重，沟床极不稳定。沟床输沙量占沟道输沙总量的 73%，但沟床面积仅占沟道面积的 22.5%，以上数据说明沟道侵蚀(水蚀)是以床沙侵蚀为主。目前罗玉沟水文网中的沟道是以沟形不稳定的幼、青年活跃期干沟道占

主导地位,沟床加宽年度变化可达 1/10 ~ 1/5,年加深或淤深 1 ~ 2m,但溪沟床相对较为稳定。

2.2 沟道侵蚀过程及侵蚀量

沟道侵蚀是一个复杂的峰谷相间的断续侵蚀过程。侵蚀过程、侵蚀输沙量的大小和暴雨、洪水过程及大小成正比,且是正相关直线关系。基本侵蚀过程是坡面浅沟将坡面受侵蚀泥沙随洪输送集中到 1 级切沟沟床,顺序通过 2 级、3 级、4 级、5 级沟床,经过各级沟床时逐级增大股流流量,逐级加强挟沙能力,逐级增大含沙量。洪水流速一般都超过 3m/s,洪水中因而常见主流泥沙“揭河底”现象,此是床底水流最大切应力作用的直观反映,所以汛期水流剪切力对河床沙的下切、侧蚀,常造成土体崩塌,随洪搬运输移,使次洪水冲刷量大于淤积量,形成大量泥沙随洪出沟。非汛期的小洪水及每年第一次暴雨洪水时,将流域大量风化堆积泥沙集中随洪挟带输移入沟,水流含沙量高,各级沟床洪水泥沙大量停淤,1987 年测外来沙停淤量占流域产沙量的 16.5%,年终尚有 4 万 t 外来停淤泥未曾出沟,这是沟蚀在这两个时段中的两点明显特征。沟道侵蚀输沙月、季分配极不均匀,汛期暴雨多、洪水大,输沙量占全年沟道输沙量的 5/6,非汛期仅占 1/6。沟道面积占流域面积的 13.3%,但沟道输沙量绝对值相当大,1987 年是 29.2 万 t,占流域输沙总量的 42%(沟道水蚀量)。沟道水蚀量及重力侵蚀量占流域输沙总量的 52%。

2.3 沟道泥沙输移特征

罗玉沟沟壑割裂严重,沟壑密度大,沟底纵比降陡,沟型绝大多数呈“V”字形,只有 1 级切沟中有少数“U”形谷,5 级冲沟是宽浅式沟床。各级沟道纵比降 1 ~ 5 级顺序土石山区是立、缓、立、缓、平,黄土区是立、缓、缓、缓、平,杂土区是缓、陡、陡、缓、平。各级沟道侵蚀强度 1 ~ 5 级顺序是:土石山区强、强、强烈、强烈、轻;黄土区强、强烈、强烈、中、轻;杂土区轻、强烈、强烈、中、轻。这种沟蚀网造成 1 ~ 4 级干沟中,沿程累计输移比是 0.45、0.53、0.60、0.61,呈递增趋势,5 级溪沟明显递减为 0.47,输移比数值过程在最大干沟处成峰,所以丘三区小流域沟道年输移比小于 1,构成沟道比降陡、侵蚀模数大、输移比大,坡蚀轻沟蚀则强。

2.4 沟蚀泥沙是流域推移质的主要来源

沟道侵蚀主要是床质泥沙。罗玉沟沟道有 7.54km^2 是红黏土,有 2.11km^2 是石沟道,沟道床质主要是黏土块、粗沙、不光滑的卵石,也有风化石、风化土直接裸露床面。沟道产生的泥沙中粗颗粒居多,是推移质的主要沙源,约占流域推移质的 70%,在沟沙输移方式中有一半数量是悬移质泥沙,这部分是黏土块湿化崩解粉碎后的黏粒及黄土粉粒。

2.5 沟蚀强度

罗玉沟 1 级切沟是侵蚀中度(侵蚀模数 1 万 ~ 2 万 t/km^2)的幼年沟,2 ~ 4 级切、冲沟是侵蚀强烈(侵蚀模数 >4 万 t/km^2)正在活跃期的青年沟,5 级冲沟(溪沟)侵蚀是丰水年强烈枯水年轻微的壮年沟(侵蚀模数 0 ~ 10 万 t/km^2),各级沟道的侵蚀强度数据直接说明了沟蚀强度的垂直分布规律。沟蚀使沟壁失稳、山体破碎、沟道加宽,侵占耕地、威胁村庄及道路安全。沟沙的输移堆积使谷坊、水库等沟壑工程淤积失效。

3 结论

(1)罗玉沟流域沟道沟壑密度大,坡度陡,床沙流失占沟沙流失的73%,沟道极不稳定,目前正处在沟蚀活跃期。

(2)罗玉沟沟沙流失月、季分配极不均匀,汛期占5/6,非汛期占1/6。沟沙年输沙量约占流域的52%。

(3)罗玉沟沟道侵蚀条件,决定了沟道纵比降陡侵蚀模数大,输移比大。1~4级干沟年累计输移比呈递增趋势,到5级溪沟时年累计输移比有减有增,但沟道输移比小于1。

(4)沟蚀泥沙是流域推移质的主要沙源,约占流域推移质数量的70%。

(5)罗玉沟沟蚀强度大,产沙多,输沙量大。一般年份威胁库、桥、田、村的安全,特大年份时会对人民生命财产造成重大损失。

罗玉沟流域坡面土壤侵蚀量的测算

李建牢　刘世德

摘　要　确定土壤侵蚀量,传统的方法有水文法、径流小区观测法、侵蚀因子多元回归法等。这些方法,均需要较长系列的观测资料。本文应用通用土壤流失方程式,通过确定方程式中各因子值,对罗玉沟流域坡面土壤侵蚀量进行了推算,并以定点观测调查的结果进行了验证。

土壤侵蚀强度,可用一定时段内地表土壤被移走的厚度来表示,也可用单位面积上某一时段被侵蚀土壤的体积或重量表示,它是土壤侵蚀的主要特征值之一。取得不同地块土壤侵蚀的定量数据,对于研究水土流失规律、制定水土保持规划及防治措施,具有十分重要的意义。

目前,国内确定土壤侵蚀量的方法有水文法、径流小区观测法、侵蚀因子多元回归法等,采用这些方法需要较长系列的观测资料。1961 年美国水土保持学家魏斯曼提出通用土壤流失方程式后,该方程即在美国和其他一些国家得到广泛的应用,我国牟金泽等人曾在这方面作过一些介绍,中国科学院西北水保所江中善、王万忠等,对降雨因子 R 进行过一些研究,但在实际应用方面所做的工作还不多。1986 ~ 1987 年,我们在罗玉沟典型小流域土壤侵蚀特征研究课题中,结合坡面土壤侵蚀性状的研究,依据测得的流域内的有关参数,应用通用土壤流失方程式对坡面土壤侵蚀量作了推算,并以定点观测和调查资料对推算结果进行了验证。

1　研究条件与方法

罗玉沟位于甘肃省天水市北郊,是渭河一级支流藉河的一条支沟,主沟全长 21.81km,流域呈狭长形,沟系分布为羽状,面积 72.79km^2,多年平均侵蚀模数7 500t/km^2,是黄土丘陵沟壑区第三副区具有一定代表性的流域。

1.1　坡面土壤侵蚀类型的划分

罗玉沟流域的梁峁坡和沟谷坡面积为 63.15km^2,占流域面积的 86.80%。这些部位是流域泥沙的主要产地,根据土地利用状况、植被条件和地面坡度,可将流域坡面划分为 7 种土壤类型,见表 1。

表 1　　罗玉沟流域坡面土壤侵蚀分类

侵蚀类型	符号	名称	土地利用状况	植被度(%)	坡度(°)	分布面积占流域面积(%)
微度(Ⅰ)	$Ⅰ_1$	梯田微度侵蚀类型	农地		<5	15.88
	$Ⅰ_2$	林地微度侵蚀类型	林地	>60		1.87
轻度(Ⅱ)	$Ⅱ_1$	疏林草地轻度侵蚀类型	林草地	30~60		5.49
	$Ⅱ_2$	荒草地轻度侵蚀类型	荒草地	<30		12.37
中度(Ⅲ)	$Ⅲ_1$	缓坡农地中度侵蚀类型	农地		5~10	32.57
	$Ⅲ_2$	中坡农地中度侵蚀类型	农地		16~25	21.26
	$Ⅲ_3$	陡坡农地中度侵蚀类型	农地		>25	10.56

1.2　通用土壤流失方程中有关参数值的确定

(1)降雨因子 R 值:降雨因子(R)与该地区的降雨量、降雨强度、雨滴大小和下降速度关系密切。魏斯曼根据美国径流小区资料,用暴雨动能(E)和 30min 最大降雨强度(I_{30})的乘积计算 R 值。西北水保所王万忠,通过分析黄土丘陵沟壑区第一副区子洲团山沟 1963~1969 年的观测资料,提出采用 60min 最大暴雨动能(E_{60})和最大 10min 降雨强度(I_{10})的乘积来求 R 值效果更好,同时还认为魏斯曼的结论在我国黄土地区基本适用。为了便于比较,根据罗玉沟流域三个雨量站的资料,我们采用魏斯曼的计算式 $R=\sum EI_{30}$,计算该流域 1987 年汛期 R 值。

(2)土壤侵蚀因子 K 值:K 因子反映了当其他影响侵蚀的因子不变时,不同类型的土壤所具有的不同侵蚀速度,土壤质地、土壤结构、黏粒类型、渗透性等物理特性和有机质含量,对土壤侵蚀速度有很大影响。根据流域内 9 个土种的有关性质,我们应用魏斯曼土壤侵蚀列线图,求出了不同土种的 K 值。通过室内模拟试验,测出了不同土壤的抗分散系数,将土壤的抗分散系数与 K 值相比,发现二者之间具有良好的指数关系。

(3)坡长和坡度因子 LS 值:我们从流域地块图和坡度图上量得每一地块的坡度与坡长,采用牟金泽(1985)提出的 $LS=(\theta/5.07)^{1.3}1.02(l/20)^{0.2}$ 计算式,算出了不同土壤侵蚀类型的坡长和坡度因子 LS 的平均值。

(4)植被和土壤管理因子 C 值:罗玉沟流域的植被,可分为林草植被和农作物植被两类,林草植被可根据覆盖度和国外研究成果确定,农作物植被应根据不同生长期中的 R 值分配比例确定。

(5)水土保持措施因子 P 值:这一因子主要根据耕作措施和梯田等保护措施来取值。该流域虽采取等高耕作,但作用十分有限,梯田措施已反映在 LS 因子内,林草措施已包括在 C 值内,故将 P 值可近似看做 1。

1.3　坡面土壤侵蚀量的观测和调查

流域内风力不大,引起坡面土壤侵蚀的外营力主要是水力。按照侵蚀的不同形式,采用不同的方法确定侵蚀量。在流域的上、中、下游 2 个断面布设 16 个观测点,每个观测点的样地面积为 10m×10m。沿样地对角线每隔 1m 布设一个测扦，每次暴雨后量测扦出露高度，按土壤容重推算层状侵蚀量。根据细沟侵蚀随暴雨呈突发性变化的特点，结合典型暴雨，在 16 个观测点样地所在的地块内，布设上、中、下三个部位的横断面，由实测的断面上每一细沟的宽度、深度及细沟密度推算细沟侵蚀量。在三条不同侵蚀类型的典型支沟内，调绘浅沟分布线，调查浅沟平均断面面积，按地块分别统计流域内不同侵蚀类型的浅沟密度，从而推算浅沟侵蚀量。

2 坡面土壤侵蚀量的测算

2.1 应用通用土壤流失方程式推算坡面土壤侵蚀量

根据确定的各参数值，应用 $A=R\cdot K\cdot LS\cdot C\cdot P$ 方程式，求出了罗玉沟流域坡面不同土壤侵蚀类型的年侵蚀量，见表 2。

表 2　坡面土壤侵蚀量推算结果

土壤侵蚀类型	*R*	*K*	*LS*	*C*	*P*	*A*(t/km²)
$Ⅰ_1$	67.11	59.70	0.368 1	0.270 5	1.00	400
$Ⅰ_2$	67.11	48.11	1.839 0	0.035 0	1.00	547
$Ⅱ_1$	67.11	53.13	6.744 4	0.088 0	1.00	2 116
$Ⅱ_2$	67.11	54.65	6.780 5	0.236 0	1.00	5 869
$Ⅲ_1$	67.11	59.06	3.110 3	0.270 5	1.00	3 335
$Ⅲ_2$	67.11	59.76	6.565 8	0.270 5	1.00	7 123
$Ⅲ_3$	67.11	61.11	10.713 9	0.270 5	1.00	11 944
全流域	67.11	—	—	—	1.00	4 778

2.2 野外定点观测调查的坡面土壤年侵蚀量

野外定点观测调查的坡面土壤年侵蚀量见表 3。

表 3　坡面土壤侵蚀观测调查结果

土壤侵蚀类型		$Ⅰ_1$	$Ⅰ_2$	$Ⅱ_1$	$Ⅱ_2$	$Ⅲ_1$	$Ⅲ_2$	$Ⅲ_3$	全流域
土壤侵蚀量[t/(km²·a)]		0	3 685	3 219	6 003	5 515	7 191	11 303	5 507
其中(%)	层状	—	100.00	91.6	91.8	78.1	37.2	42.4	67.26
	细沟	—	0	3.3	3.0	19.1	60.2	55.5	29.51
	浅沟	—	0	5.1	5.2	2.8	2.6	2.1	3.24

3 结果与讨论

采用推算与观测调查两种方法确定的坡面土壤侵蚀量的对比见表 4。从表 4 中可以看出：

表 4　　　　　　罗玉沟流域坡面土壤侵蚀量对比

土壤侵蚀类型	I_1	I_2	II_1	II_2	III_1	III_2	III_3	全流域
观测值[t/(km²·a)]	0	3 685	3 219	6 003	5 515	7 194	11 303	5 507
推算值[t/(km²·a)]	400	547	2 116	5 869	3 335	7 123	11 944	4 778
相对误差(%)		85.1	34.2	2.2	39.5	1.0	15.7	13.24
采用值[t/(km²·a)]	200	2 116	2 668	5 936	1 425	7 159	11 621	5 113

(1)根据流域的实际参数,应用通用土壤流失方程式推算的全流域坡面土壤侵蚀量,比观测调查值平均偏低 15%以下,具有一定的可靠性。

(2)推算的林地(I_2)及疏林草地(II_1)的侵蚀量,比观测调查值分别偏小 85.1%和 34.2%。偏小的原因,是因为将国外天然森林条件下的植被因子 C 值直接用于人工林时明显偏小,从而导致侵蚀量的差异。

(3)推算的缓坡农地(III_1)的侵蚀量,比观测值偏小 39.5%。由于后者是在 14°左右的农地上观测的,其坡度大于该侵蚀类型平均坡度,加上该样地的小麦长势差,故其值明显偏大。

(本文发表于《中国水土保持》1989 年第 3 期)

罗玉沟流域重力侵蚀特征研究初报

李裕厚[1]　康学林　岳新发

摘　要　重力侵蚀是黄土高原土壤侵蚀重要方式之一，其侵蚀量在土壤侵蚀总量中占相当大的比重。本文通过对罗玉沟流域1987年土壤侵蚀现状的调查，分析各重力侵蚀类型的分布特征，并计算其侵蚀量。结果表明，重力侵蚀输沙占流域总输沙量的12.1%，其量的变化趋势小于坡面和沟道侵蚀。

1　罗玉沟流域重力侵蚀类型和分布

流域内重力侵蚀主要有崩塌、滑塌、泻溜三种。由于三种类型具体特征界限难以确切划分，为便于工作，对各类型提出如下定义。

崩塌：土体自高位向下自由坠落，落地后原结构彻底破坏，土块杂乱无序。

滑塌：土体沿一下垫面整体下移，移距超过20cm，背部有明显滑弧，下移后土体原结构基本未破坏，或尚可辨认原结构。对由于阴雨造成的陡坡草皮土整体滑落，在统计分类中归入泻溜。对由于地下水活动造成的塌积物整体蠕动，亦归入滑塌。

泻溜：名称来自20世纪50年代中科院地理所罗来兴侵蚀地貌分类法。泻溜侵蚀是兼有重力与水力侵蚀的一种过渡型侵蚀形态。它主要发生在黏粒含量超过30%，外露坡面坡度超过45°，植被度小于30%的原状红色黏土地层的陡坡上。其侵蚀特征是，土体在干燥时收缩，形成干裂风化壳，以粒状、小片推复状拥向沟床，侵蚀活动基本上一年四季都在进行。我们把具有这种特征的坡面称为泻溜面(因它全部分布在红色黏土质地层上，故直接称其为红土泻溜面)，其上所产生的侵蚀为泻溜侵蚀。此外流域内裸露风化岩上也具有这种侵蚀形态，但又不同于红层泻溜侵蚀，故称其为风化岩泻溜。

2　重力侵蚀各类型分布特征

据调查，1987年共发生崩塌95处，其中主沟两岸26处，占27%，支沟69处，占73%。主沟两岸崩塌主要发生在下游和中下游水流向岸侧蚀强烈的地段，多为阶地崩塌，少数为堤岸崩塌，在主沟线上总长5km，占主沟总长的1/4。在支沟中，主要分布在流域中下游各大支沟的中段峡谷地带，多系黄土层外露垂直节理面崩塌。少数为红层风化面干裂崩塌。主沟上段、中段和主沟上、下游各支沟中崩塌较少。

滑塌发生规模相差极为悬殊，大至上千万立方米小至不足1m³。据统计，全流域滑体方量在10万m³以上的中、大滑坡共50处，主要分布在中游和下游，上游很少。流域内桥

[1]李裕厚，男，甘肃徽县人，高级工程师，主要从事水土保持试验研究工作。

子沟、滴水沟、赵家石沟等支沟均是由于大滑体一次次叠滑而形成的,其中滴水沟最为典型,面积为 0.82km^2 的现代侵蚀沟谷,全部为滑体所掩盖,滑体总方量在 1 630 万 m^3 以上,最远滑距达 1 400m。这些大的滑塌,因规模太大,在短期内很难知其被侵蚀情况,故在本次侵蚀研究中未予考虑,仅研究与当年泥沙来源有关的新滑塌。据调查,流域内当年发生新滑塌 144 处,其中主沟两岸 29 处,占总数的 20.14%,并且全部分布在自然河谷右岸。在支沟中共 115 处,各支沟均有分布,主要分布在支沟中段沟床比降超过 10%地段和水流向岸强烈侧蚀地段,多属次生泻积、塌积物滑塌,少数为残积草皮土滑落。

全流域泻溜面总面积 2.227 7km^2,占流域总面积的 3.06%。其中主沟两岸和所属Ⅰ级小切沟中 0.309 4km^2,占 13.89%;支沟中 1.918 3km^2,占 86.11%,在支沟中又主要分布在主沟右岸的坚家沟 、草胡沟、茹家沟三沟中,分布面积 0.747 5km^2,占 33.56%。其分布特点是 72.1%分布在沟道两侧,8.2%分布在谷坡旧、大滑塌的外露滑弧面上,19.7%分布在变质结晶岩区的陡坡切沟中,其在流域各段分布情况见表 1。

表 1　罗玉沟流域泻溜面分布特征　(单位:km^2)

沟段	沟道泻溜面		谷坡泻溜面		风化岩泻溜面		总计	
	片数(片)	面积(km^2)	片数(片)	面积(km^2)	片数(片)	面积(km^2)	片数(片)	面积(km^2)
上游	49	0.179 02	1	0.000 60	29	0.123 99	79	0.303 61
中游	146	0.945 02	14	0.074 49	55	0.219 71	215	1.239 22
下游	108	0.482 96	25	0.107 00	29	0.094 91	162	0.684 87
全流域	303	1.607 00	40	0.182 09	113	0.438 61	456	2.227 70

3　重力侵蚀量研究方法与结果

3.1　重力侵蚀量研究方法

崩塌、滑塌其发生部位、时间、规模、分布情况具有偶然性,各支沟自然情况又差别悬殊,因而对其侵蚀量采用全面调查方法。调查方法是,以上述定义范围为标准,逐沟按每处崩、滑塌几何形态量计算其堆积体体积和缺失体积,然后分别统计侵蚀量。

塌体残存体积 × 容重 = 堆积量

缺失体积 × 容量 = 冲蚀量

堆积量 + 冲蚀量 = 侵蚀量

泻溜,其侵蚀量主要通过调查泻溜面积和测算单位面积侵蚀量来计算。面积调查以1/10 000地形图为依据,在图上逐沟逐片标绘泻溜面位置和范围,然后量算统计其面积。

单位面积泻溜侵蚀量主要采用测扦法和径流池法来测算。测扦法是通过坡面钉竹筷,根据其露头高确定侵蚀深。布设方案有两种:一种是选择 1m^2 坡面,按 0.3m 的距离等距钉置竹筷;一种是截取坡面一段,按 1 ~ 2m 等距钉置竹筷。前种系 1986 年布设,共 10 处,已有一整年观测资料。后者为 1987 年汛期布设,仅有半年观测资料。此次泻溜侵蚀量推算用前一方案观测资料。

径流池共设两处，分别建于盐池沟和桥子沟，前者建于1987年汛前，后者建于汛期6月。前者汛期观测资料完整，此次侵蚀量分析采用前者观测资料。

3.2 泻溜侵蚀量

测扦法：所设10处观测场，根据坡面状况分为15组测扦，1987年汛期、非汛期各测一次。

用测扦法测得斜面侵蚀深年平均6.308mm，水平侵蚀深为12.466mm。泻溜面平均侵蚀量22.062kg/m^2，其中汛期14.811kg，占67.13%；非汛期7.251kg，占32.87%。

径流池法：盐池沟径流池为一混凝土浅槽，面积16m^2，拦泥排水。观测坡面面积124.4m^2，地面坡度45°，岩层为灰、红黏土互间，以红黏土为主。汛期共观测5次，观测结果见表2。

表2　　1987年径流池法观测泻溜侵蚀量

观测次序	观测时间	降雨量(mm)	总产沙量(kg)	产沙量(kg/m^2)
1	4月19日	32.0	534.1	4.29
2	6月17日	0	46.7	0.38
3	6月27日	43.7	273.9	2.20
4	7月10日	28.5	111.7	0.90
5	7月27日	32.8	244.3	1.96
合计		137(暴)	1 210.7	9.73

由两种测法可知，测扦法比径流池测值大63.32%，但都系实测值，因而取平均值(见表3)，按平均值推算全流域泻溜侵蚀量见表4。

表3　　不同测法泻溜侵蚀量

测法	汛期	非汛期	全年
测钎法(kg/m^2)	14.811	7.251	22.062
径流池法(kg/m^2)	9.730	4.764	14.494
平均(kg/m^2)	12.27	6.007	18.27

表4　　罗玉沟流域泻溜侵蚀量统计

沟段	泻溜面积(km^2)			泻溜侵蚀量(t)		
	谷坡泻溜	其他	合计	冲蚀量	堆积量	合计
上游	0.000 60	0.303 01	0.303 61	5 542.2	6.6	5 546.6
中游	0.074 49	1.164 73	1.239 22	21 831.2	616.8	22 646.0
下游	0.107 00	0.577 87	0.684 87	11 043.4	1 173.3	12 516.7
全流域	0.162 09	2.045 61	2.227 70	38 717.1	1 996.7	40 713.6

表4中冲蚀量与堆积量按流域泻溜面推算。因沟道泻溜和风化岩泻溜都直接与沟相临，侵蚀物均计入冲蚀。另外谷坡泻溜40%入沟亦计入冲蚀，60%残存坡面计入堆积，据此计算全流域1987年泻溜侵蚀总产沙量40 713.8t，总流失量为38 717.1t，残积量为1 996.7t。

3.3 崩、滑塌侵蚀量

崩、滑塌侵蚀量均通过调查而推知。全年共调查三次，汛前、汛后各一次，4月19日暴雨典型调查一次。

据统计全流域崩、滑塌侵蚀量见表5。

表5　1987年罗玉沟流域崩、滑塌侵蚀量统计　（单位：t）

沟段		崩塌			滑塌			总计		
		堆积量	冲蚀量	合计	堆积量	冲蚀量	合计	堆积量	冲蚀量	合计
上游					13 005.2	178.6	13 163.5	13 005.2	176.3	13 166.5
中游		8 716.1	1 491.2	10 207.3	104 136	8 350.5	112 466.5	112 652.1	9 341.7	122 693.6
下游		11 130.0	4 968.4	16 096.4	72 141.7	9 571.5	81 713.2	63 271.7	14 539.9	97 811.6
全流域	m^3	19 046.1	6 459.6	26 305.7	189 282.9	18 100.3	207 383.2	209 129.0	24 559.9	233 626.9
	t	29 769.2	9 589.4	39 458.6	283 924.4	27 150.5	611 074.9	313 693.5	36 899.9	350 533.4

另外对一些体积较小的微型崩、滑塌，因限于沟道地形条件，逐沟调查难度大，采取抽样调查方法。这些塌体，基本全部发生在支沟的切沟阶段，因而按切沟长度来推算其侵蚀量。全流域共有Ⅰ级大小支沟95条，其中切沟总长215.2km。据盐池沟调查，每100m切沟发生微型崩、滑塌17.1m^3，由此推算全流域微型崩、滑塌共36 799m^3。这些塌体体形小，且多系旧塌体残余，因而90%被洪水冲走，10%残留，其冲蚀量为49 680t，残留5 520t。按崩、滑塌各半统计，微型崩、滑塌的冲蚀量和残存量各为24 840t和2 760t。据此统计全流域崩、滑塌总量为崩塌冲蚀量3.452 9万t，堆积量3.253 3万t；滑塌冲蚀量5.199 0万t，堆积量28.668 4万t。

3.4 全流域重力侵蚀总量

全流域重力侵蚀总量为上述3种类型侵蚀量之和，见表6。

表6　1987年全流域重力侵蚀总量统计　（单位：万t）

分项	滑塌	崩塌	泻溜	总计
堆积量	28.668 4	3.253 0	0.199 6	32.121 0
冲蚀量	5.199 0	3.453 0	3.671 7	12.323 7
总计	33.867 4	6.706 0	3.871 3	44.444 7
占总量(%)	76.2	15.09	8.71	100

就各类型侵蚀量而言，以滑塌侵蚀为主，占总量的76%；泻溜最少。就侵蚀物的产生与冲蚀比例而言，以泻溜侵蚀为主，冲蚀量占94.8%；次为崩塌，占51.5%；滑塌仅为15.3%。这种情况的形成，与侵蚀物性质和物质迁移方式有关。崩、滑塌物迁移，主要靠沟洪水搬运，冲蚀量的多少取决于洪水大小。而泻溜侵蚀主要由暴雨径流冲刷形成，且流域内泻溜面绝大多数都临沟床，冲蚀物以泥流方式直接供给沟洪。

4 重力侵蚀在全流域总侵蚀量中所占比重及其分布特征

4.1 重力侵蚀在流域总输沙量中所占比重

重力侵蚀物质绝大部分属块体物质，在随洪水而迁移过程中，以推移方式为主，因而其搬运距离有限，或在支沟口形成冲积扇，或在河床形成河漫滩，输出流域泥沙有限。根据全流域冲淤变化平衡分析结果见表7。

表7 流域冲淤变化平衡分析

项目	坡面侵蚀	沟道侵蚀	重力侵蚀	流域总数
输沙量(万 t)	32.5	29.2	8.5	70.22
占总量(%)	46.28	41.62	12.1	100

重力侵蚀输移比为68%，出流域泥沙为流域总输沙量的12.1%，从数值上看，似乎偏小，其原因有以下几个：

(1)重力侵蚀属点状分布的侵蚀方式，即使是泻溜，其分布面积也只占流域总面积的3.06%，和全流域72.79km^{2}相比，面积较小，且重力侵蚀物并不是当年发生就被冲走，而要经过几年或更长时间。

(2)重力侵蚀和暴雨洪水的集中情况有极密切关系，据1987年4月19日暴雨后调查，暴雨中心桥子沟重力侵蚀量达3 000m^3，而相临不到0.5km的李家后沟仅56m^3。由此可见，对重力侵蚀不能以点带面。

(3)坡面侵蚀和沟道侵蚀分别属面状侵蚀和线状侵蚀，尤其是在全流域开垦指数在80%以上，到处是农田，且红层外露面积达38.2%，全流域沟线总长达390km的情况下，无疑坡面和沟道侵蚀量要大于重力侵蚀。

4.2 重力侵蚀分布特征

横向特征：全流域沟谷地形的横向形态，由梁峁坡、沟坡、沟道三部分组成。梁峁坡全部由黄土所覆盖，地面坡度5°~20°，是现代侵蚀沟尚未扩展到的部分，坡面稳定，面积40.3km^2，占流域总面积的55.4%；沟坡是现代侵蚀沟不断发育过程中形成的较新坡面，黄土被侵蚀，红层及其风化物大面积出露，坡度15°~30°，坡面不稳定，面积20.7km^2，占总面积的28.4%；沟道是在沟坡基础上发育而成的新沟，沟谷呈深“V”字形，红层广露，坡度均在35°以上，坡面极不稳定，面积11.8km^2，占总面积的16.2%(包括主沟河道)。重力侵蚀主要分布在沟道两侧，占重力侵蚀总分布区面积的98.45%，沟坡仅有0.182 1km^{2}的谷坡泻溜，梁峁坡无重力侵蚀。三部位重力侵蚀量见表8。

表 8　　罗玉沟流域不同部位重力侵蚀量

项目	梁峁坡	沟坡	沟道	全流域
面积(km^2)	40.3	20.7	11.8	72.8
重力侵蚀量(t)	0	3 301.4	442 818.7	446 120.1
模数(t/km^2)	0	159.5	37 527.0	6 128.0
占重力侵蚀总量(%)	0	2.4	97.6	100

纵向特征:据罗玉沟主沟道发育特征,全部河道分为上、中、下游三段。在坚家山以上为上游段,属于沟谷型沟道,沟型为冲沟和切沟,沟道平均比降 3.1%,总面积 9.94km^2;坚家山至马家庄之间为中游,属沟谷型河道,平均比降 2.7%,面积 34.56km^2;马家庄以下为下游河段,属河谷型河道,平均比降 2.0%,面积 28.99km^2。各段重力侵蚀量见表 9。

表 9　　罗玉沟流域不同沟段重力侵蚀量

项目	上游	中游	下游	全流域
面积(km^2)	9.94	34.56	28.99	72.79
重力侵蚀量(t)	31 958.9	231 924.0	162 236.9	446 120.1
模数(t/km^2)	3 215.2	6 710.7	6 285.2	5 502.6
占重力侵蚀总量(%)	7.2	52.0	40.8	100

从表 9 可以看出,罗玉沟在中游以下重力侵蚀严重,上游最轻。表明罗玉沟的土壤侵蚀正在发展中,即上游的严重侵蚀活动刚刚开始,中游进入盛期,下游向相对稳定阶段转化。

5　结语

区域性重力侵蚀量的研究,是一个难度大的课题,但又是泥沙来源研究中一个必须研究的课题。长期以来,人们虽然能直观地看到重力侵蚀的严重程度,但由于目前研究难度大、投入少,因而对其侵蚀量的研究尚停留在估算状况。重力侵蚀属点状分布的侵蚀,从单点来看,侵蚀程度很严重,然而和属于坡面、沟道的面状、线状侵蚀相比,就显得并不十分严重。从分析结果看出,重力侵蚀输沙占罗玉沟流域总输沙量的 12.1%,从发生机理以及其产生与侵蚀物的迁移关系来看,其量的变化趋势小于坡面和沟道侵蚀。

天水地区坡地小区径流泥沙初步分析

华绍祖[1]　舒敏玫 等

摘　要　本文根据1945～1957年天水站梁家坪试验场13年的径流小区观测资料，分析了农坡地上、不同地形、植物被覆在自然降雨条件下水土流失的数量关系，以及在各种不同的农业技术措施下对径流泥沙的影响，并对径流泥沙各数值之间的关系进行了分析。

为寻求西北黄土丘陵沟壑区小范围的农坡地上、不同地形、植物被覆在自然降雨条件下水土流失的数量关系，以及各种不同的农业技术措施对径流泥沙的影响，1945～1957年，在天水站梁家坪试验场布设了一整套的径流小区测验，积累了13年的观测资料。本文着重对径流泥沙数值关系进行分析探求。

1　试验的布设设计及观测方法

坡地小区布设在隔离的黄土坡地上，黄土的颗粒组成为：砂粒（$d=0.1\sim0.05$mm）占8.8%～10%；粉粒（$d=0.05\sim0.005$mm）占61.2%～65%；黏粒（$d<0.005$mm）占26%～30%，属重粉质壤土。

试验开始于1943年，1945年开始记载。先后共修19个小区，分别进行不同坡度、不同农作制及沟壑陡坡农林牧试验。1954年增加了苜蓿、草木樨及农作物轮作、草田带状间作等试验。径流小区达37个，1957年又增至46个小区。一般小区长20m（投影长）、宽5m，小区两侧各设2m宽的保护行，其三边周界均培有三角形土埂，上部设有截水沟和较大土埂，以防外界径流窜入，下部则衔接承水槽、引水槽及沉积积水池。

试验设计概述如下：

（1）不同坡度试验。选用4°左右、6°～8°、13°～15°、17°～18°四级坡度，每级坡度上选3个小区，共12个小区。均采用三年四熟农家制，即：扁豆—冬麦—荞麦—玉米黄豆间作方式进行。

（2）不同坡长试验。1954～1957年在9°～11°的坡地上，按水平距离分设长度10m、20m和40m三级，共3个小区。

（3）不同植物被覆试验。

（4）水土保持农业措施对径流泥沙和产量的影响。设有不同轮作制、不同耕作技术，即在四级坡地上，农家制与改良制，草田带状间作，综合农业技术措施比较试验。

观测项目：一般小区观测降雨量、蒸发量（在试验区内设有自记雨量记测定降雨强度及过程）、次径流及次冲刷总量。1954年起增测土壤水、团粒结构等测验分析项目，重点

---

[1] 华绍祖，男，上海市人，教授级高级工程师。

小区增测径流及泥沙过程。

测验方法：径流总量用容积法量度，泥沙总量则通过在径流池内搅拌后分层取样，再混合后取小样，烘干后求其平均含泥率。

2 单一坡面上水土流失主要影响因素的关系

观测试验中，对水土流失的主要影响因素为雨量、雨率、前期土壤含水量、坡度、坡长及植物被覆。

2.1 降雨特性（雨量、雨率、雨型）及前期土壤含水量与水土流失的关系

首先考虑地面没有作物被覆，坡度及坡长一致情况下，上述因素对水土流失的影响。

2.1.1 雨量

为了表示降雨量的不同分级与径流发生的可能性大小，将1945～1957年各级降水量和径流次数统计见表1。

表1　1945～1957年各级降水量和径流次数统计

雨量分级(mm)	1～5	5.1～10	10.1～20	20.1～30	30.1～40	40.1～50	50.1～100	>100	合计
降雨次数	392	150	128	48	25	7	7	1	758
径流次数	3	13	27	20	14	5	5	1	88
产生径流次数占降雨次数(%)	0.8	8.7	21.1	41.7	56	71.4	71.4	100	11.6

表1只能粗略地反映出，雨量分级愈大径流出现的可能性就越大。但是要进一步了解怎样的雨量必然会产生径流，单从雨量方面而言，不能予以肯定回答，也就是说单独的雨量和径流的关系不明显。点绘次雨量和径流的关系曲线，可以看出点子散布得相当零乱（见图1）。

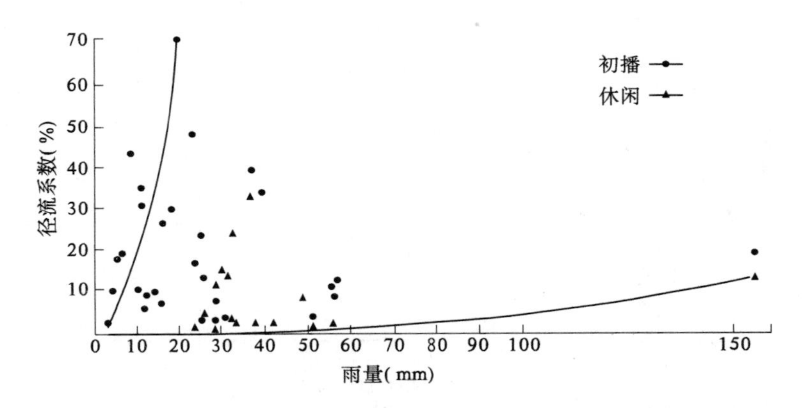

图1　1945～1957年在休闲及初播情况下径流系数与雨量的关系

由图1可以看出，雨量及径流系数只能以包线形式表示，上限曲线表示雨率猛、历时短的降雨情况下，雨量与径流系数的极限状态。它的数值形式是：

$$径流系数(\%) = K \times (降雨量)^n$$

$K = 0.083$　　　　$n = 2.26$

下限曲线表示雨率小、历时长的情况：

$K=0.000\ 038$　　$n=2.54$

由此看来，对研究水土流失开始起作用的最低级雨量可以考虑在10mm以上，因为10mm以下雨量一般不产生径流，或者径流系数虽不小，但径流深的绝对量却不大。

1945～1957年中，最大的径流系数为70.2%，发生在1947年6月5日，一次降雨量19.8mm，平均降雨强度44.0mm/h，最大降雨强度108mm/h。最大径流深31.1mm，发生在1947年8月11日，一次降雨量155.3mm，平均降雨强度4.18mm/h，最大降雨强度47mm/h。

2.1.2　雨率

一般认为雨率与冲刷的关系比较明显，因此先点绘了平均降雨强度(mm/h)与冲刷率的关系曲线图(见图2)，从图中可以发现各点分布比较集中。

冲刷率计算的一般形式为：

$$冲刷率=K\times(平均降雨强度)^{n}-a$$

上限曲线：在地表糙率较小的初播情况下，$K=0.077\ 5, n=0.42, a=0.1$。

下限曲线：在地表糙率较大的休闲情况下，$K=0.034\ 8, n=0.543, a=0.1$。

从图2可以看出，当平均降雨强度在2mm/h、最低雨量在30mm以上时，地面上几乎没有什么冲刷；当平均强度达到8mm/h、最低雨量在20mm，地面冲刷就比较强烈，这时冲刷率可达0.1(亦即126kg/m³)；当平均强度达到20mm/h，最低雨量在12mm时，地面冲刷相当强烈，这时的冲刷率达0.2(即250kg/m³左右)，当平均强度达到44.0mm/h，则达历年最大冲刷率0.29(即366kg/m³)。

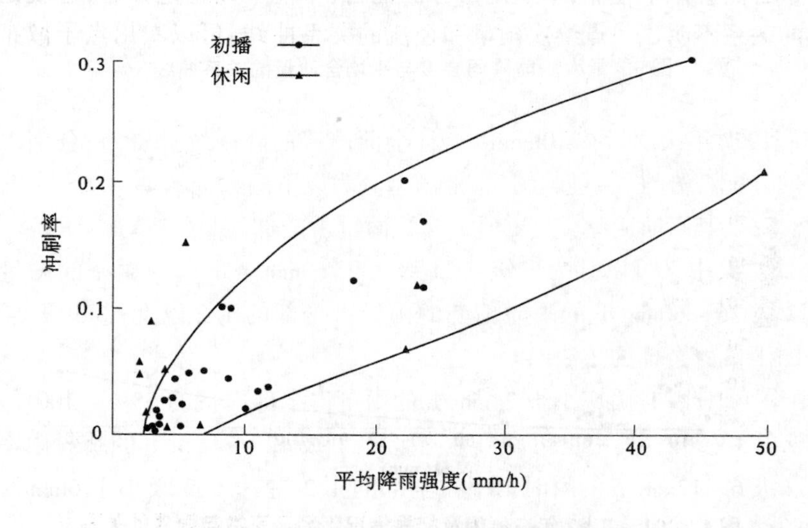

图2　平均降雨强度与冲刷率的关系曲线

2.1.3　雨型

任何一次降雨都是各种不同雨量及雨率的组合，这种组合就构成了不同的雨型，它对径流及冲刷都有明显的影响。特别是在分析径流冲刷与坡度、坡长的关系时，其递增(或递减)指数都与雨型有密切的关系。因此,从分析历次降雨的瞬时雨率分配率入手,寻求小于或大于某一指示降雨强度的量占总量的百分数,作为划分雨型的依据。

为了规定这一指示强度,点绘了最大瞬时降雨强度与平均含沙量的关系曲线(见图3)。从图中可以看出,当最大瞬时强度小于10mm/h时,地面冲刷几乎等于零。当最大瞬时强度达到24mm/h时,则平均含泥量为50kg/m³以上,这已属于轻度的冲刷。因此,选定24mm/h作为指示雨型的分界点。

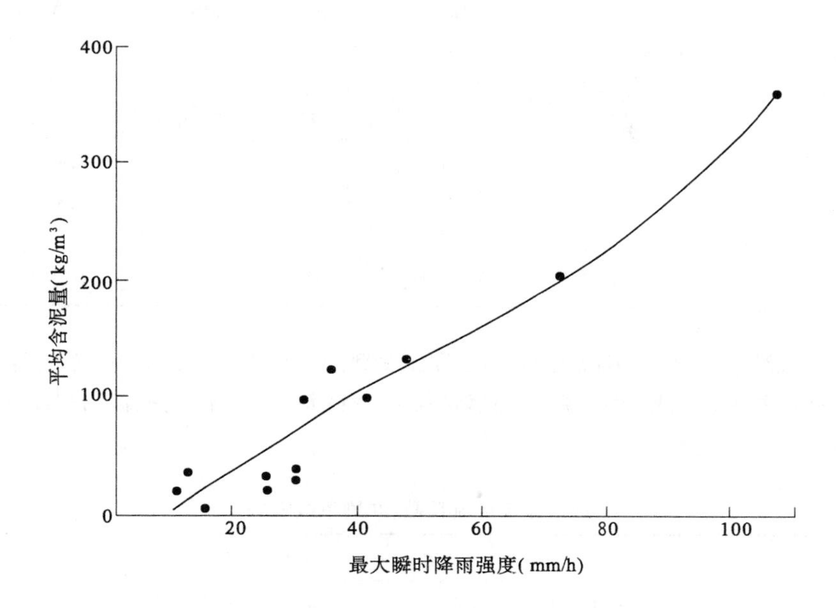

图3 最大瞬时降雨强度与平均含沙量的关系曲线

据1945~1957年次雨量在10mm以上且全面产流的降雨统计资料,分别求出了各次的瞬时雨率的分配百分比,经过归纳后,把雨型分为以下两大类:

Ⅰ型:雨率猛,其瞬时雨率大于24mm/h的雨量占全部雨量的55%~100%。历时短,一般不超过2h。其中又可以分为三级:①1级大于60mm/h的瞬时雨率的雨量占全部的1/2以上;②2级36~60mm/h的瞬时雨率的雨量占全部的1/2以上;③3级24~36mm/h的瞬时雨率的雨量占全部的1/2以上。

Ⅱ型:雨率小,其瞬时雨率小于24mm/h的雨量占全部雨量的55%~100%。历时长,超过2h,一般在3~20h。其中也可以分为三级:①1级12~24mm/h的瞬时雨率占全部的1/2左右;②2级6~12mm/h的瞬时雨率占全部的1/2左右;③3级小于6mm/h的瞬时雨率占全部的1/2左右。

表2为雨型分析特征表。

表 2　雨型分析特征

内　容	Ⅰ型			Ⅱ型		
	1级	2级	3级	1级	2级	3级
占本型雨量的百分数(%)	58.5	10.5	31.0	31.0	24.6	45.3
平均雨量(mm)	21.1	11.5	13.4	36.2	29.6	32.6
雨量范围(mm)	11.3~36.9	11.1~11.8	10~16	16.1~61.9	18.2~54.8	17~56.4
平均历时(h)	0.65	0.45	1.08	5.93	7.5	12.0
历时范围(h)	0.33~1.55	0.37~0.53	0.83~1.33	3.04~11.2	4~11.3	4.5~19.7
平均强度(mm/h)	32.4	25.6	12.4	6.1	3.95	2.72
强度范围(mm/h)	23.8~49.7	22.3~30	10~18.4	4.18~8.72	3.03~4.85	1.93~4.88
本型雨量合计(%)	16.6			83.4		
平均雨量(mm)	16.7			32.8		
平均历时(h)	0.76			9.12		
平均强度(mm/h)	21.4			3.6		

假定这样划分的雨型是比较合理的,那么雨型的分级与径流或冲刷必定存在某种递增(或递减)的关系,为此,又计算了初播情况下,各级雨型与径流系数、冲刷率的数量关系,见表3。

表 3　各级雨型与径流系数、冲刷率数量关系

内容	雨型分级					
	Ⅰ-1	Ⅰ-2	Ⅰ-3	Ⅱ-1	Ⅱ-2	Ⅱ-3
平均径流系数(%)	48.0	30.6	15.5	12.3	18.0	5.0
平均冲刷率	0.237	0.195	0.083 5	0.062	0.025 8	0.008 9
平均前期含水量(%)	15.5	13.1	13.0	15.3	18.1	13.6

从表3中可以看出,除了Ⅱ-2型由于前期土壤含水量相当高,以致径流系数比较突出外,一般递减趋势比较明显。

2.1.4　前期土壤含水量

测验结果表明,前期土壤含水量是影响径流系数的一项显著因素,见表4。

表 4　前期土壤含水量对径流系数的影响

年·月·日	一次雨量(mm)	平均强度(mm/h)	前期含水量(%)	径流系数(%)
1947.5.6	18.7	3.4	22.1	30.0
1947.5.21	25.0	3.12	20.0	23.8
1949.8.4	56.4	3.68	15.7	8.46
1948.8.16	51.7	3.21	12.7	3.27
1953.5.28	25.3	4.40	12.2	3.36

从表 4 可以看出这样的趋势，即在平均雨率小的情况下，前期含水量每增加 1%，径流系数即可增加 2.5% ~ 3.0%，利用这一数值来修正表 3 中的平均径流系数，换算成前期土壤含水量为 15%情况下的数值，则得表 5。

表 5　　不同雨型与径流系数的关系

雨型分级	Ⅰ－1	Ⅰ－2	Ⅰ－3	Ⅱ－1	Ⅱ－2	Ⅱ－3
平均径流系数(%)	46.8	35.4	20.5	11.6	10.3	8.5

由表 5 可以看出，当平均降雨强度递增 1mm/h，径流系数即可增加 1.1% ~ 1.7%(平均 1.4%)。因为在以后的计算中不能直接用土壤含水量百分率表示，需要把它变换成一定深度(也即有效渗透深度)内的雨深。另一方面，1954 年以前没有测定土壤含水量，因此，需要进行插补。

根据实测资料的分析，土壤的入渗深度虽然是随着降雨特性而变化的一个变数，但在一般全面产流的条件下，则大致在 25cm，在这样深度的表土层范围内，其干重为 $1.26t/m^3$。因此，推求的土壤含水量与相当雨深的变换式为：

$$P_a = \frac{W}{0.316}$$

式中，W 为土壤含水量，以% 表示；P_a 为相当雨深，称为前期影响雨量，以 mm 表示。

假设某一定量的降雨为 P，该 P 值使有效渗透深度范围内的含水量增高，其增高值即为 $\Delta W = 0.316P$，这样就使土壤含水量中原先的 W_0 增至 W，$W = W_0 + \Delta W$，以后由于土壤蒸发及继续下渗，土壤水将依一定的规律逐渐衰减，再降雨再上升又再衰减，如此反复循环。因此，问题就归结为如何利用实测土壤水资料寻求土壤含水量的衰减规律。

求得 9 月 1 日以后及 7 月 15 日以前土壤含水量衰减曲线的数值表达式为：

$$W = W_c e^{-0.07t}$$

7 月 15 ~ 8 月 31 日的表达式为：

$$W = W_c e^{-0.36t^{1/2}}$$

式中，W_c 为饱和的土壤含水量，在小区的黄土条件下，$W_c = 26\%$；t 为延续日期，以日为单位(见图 4)。

2.2　坡度与水土流失的关系

2.2.1　地面裸露情况下坡度与径流的关系

首先分析在初播情况下坡度对径流的影响。根据 28 次降雨资料统计表明，绝大部分的趋势是径流随着坡度的增加而递减，其递减指数则又随雨型而变，也就是说，平均强度愈大，其递减指数愈小，把相应的点点绘在图 5，并求得其关系式为：

$$\frac{h_s}{h_I} = \left(\frac{S}{S_I}\right)^{-\frac{4}{i+2}}$$

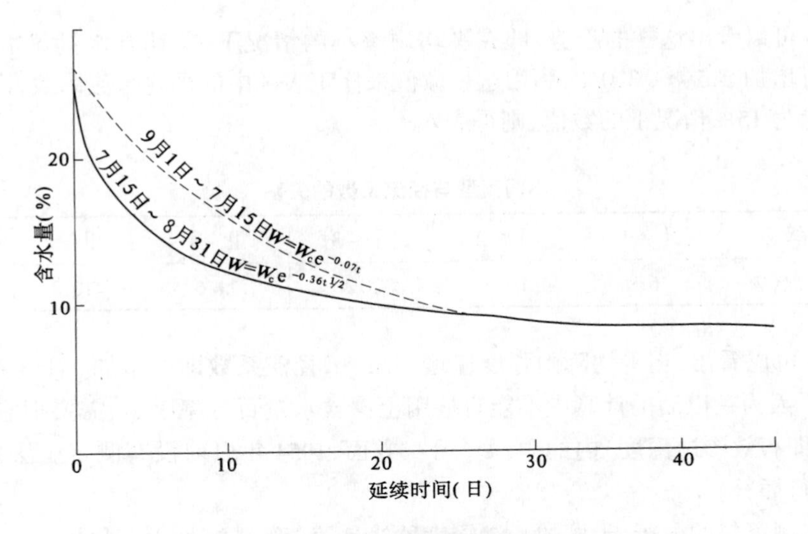

图4　土壤含水量衰减曲线

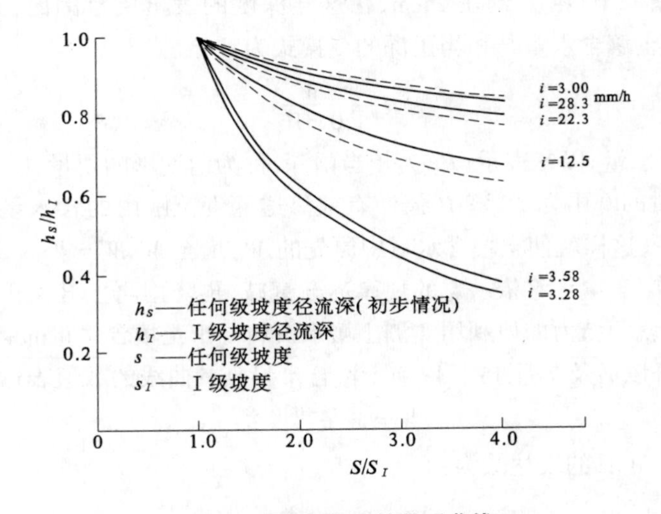

图5　坡度与径流的关系曲线

式中，h_s 为任一级坡度下的径流深，mm(范围为4°～17°)；h_I 为Ⅰ级坡度下的径流深，mm；S 为任一级坡度；S_I 为Ⅰ级坡度，以正切表示；i 为平均降雨强度，以 mm/h 计。

递减指数关系式为：

$$m = -\frac{4}{i+2}$$

由上式可知，$i = 10$mm/h 时，递减指数 $m = -0.334$；$i = 20$mm/h 时，递减指数 $m = -0.182$；$i = 30$mm/h 时，递减指数 $m = -0.125$；m 与 i 成双曲线变化。

休闲状态下，h_s/h_I 与 S/S_I 的关系曲线见图6，近似于 S 形。在Ⅰ型雨中，Ⅰ级径流最小，Ⅱ级坡最大，Ⅲ级坡及Ⅳ级坡又逐渐减弱。Ⅱ型雨中，由于Ⅰ级坡上升至Ⅱ级坡时达到最大，以后又逐渐衰退，Ⅳ级坡又略有趋上升。

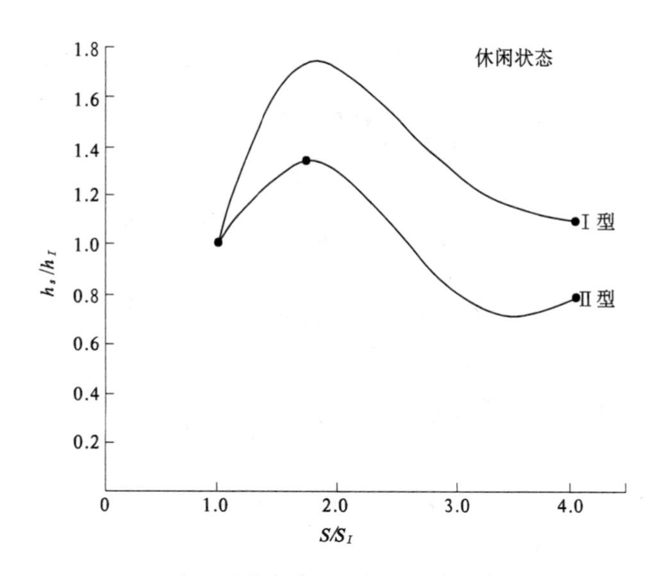

图6　休闲状态下 h_s/h_I 与 S/S_I 的关系曲线

2.2.2　坡度与冲刷的关系

根据统计分析,坡度与冲刷的关系式为:

$$\left(\frac{d_s}{d_I}\right)=\left(\frac{S}{S_I}\right)^m$$

递减指数 m 见表6。由表6可知,雨率愈猛,递增指数就愈大,即冲刷随坡度上升的趋势愈剧烈。初播状态在雨率小的情况下,冲刷随坡度增加略有降低(见图7)。

表6　在初播及休闲状态下递减指数 m 与雨型的关系

地面状态	雨型	m 值
初播	Ⅰ-1	1.10
	Ⅰ-2~Ⅱ-1	0.06
	Ⅱ-2~Ⅱ-3	-0.16
休闲	Ⅰ-1~Ⅱ-1	1.20
	Ⅱ-2~Ⅱ-3	0.86

2.2.3　地面有作物状态下,坡度与年径流、年冲刷的关系

地面上有了不同作物后,其坡度与年径流及年冲刷的关系要比裸露状态下复杂得多,因为其间又掺杂着作物生长差异性的影响,以及形成主要冲刷的Ⅰ型雨降落季节的不同。因此,除了按各种作物分别统计外,又按Ⅰ型雨降落的季节分成两个类型,即:

A型:雨率猛的Ⅰ型雨主要降落在6月30日前;

B型:雨率猛的Ⅰ型雨主要降落在6月30日后。

其数值形式见表7。

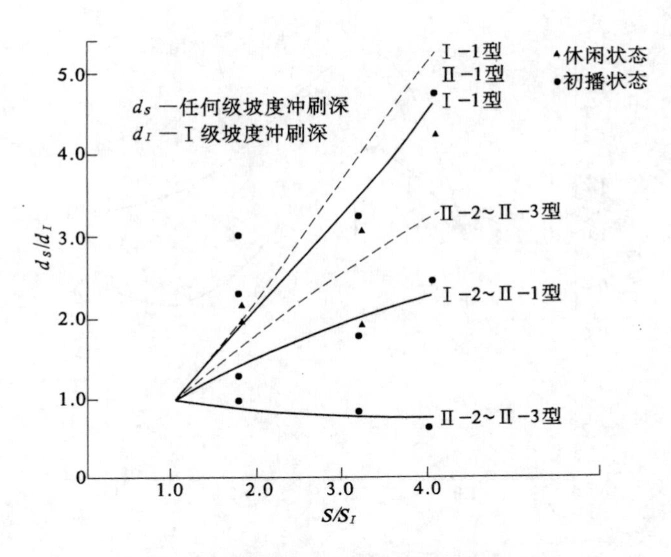

图7　初播及休闲状态下冲刷与坡度关系

表7　作物状态下坡度与年径流、年冲刷的关系

作物	型态	$\frac{h_s}{h_I}=\left(\frac{S}{S_I}\right)^m$	$\frac{d_s}{d_I}=\left(\frac{S}{S_I}\right)^m$	说明
玉米黄豆	A	$m=-0.25$	$m=0.37$	表中空白系数据不足所致
	B	1.10	1.90	
冬麦撒播 荞麦撒播	A			
	B		1.0	
扁豆条播 冬麦撒播	A	-0.29	0.50	
	B		1.17	

注：H_s 为任一级坡度下的年径流深，mm；d_s 为任一级坡度下的年冲刷深，mm；H_I 为Ⅰ级坡度下的年径流深，mm；d_I 为Ⅰ级坡度下的年冲刷深，mm(见图8)。

2.3　坡长与水土流失的关系

1954~1957年在初播情况下观察有限次数(十余次)的坡度与水土流失关系，发现单位面积径流深随着坡长增加而有递减趋势。雨率愈小，递减指数愈大，但冲刷深却随着坡长增加而递增。且雨率愈猛，其递增指数就愈大，但在低雨率下，则冲刷深随着坡长增加而递减(见图9)。

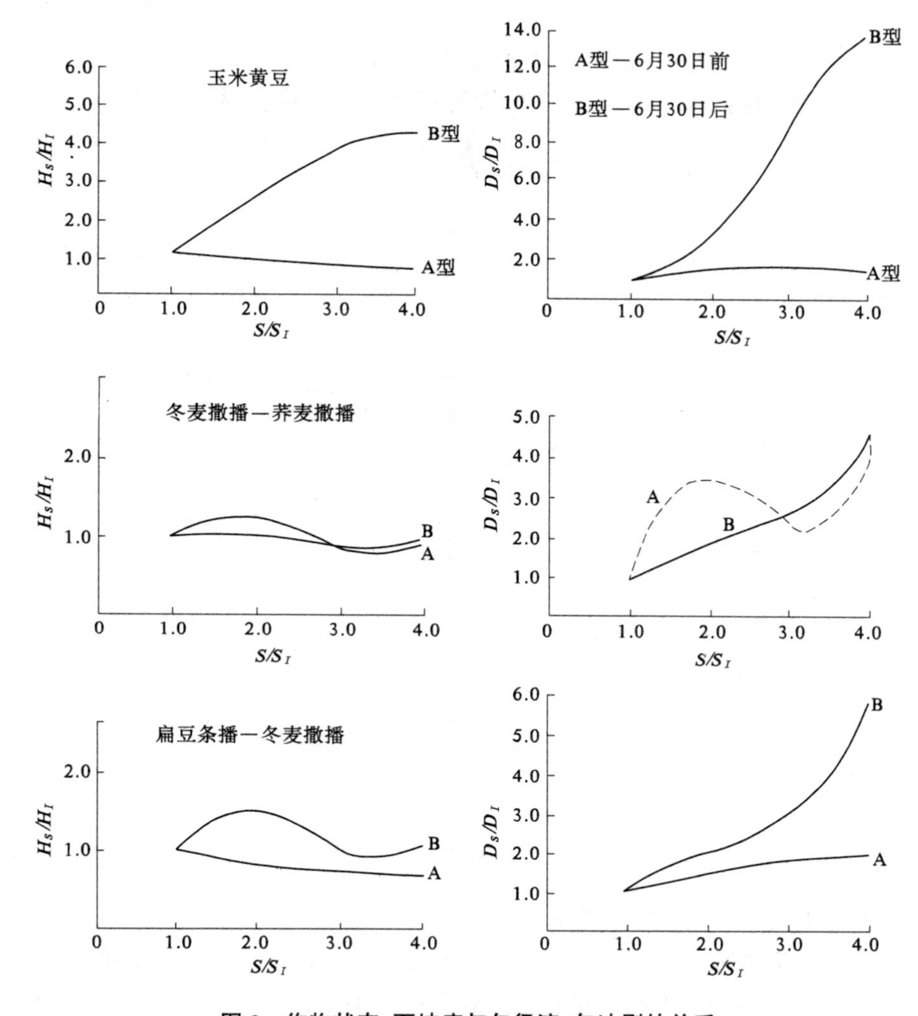

图8 作物状态、下坡度与年径流、年冲刷的关系

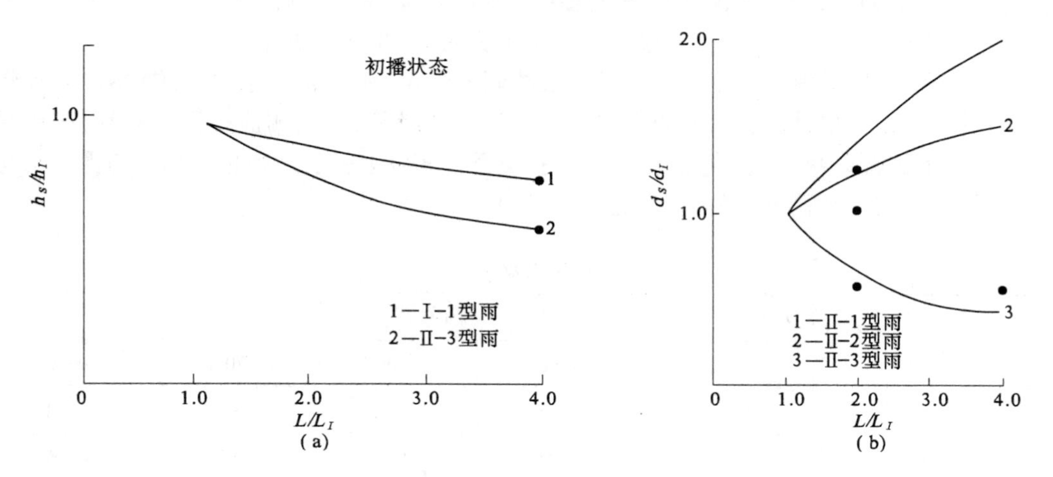

图9 坡长与水土流失的关系曲线

图 9 中，L 为任一级坡长，m；L_I 为 Ⅰ 级坡长，为 10m。

1954～1956 年，在各种作物状态下，坡长与年径流、年冲刷的关系式为：

$$\frac{H_s}{H_I}=\left(\frac{L}{L_I}\right)^{-0.22}$$

$$\frac{d_s}{d_I}=\left(\frac{L}{L_I}\right)^{0.12}$$

关系曲线见图 10。

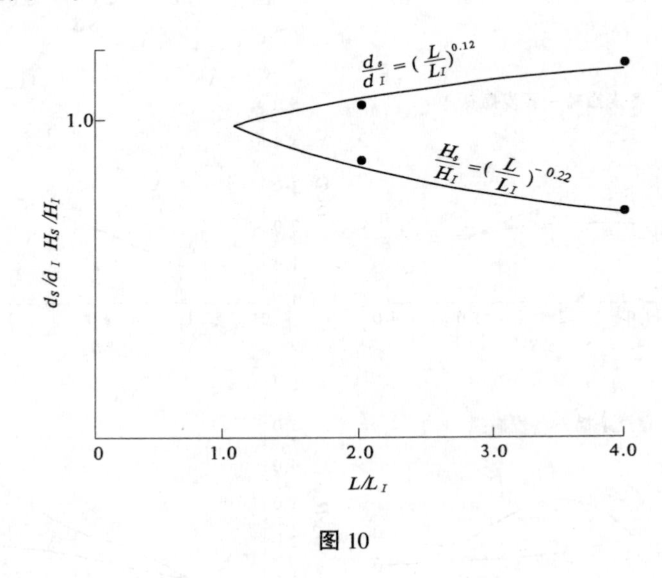

图 10

2.4 作物被覆与水土流失的关系

资料表明，不同被覆下对径流泥沙的影响是相当复杂的。在同一被覆度下，由于作物的吸水度不同，就会有相当大的数量差异。在不同雨型下，其拦截雨水及减少冲刷的能力也有所差别。因此，在分析被覆与水土流失的关系时，要考虑作物的种类。以 1956～1957 年的资料点绘各种作物地生长阶段的被覆度增长曲线，并进行插补。

至于在各种作物被覆情况下，对径流及冲刷的影响，利用推求得的在初播情况下径流及冲刷的关系式，推算在各次降雨情况下的径流及冲刷值，与实测值相比较，得出在各相应被覆度下被覆系数，点绘成曲线。因此，被覆系数实际上就表示各种作物在与裸露情况相对照下，径流及冲刷减少的比率，见表 8、表 9。

表 8　　径流被覆系数

作物	被覆度				
	10%	30%	50%	70%	90%
玉米、黄豆	0.98	0.75	0.42	0.18	0.04
扁豆、冬麦、荞麦	0.99	0.92	0.79	0.58	0.16

表 9　　冲刷被覆系数

作物	被覆度				
	10%	30%	50%	70%	90%
玉米、黄豆	0.83	0.49	0.23	0.03	
扁豆	0.88	0.56	0.36	0.20	0.07
冬麦、荞麦	1.00	0.89	0.72	0.45	0.09

由表 8、表 9 可以看出，玉米黄豆间作在减少径流及冲刷上最为有利，应当指出的是，玉米黄豆在 7 月份以后采取壅堆措施，因此实际上它包括壅堆子的作用在内。同时应说明的是，在被覆达到 90%时，无论径流及冲刷均能减少 90%。

3　降雨与径流泥沙经验关系式的推求

利用水文统计中相关分析的方法，分别推求得降雨与径流及泥沙的一些经验关系式如下。

3.1　次降雨与径流泥沙的关系式

关系式为：

$$h_{avg} = P - \left[\frac{13}{\lambda} + 9 - 0.1P_a\right]T^{0.55}$$

式中，h_{avg}为四级坡度小区在初播情况下的平均径流深，mm；P 为次降雨量，mm；T 为净降雨历时，h；P_a 为前期影响雨量，根据图 4 土壤含水量衰减曲线推算，然后再用 $P_a = \frac{W}{0.316}$ 折算；$\lambda = \frac{T}{t_{有效}}$为有效雨时系数；$t_{有效}$为降雨强度超过 0.08mm/min 的历时，$T < 2$h。降雨强度超过 0.06mm/min 的历时，$T = 2 \sim 8$h；降雨强度超过 0.05mm/min 的历时，$T = 8 \sim 15$h；降雨强度超过 0.04mm/min 的历时，$T > 15$h。

此关系式的误差范围，实测值与推算值的相对误差为 1% ~ 30%，均方误差 = $\sqrt{\frac{\sum|\varepsilon|^2}{n}} = 15\%$。

为推求在某一作物植被覆情况下的径流深，则

$$h_{(avg)} = C_{cov}h_{avg}$$

式中，C_{cov}为被覆系数。

在Ⅰ级坡度情况下，降雨与径流的关系式为：

$$h_1 = [1 - k(40 - P_a)] - \left[\frac{14.0}{\lambda} + 4.5\right]T^{0.55}$$

式中，h_1 为Ⅰ级农坡地在初播情况下的径流深，mm；k 为前期影响雨量影响系数。

当 $P_a > 60$ 时　　　$k = 0.015\,8$

当 $P_a = 50 \sim 60$ 时　　　$k = 0.012\,7$

当 $P_a < 50$ 时　　　$k = 0.009\,5$

此关系式的误差范围，当 $h_1 \geqslant 1\text{mm}$，实测值与推算值的相对误差为 0.3% ~ 15.5%，均方误差 $= \sqrt{\dfrac{\sum|\varepsilon|^2}{n}} = 9.3\%$。

如果要求在某一级坡度、坡长及被覆度下的径流深，则关系式为：

$$h_s = C_{slop} C_{cov} C_{lng} h_I$$

$$C_{slop} = \frac{h_s}{h_1} \qquad \frac{h_s}{h_1} = \left(\frac{S}{S_1}\right) - \frac{4}{I+2}$$

式中，C_{slop}为坡度系数、定义为某一级坡度上的实测径流深 h_s 与 I 坡度上的径流深 h_I 的比值（初播情况下）；C_{lng}为坡长系数。

$$h_{avg} = \left[\frac{i^{0.922}(P + P_a - 37.9 - \sum ft)^{1.97}}{11\,600} - 0.1\right]\left(\frac{p_{\max}}{10}\right)^{\frac{30}{i_{\max}}}$$

式中，h_{avg}为四级坡度小区在初播情况下的平均径流深，mm；P 为次降雨量，mm；P_a 为前期影响雨量，mm；$\sum ft$ 为降雨 2h 后的入渗量，f 为降雨 2h 以后的入渗率，若雨量大于 0.04mm/min（稳渗率），则以 0.04mm/min 计，若雨量小于 0.04mm/min，则以实际雨率计，t 为降雨开始 2h 以后的净降雨历时，以 h 计；i 为平均降雨强度，mm/h；$i_{\max}$为最大降雨强度，mm/h；$p_{\max}$为相应于最大降雨强度之雨量，mm。

此关系式的误差范围，在 $h_{avg} > 0.1$ 情况下，相对误差为 1% ~ 40%，均方误差 $= \sqrt{\dfrac{\sum|\varepsilon|^2}{n}} = 25\%$。

径流与冲刷关系式的推求：

$$d_{avg} = \frac{h_{avg}^{\ 1.63}}{21.8\,T^{0.696}}$$

此关系式的误差范围，在 $h_{avg} > 0.1$ 的情况下，相对误差为 1% ~ 28%，均方误差 $= \sqrt{\dfrac{\sum|\varepsilon|^2}{n}} = 16.5\%$。求误差范围时，$h_{avg}$系将前经验式求得之推算值代入，为此，应考虑 h_{avg}的误差影响。

如果要求在某一作物被覆情况下的冲刷深，则

$$d_{[avg]} = C_{cov} d_{avg}$$

至于在Ⅰ级坡度情况下，径流与冲刷的关系式为：

$$d_1 = \frac{h_1^{\ 1.26}}{kT^{0.622}}$$

k 与 h_1 有关，当 $h_1 < 5$ 时，$k = 25.3$；

当 $h_1 > 5$ 时，$k = 8.6 + \dfrac{78}{h_1}$。

此关系式的误差范围，在 $d_1 > 0.1$ 的情况下，相对误差为 1.1% ~ 21.8%，均方误差 $= \sqrt{\dfrac{\sum|\varepsilon|^2}{n}} = 14.1\%$。

如果要求任一级坡度下的冲刷深，则为：

$$d_s = C_{slop}C_{lng}d_I$$

式中，C_{lng}为坡长系数；C_{slop}为坡度系数。

$$C_{slop} = \left(\frac{S}{S_I}\right)^m$$

3.2 年降雨与径流的关系式

类似上述方法，求得三年四熟普遍农家制四级坡度平均年径流深与其他各因子的关系式如下：

$$H_{avg} = \frac{1}{4}(P_y - 10) - 1.38\,T_y^{\ 0.73}$$

式中，P_y 为年中产流雨累计值，mm；T_y 为年中产流雨总降雨历时，h。

玉米黄豆：$H_{avg} = \frac{1}{4}(P_y - 10) - (1.93\mu + 0.55)\,T_y^{\ 0.73}$

冬麦－荞麦及扁豆－冬麦：

$$H_{avg} = \frac{1}{4}P_y - T^{0.85}$$

式中，$\mu = P_7/P_y$ 为雨量分布系数；P_7 为降雨落在玉米被覆良好(即在 7 月份以后)的产流雨。

关系式误差的估计：

普遍农家制平均，相对误差范围为 3%～13%，均方误差 $= \sqrt{\frac{\sum|\varepsilon|^2}{n}} = 8.7\%$。

玉米黄豆，相对误差范围为 1%～27%，均方误差 $= \sqrt{\frac{\sum|\varepsilon|^2}{n}} = 12.6\%$。

冬荞麦及扁豆冬麦相对误差范围为 1%～30%，均方误差 $= \sqrt{\frac{\sum|\varepsilon|^2}{n}} = 17.6\%$。

对各级坡度而言

$$H_s = C_{slop}H_{avg}$$

式中，C_{slop}为年径流坡度系数，见图 11。

年冲刷公式为：

$$D_{avg} = \frac{P_y^{\ 1.94}I^{1.351}}{10\,000} - 0.1$$

式中，I 为历次产流雨的权平均强度，mm/h。

关系式的误差估计，相对误差范围 10%～22%，均方误差为 14.3%。

对各级坡度而言：$D_s = C_{slop}D_{avg}$

式中，C_{slop}为年冲刷坡度系数，见图 11。

3.3 径流与冲刷的频率分析

在初播及四级坡度情况下对次径流及次冲刷的频率进行分析。年径流冲刷的频率分析是选取在轮作制中流失量最大数值的(但级是四级平均)情况下进行分析，见表 10。

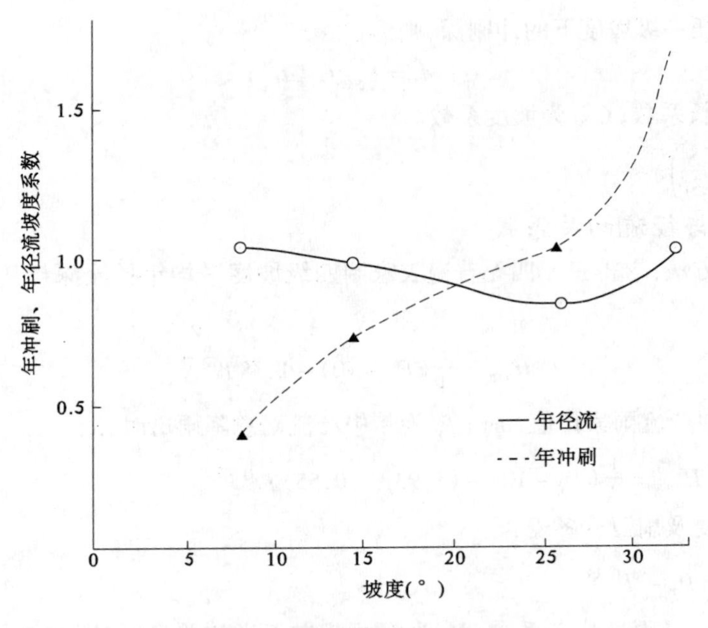

图 11　年径流及冲刷坡度系数

表 10　　**径流与冲刷频率**

频率 $P(\%)$	0.1	1	5	10	25	50
次径流深 h_{avg}(mm)	80.9	53.8	35.1	26.9	－16.3	8.1
年冲刷深 D_{avg}(mm)	9.32	5.72	3.39	2.41	1.26	0.46
年径流深 H_{avg}(mm)	125.0	78.0	53.5	40.8	24.8	11.7
次冲刷深 d_{avg}(mm)	12.0	7.4	4.39	3.12	1.66	0.62

4　存在问题及今后工作展望

天水地区小面积的坡地径流泥沙试验对根治黄河和发展山区农业生产，提供了部分科学数据。但在整个试验过程中，对一些有关因子，如坡面地形、土壤性质、耕作方法、植被覆盖没有做到严格一致，或尽可能使其差异性减少到最低程度，也就是说，没有能强化主要因子，并保持一致性。致使试验资料在不少情况下关系紊乱，同时，试验的进度全部依赖于天然降雨的观测，没有辅助必要的人工降雨试验，且忽略了观测过程，因此使试验成果获得的比较迟缓。

在今后的工作中，应根据实际情况，运用观察及测定自然过程的现代技术方法，不断研究加强实验室试验及因子在人工控制条件下的试验方法；开展与土壤入渗能力及抗蚀能力有关的土壤物理、力学及化学性质的探索，测定径流冲刷过程，研究径流流速以及降雨雨滴大小分配及溅击力等问题，将试验研究在足够广度的基础上不断向纵深扩展。

罗玉沟流域2001年6月15日特大暴雨泥沙来源分析

张满良[1] 张海强 蒲 波

摘 要 2001年6月15日凌晨6时10分到7时40分,罗玉沟流域遭受了300年一遇的特大暴雨袭击,暴雨中心点雨量68.8mm,历时55min。洪水破坏农田33.0hm²多,冲毁民房20多间,受灾户105户,直接经济损失达200多万元。实测洪水含沙量达432.1kg/m³,流失泥沙约36.53万t。土壤流失主要来自于坡耕地和其他坡地,其流失量约34.83万t,占土壤流失总量的95%;水保措施遭破坏、工程建设中的弃土弃渣,均加剧了土壤流失。应加强流域内沟道防治措施建设,加大流域退耕还林还草力度,实施大面积封禁治理。

1 流域概况

罗玉沟流域地处甘肃省天水市秦城区北郊,属黄河中游黄土丘陵沟壑区第三副区,是渭河一级支流藉河的一条支沟。流域呈羽状分布,总面积72.79km²,沟壑密度5.43km/km²,水土流失面积47.87km²。坡耕地1 955.89hm²,占总面积的26.87%,其中15°~25°的坡地585.98hm²,25°以上的坡耕地214.95hm²。流域内年平均降水量657.2mm,降水在季节上分配极不均匀,夏秋季降水约占年降水总量的78%,其中主要集中在7~9月,且多以大雨、暴雨出现;土壤类型比较复杂,地面物质组成主要有第四纪黄土和第三纪红土,依海拔由高到低土壤种类分别为褐色土、黄绵土、黑垆土、红土和淀淤土,依据不同的土壤类型,流域共划分为黄土区、杂色土区和土石山区;植被以暖温带落叶林为主,因长期不合理的垦殖,天然植被破坏严重,天然灌丛主要分布在梁峁、埂坎,大量人工植被主要分布在梁峁、沟道、沟坡及山地果园,共有林地面积76.61hm²。

罗玉沟流域1983年曾被黄河水利委员会列为试点小流域、被甘肃省列为重点小流域进行综合治理,水土流失得到有效控制,流域内群众生活生产条件得以改善。黄河水利委员会天水水土保持科学试验站在流域内布设了13个雨量观测点,流域下游出口处建立径流泥沙观测站,全面监测流域水土流失变化,已取得了一系列实测资料。暴雨由于其变率大,对土壤的冲刷可变性强,规律性小,因此被作为监测的重点。

---

[1]张满良,男,甘肃天水人,高级工程师。

2　2001年6月15日特大暴雨降雨特征

2.1　降雨分布

受太平洋低压和蒙古高压的影响,2001年6月15日凌晨6时10分到7时40分,罗玉沟流域发生了一次特大暴雨,降雨主要集中在流域中上游的南家湾,暴雨中心55min降雨68.8mm,降雨强度75.1mm/h,形成的洪水流量大,冲刷严重,破坏农田33.0hm^2,冲毁厂房一处、民房20多间,受灾户105户,7处河堤被冲垮,市区东关桥梁被冲毁,直接经济损失200多万元。全流域降雨实测见表1。

表1　　罗玉沟流域各雨量站2001年6月15日降雨实测结果

雨量站	分布位置	降雨时段	降雨量(mm)
赵家湾	上游	6:10~6:45	7.5
石山下	上游	6:20~7:15	68.8
廖家砚	上游	6:15~7:40	34.8
吊沟门	上游	6:20~7:10	59.3
马周	上游	6:13~7:10	24.9
马家山	中游	6:25~7:20	33.0
师家湾	中游	6:30~8:10	52.6
刘家河	中游	6:20~7:20	63.3
营房	下游	6:40~7:25	48.8
左家场	下游	6:40~7:25	39.7
烟铺	下游	6:37~7:22	35.2

从这次降雨的总体分布看,罗玉沟流域与相邻的吕二沟流域相比,罗玉沟最大降雨量68.8mm,吕二沟最大降雨量仅为5.8mm,因此罗玉沟流域是降雨集中区。

2.2　降雨强度及重现期

据罗玉沟流域中上游雨量站实测资料,2001年6月15日特大暴雨中心55min降雨量68.8mm,降雨强度75.1mm/h,属历史罕见。依据铁道科学研究院的公式:$i=(19.23+33.29\lg N)/(t+26.7)$(式中:$i$为降水强度,mm/min;$t$为降雨历时,min;$N$为重现期,a),推算出本次降雨属312年一遇,是1949年以来降雨强度最大的一次。

2.3　流域洪水泥沙的形成

2001年6月15日特大暴雨降雨集中,强度大,历时短,加上土壤下渗速度慢,流域内坡度陡,土壤结构差,道路施工开挖面多,从而使降雨汇流速度加快,植被、土壤的调节作用减弱，降雨很快形成径流，坡面侵蚀和弃土弃渣加大了洪水中泥沙的含量。据罗玉沟沟口左家场径流观测站实测资料，该次洪水洪峰流量 582m^3/s，流速 10m/s，泥沙含量 432.1kg/m^3，流失泥沙 36.53 万 t。

3　流域土壤侵蚀特征及各类型区侵蚀状况

罗玉沟流域沟壑纵横，土质疏松，主要以粗沙壤土和黏土为主，水力侵蚀和重力侵蚀活跃，故侵蚀十分严重。近年来随着人类活动的频繁，人为水土流失不断加剧，全流域年土壤侵蚀量 58.52 万 t，年均侵蚀模数 8 040t/km^2。流域各类型区的侵蚀情况见表 2。

表 2　　**罗玉沟流域各类型区土壤侵蚀状况**

类 型 区	黄土浅凹区	黄土区	杂土区（左岸）	杂土区（右岸）	土石山区	全流域
面积(km^2)	1.7	14.11	5.92	20.92	30.14	72.79
年均侵蚀量(t)	5 195	83 587	43 326	154 695	298 449	585 252
年均侵蚀模数(t/hm^2)	3 056	5 924	7 319	7 395	9 902	8 040
侵蚀量占全流域(%)	0.9	14.3	7.4	26.4	51.0	100.0

从流域总体上看，侵蚀面积大，程度严重。分布在流域上游的土石山区，因土质结构差，地面覆盖物少，裸露面大，径流冲刷严重，年均侵蚀量大，是流域泥沙的主产区；杂土区分布面积、侵蚀模数仅次于土石山区，也是流域泥沙的主要来源区。

4　2001 年 6 月 15 日特大暴雨的泥沙来源分析

4.1　弃土弃渣形成新的水土流失

随着西部大开发基础设施建设的加强，高等级公路的修通为西部经济发展提供了优越的交通环境，但大部分基础设施建设的水土保持防治配套工程未能跟上，致使大量的弃渣弃土经暴雨径流冲刷进入河道，形成新的水土流失。据调查，经过罗玉沟的 310 国道长约 11.7km，在建设过程中，施工扰动面积宽 40m，整个流域因国道施工扰动面为 0.47km^2，破坏植被 1.35km^2，弃土弃渣 13.74 万 m^3，正常情况下该区的流失系数为 0.23，但由于道路正在施工阶段，水保措施配套未能跟上，致使这次特大暴雨流失系数达 0.7，14.4 万 t 的弃土弃渣在暴雨冲刷作用下流入河道，纯粹是人为的水土流失。

4.2　水保措施遭到破坏，一定程度上加剧了水土流失

据调查资料，罗玉沟流域内 3 年以上的梯田冲毁程度小，当年新修水平梯田约有 70%的遭到损毁，全流域有 30%的梯田被暴雨冲垮。

4.3 不合理的耕作活动产生了大量的土壤流失

流域内现有坡耕地 1 955.89hm^2,大部分分布在流域中上游部分,坡度在 15°~25°之间,主要土壤是黄土和杂色土,这些土壤结构差,侵蚀严重,加上不合理的耕作活动,成为泥沙的主要产区。据调查,坡地土壤流失量约为 348 350.0t,占土壤流失总量的 95%。林地和草地因覆盖度低,也产生一定的水土流失(见表 3)。

表 3　罗玉沟流域坡面土壤流失调查

类型区	土地利用方式	坡度(°)	坡长(m)	植物类型	单位面积土壤流失量(t/hm^2)	分区土壤总流失量(t)
黄土区	农耕地	<10	31.0	夏粮作物	194.6	91 004
		10~25	24.3	夏秋作物	231	
		>25	23.0	夏秋作物、休闲	585	
	林地	10~25	27.5	果园	48	
		>25	20.0	刺槐	98	
	草地	10~25	33.40	杂草	95	
		>25	25.10	杂草	91.5	
土石山区	农耕地	<10	20.80	夏粮作物	95.43	116 403
		10~25	27.20	夏秋作物	217.32	
		>25	10.00	夏秋作物、休闲	312.5	
	林地	10~25	22.00	刺槐	44.8	
		>25	25.00	刺槐	107.3	
	草地	10~25	20.00	杂草	41.3	
		>25		杂草	82.5	
杂土区	农耕地	<10	22.00	夏粮作物	169.65	140 950
		10~25	21.00	夏秋作物	296.9	
		>25	18.00	夏秋作物、休闲	396.9	
	林地	10~25	40.00	刺槐	62.5	
		>25	35.00	刺槐	98.2	
	草地	10~25	15.00	沙打旺	85	
		>25	20.00	杂草	116.2	

4.4 沟道防治措施少,重力侵蚀严重

流域多年来注重坡面措施修建,沟道治理措施因投资大、无明显的经济效益而修建滞

后。据调查，流域内现有的70座谷坊、3处沟头防护工程均残缺不全，大部分都失去拦阻泥沙的能力，沟道重力侵蚀严重，此次暴雨中有24处产生重力侵蚀，产生泥沙2 570.0t。

5 结语

（1）特大暴雨在罗玉沟流域乃至黄土丘陵沟壑区第三副区发生的概率高，由于暴雨强度大、降雨量大、径流汇集速度快，故泥沙流失严重，这一现象应引起高度重视。

（2）罗玉沟流域的暴雨侵蚀主要发生在坡地，其土壤流失量占全流域土壤流失量的95%。

（3）新修水平梯田因打乱了原土壤结构，抗蚀能力降低，故冲毁严重。除坡面治理措施外，应加强沟道防治措施建设。

（4）公路建设在一定程度上破坏了原有植被，弃土弃渣冲刷流失量大，是流域内最大的人为水土流失现象。

（5）建立合理的耕作制度，应用旱作农业新技术提高单位面积粮食产量。要加大坡耕地退耕还林力度，实施大面积的禁封治理。工程建设应严格实行“三同时”制度，以便减少人为水土流失的发生。

（本文发表于《中国水土保持》2002年第10期）

土壤侵蚀分类及对比沟选择

李绍铠[1]　李建牢

摘　要　本文从侵蚀现状及潜在危险考虑,根据主要因子的变量指标,应用模糊聚类方法,对罗玉沟流域的24条样本沟间相似程度进行定量分析比较,在此基础上完成了该流域侵蚀分类、分区和典型试验与对比观测沟选择。

土壤侵蚀现象是地表物质具有的抗蚀力同作用于该物质的侵蚀营力矛盾运动状况的表征。各种影响因素综合作用于两种力的矛盾运动,但影响程度则不相同,且具有模糊性。据此提出整体综合、发生发展、主导因素及相对集中四条土壤侵蚀分类原则;从侵蚀现状及潜在危险考虑,根据主要因子的变量指标,应用模糊聚类方法,对罗玉沟流域的24条样本沟间相似程度进行定量分析比较。在此基础上完成了该流域侵蚀分类、分区和典型试验与对比观测沟选择。此种方法可供黄土高原较大侵蚀分区参考。

1　分类目的与原则

研究罗玉沟流域侵蚀分类问题,是为了在划分侵蚀类型区的基础上,分类研究其土壤侵蚀特征及综合措施配置模式,选设典型试验沟和对比观测沟(简称对比沟)提供依据。

(1)整体综合性原则。土壤侵蚀现象,从根本上说是地表物质具有的抗蚀力同作用于该物质的侵蚀营力矛盾运动状况的表征。影响这两种力的诸因素相互制约,构成一个有机整体,几乎所有影响侵蚀力的因素,都不同程度地影响着地表物质抗蚀能力的发挥。因此,分类时应从系统的整体与综合功能角度,考虑影响土壤侵蚀综合分类的各种因素及其作用。

(2)发生发展的原则。土壤侵蚀不是静止地一成不变的,而有其发生、发展过程及内在规律。因此,分类时应从影响土壤侵蚀形成、发展及其潜在趋势的因素考虑。

(3)主导因素原则。在侵蚀营力与抗蚀能力矛盾运动中,起决定意义的是地表物质本身所具有的抗蚀能力(内因),而侵蚀营力是促成侵蚀发生、发展变化的外因;各影响因素对两种力的作用也不是均等的。故分类时可根据各因素的意义和作用,分别赋予不同的权重。

(4)相对集中的原则。以支毛沟为单元,保持其集水区的完整,按类型集中连片地划定侵蚀类型区的边界。

---

[1]李绍铠,男,湖北麻城人,高级工程师,原天水水土保持科学试验站副站长。

2 方法步骤

2.1 样本和变量因子的确定

罗玉沟流域面积 72.79km^2,直接注入主沟的大小支毛沟共 193 条,其中集水面积大于 5km^2 的只有 1 条。根据科研布设要求及流域实际,对比沟的集水面积以 1 ~ 5km^2 为宜。并选定 24 条支毛沟作为研究侵蚀分类问题的样本,其集水面积合计占全流域总面积的 57.6%。罗玉沟流域土壤侵蚀营力以水力和重力为主,故该流域土壤侵蚀分类,应着重研究影响水力侵蚀和重力侵蚀各有关因素及其作用,根据目前的研究与认识,可用图 1 来表示。

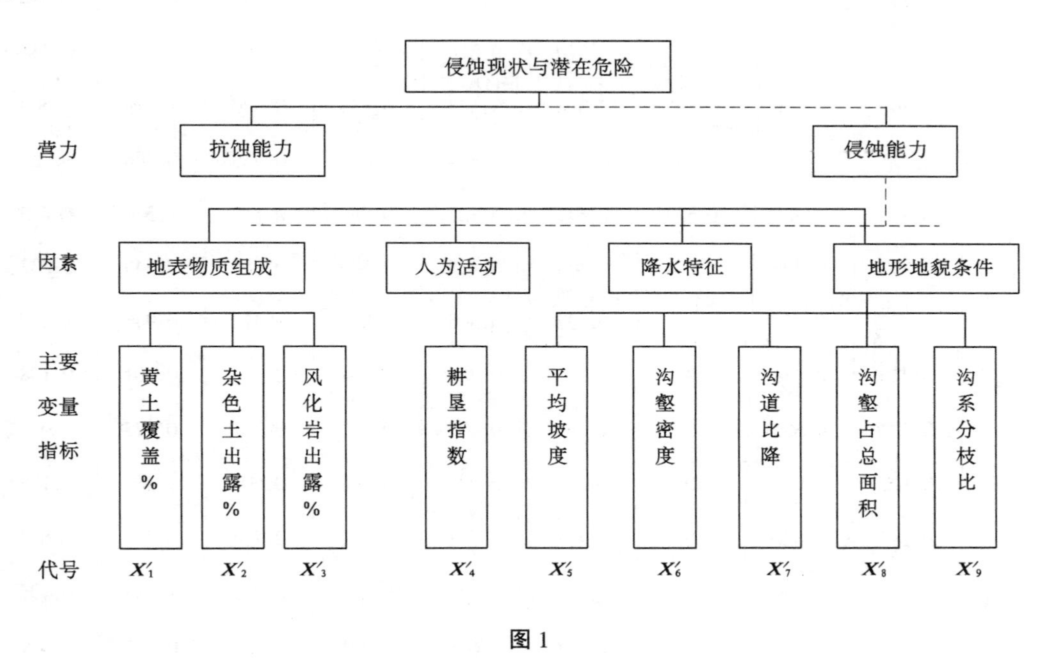

图 1

在选择变量指标时,根据实际情况把土壤理化性质作为地表物质抗蚀力的决定因素,它随土壤及其母质种类而异。故选用了该流域的 3 种主要地表物质分布面积占总面积的百分比;在一定的降水条件下,土壤侵蚀强弱主要取决于地形地貌条件,据此选用了 5 个主要变量指标;人类活动状况,是以耕垦指数作为指标故予以选用。

2.2 变量统计数据的收集与标准化处理

各变量统计数据 X'_i,是从该流域 1984 年所测 1/10 000 专业调查图件上量测统计的。全部数据 X_i 均按极值标准化公式

$$X_i = \frac{X'_i - X'_{\min}}{X'_{\max} - X'_{\min}} \tag{1}$$

压缩到[0,1]区间,以消除由于各因素量纲不同所造成的影响,结果见表 1。

表 1　　分类因子变量指标标准化表

样本	变量								
	X_1	X_2	X_3	X_4	X_5	X_6	X_7	X_8	X_9
1	0.068	0.348	0.880	0.636	0.690	0.388	0.759	0.576	1
2	0	0.431	0.874	1	0.638	0.475	0.899	0.204	0.521
3	0.435	0.127	0.636	0.791	0.813	0.315	0.767	0.365	0.378
4	0.285	0	1	0.886	1	0.579	1	0.041	0.659
5	0.342	0	0.920	0.808	0.827	0.419	0.951	0.325	0.592
6	0.464	0	0.749	0.880	0.814	1	0.974	0	0.236
7	0.291	0.250	0.688	0.803	0.523	0.584	0.576	0.169	0.501
8	0.314	0.333	0.547	0.719	0.704	0.604	0.563	0.366	0.988
9	0.350	0.302	0.542	0.641	0.321	0.569	0.749	0.540	0.473
10	0.357	0.498	0.294	0.444	0.434	0.585	0.657	0.749	0.232
11	0.452	0.631	0	0.237	0.505	0.612	0.412	0.946	0.273
12	0.271	0.838	0	0	0.483	0.554	0.721	0.601	0.188
13	0.222	0.895	0	0.048	0.477	0.410	0.711	0.572	0
14	0.172	0.952	0	0.254	0.578	0.530	0.605	0.864	0.188
15	0.287	0.820	0	0.461	0.721	0.342	0.714	0.773	0.673
16	0.184	0.939	0	0.529	0.577	0.247	0.903	0.915	0.497
17	0.137	1	0	0.478	0.600	0.291	0.823	0.807	0.479
18	0.400	0.690	0	0.236	0.431	0.216	0.848	0.933	0.299
19	0.385	0.707	0	0.122	0.187	0.216	0.518	0.946	0.285
20	0.508	0.567	0	0.229	0.265	0.262	0.420	0.868	0.168
21	0.466	0.614	0	0.059	0.239	0.294	0.509	1	0.461
22	0.369	0.726	0	0.128	0.275	0.332	0.519	0.518	0.376
23	0.651	0.402	0	0.030	0.118	0.554	0.274	0.720	0.139
24	1	0	0	0.076	0	0	0	0.861	0.535
权重	1.5	1.5	1.5	1.0	1.0	0.5	1.0	0.5	0.5

2.3 计算衡量样本间相似程度的统计量

样本间相似程度统计量，是进行科学分类的依据。选用较常用的夹角余弦法，即对于任何两个样本变量 X_i、X_j，可以看做是 P 维空间的两个矢量，两样本间的相似程度用这两个矢量夹角的余弦值表示：

$$r_{ij}=\cos\theta_{ij}=\frac{\sum_{k=1}^{m}X_ik\cdot X_jk}{\sqrt{(\sum_{k=1}^{m}X_{ik}^2)(\sum_{k=1}^{m}X_{jk}^2)}} \tag{2}$$

将表1数据代入式(2)，算得各样本沟道间相似系数矩阵为：

$$R_{ij}=\begin{bmatrix} r_{11} & r_{12} & \cdots & r_{1j} \\ r_{21} & r_{22} & & r_{2j} \\ \vdots & & & \vdots \\ r_{i1} & r_{i2} & \cdots & r_{ij} \end{bmatrix}$$

2.4 模糊聚类分析

根据模糊数学理论，要进行聚类分析，相似系数矩阵必须具备模糊等价关系：①自返性，$r_{ji}=1$；②对称性，$r_{ij}=r_{ji}$；③传递性，$R^{2k}\subseteq R^k$。

矩阵 R_{ij} 只能满足前两个条件，故再通过 R 矩阵多次连乘使之满足传递性的要求。经计算，$R^{16}\subseteq R^8$，根据 R^{16} 矩阵绘制动态聚类树枝图。主动态聚类树枝图上，取不同水平集 λ，便可得不同分类结果。全部计算用计算机完成。

3 分类结果

3.1 侵蚀类型区

在动态聚类图上取 $\lambda=0.93$，则将24条样本沟道分为3个侵蚀类型组(见表2)，以此为依据，按照其分布位置及相对集中连片原则，将流域划分为以下3种侵蚀类型区：

(1)土石强度侵蚀区。分布于流域左岸上、中游，风化岩出露面积占16.22%～55.09%，黄土覆盖面积占23.06%～58.75%，杂色土出露面积占0～28.87%；坡度陡峻，地面植被稀疏，耕垦指数较高，侵蚀模数在9 900t/km² 左右。

(2)杂色土强度侵蚀区。分布于流域右岸及左岸的下游，黄土覆盖面积占33.07%～73.09%，杂色土出露面积占26.91%～66.93%；坡度中等，耕垦指数高，侵蚀模数在7 300 t/km² 左右。

(3)黄土中度侵蚀区。分布于主沟源头附近，地面全部为黄土覆盖，坡度比较平缓，沟壑密度较小，耕垦指数高，侵蚀模数在3 000t/km² 左右。

3.2 支毛沟侵蚀分类

在动态聚类图上取 $\lambda=0.96$，将24条样本沟分为6个土壤侵蚀类型，按照抗蚀力—侵蚀力—地面物质分别命名(见表2)。

表 2　　罗玉沟典型小流域土壤侵蚀综合分类

组	类、亚类	样本沟道编号	数值界限	黄土覆盖（%）	杂色土出露（%）	风化岩出露（%）	平均坡度（°）	沟壑密度（km/km^2）	沟道比降（%）	沟壑占总面积（%）	耕地占总面积（%）	沟系分枝比	抗蚀力	侵蚀力
Ⅰ		1～10	上限	58.75	28.87	55.09	35.62	8.42	29.65	86.73	71.76	7.35		
			下限	23.06	0	16.22	21.67	3.99	12.08	50.56	28.47	3.47		
	Ⅰa	1～2	上限	28.25	28.87	48.45	35.62	6.40	16.17	78.40	61.78	7.35	较强	强
			下限	23.01	23.30	48.12	26.49	6.06	13.95	66.75	40.26	4.93		
	Ⅰb	3～9	上限	58.75	22.71	55.09	32.75	8.42	29.65	86.73	59.65	7.28	中等	强
			下限	44.91	0	29.84	26.63	3.99	12.08	50.56	28.47	3.49		
	Ⅰc	10		50.48	33.31	16.22	21.67	4.73	19.01	58.31	71.76	3.47	较弱	强
Ⅱ		11～23	上限	73.09	66.93	0	23.81	6.60	19.68	78.68	86.26	5.70		
			下限	33.07	26.91	0	10.55	2.67	9.53	26.58	58.43	2.30		
	Ⅱa	11～22	上限	58.90	66.93	0	23.81	6.60	19.68	78.68	86.26	5.70	中等	较强
			下限	33.07	37.85	0	10.55	3.12	9.53	38.00	58.43	2.30		
	Ⅱa$_1$	11、18～22	上限	62.15	48.62	0	16.48	5.19	19.68	74.16	86.26	4.63		
			下限	51.38	37.85	0	12.03	3.12	9.53	38.00	58.43	3.15		
	Ⅱa$_2$	12～17	上限	45.11	66.93	0	23.81	6.60	18.20	78.68	81.37	5.70		
			下限	33.07	54.89	0	10.55	5.01	10.33	54.01	61.50	2.30		
	Ⅱb	23		73.09	26.91	0	11.31	2.67	18.21	26.58	70.10	3.00	较弱	中等
Ⅲ	Ⅲa	24		100.00	0	0	12.45	1.90	3.99	3.89	78.20	5.00	弱	中等
		24		100.00	0	0	12.45	1.90	3.99	3.89	78.20	5.00		

3.3 典型试验沟与对比沟观测沟选择

典型试验沟，必须在同类型区有典型代表性，并便于布设实施，通过模糊聚类分析，其典型代表性无须再作论证，只要在其中选择便于布设的沟道即可。对比观测沟，除必须满足上述两个要求外，同一对比观测沟，应空间位置邻近且相似程度高。这一要求可通过在动态聚类图上选取水平集 λ 最接近于 1 的样本沟来实现。土石强度侵蚀区的 4 号和 5 号样本沟道($\lambda = 0.9948$)，杂色土强度侵蚀区的 12 号和 13 号样本沟道($\lambda = 0.9948$)或 16 号和 17 号样本沟道($\lambda = 0.9965$)都是比较理想的选择对象。

4 结语

用模糊聚类分析进行小流域土壤侵蚀分类及对比观测沟选择，理论依据严密，方法方便可行，能较好地避免传统方法存在的主观随意性。实际应用时，样本和变量的选择，变量指标统计量数据的可靠性，对分类结果将产生重要影响。从罗玉沟流域 1/10 000 的各种专业成果图件上量测的数据，完全可以满足土壤侵蚀综合分类的精度要求。

（本文发表于《山西水土保持》1988 年第 3 期）

藉河示范区旱作土壤评价及侵蚀特征分析

张满良 张海强

摘 要 雨水径流是造成地表土壤流失的主要成因之一,旱作土壤在降雨形成径流后极易产生水土流失。本文在黄河流域藉河示范区土壤资源全面调查的基础上,对主要的几种旱作土壤的分布情况、土壤特性、生产力状况做出了阐述,同时对其侵蚀特征进行分析评价,为示范区综合治理措施的布设提供了重要的依据。

藉河示范区是1998年黄河水利委员会批复立项的黄河流域最大的水土保持综合治理示范工程,总面积1 554km^2,其中山坡地1 439km^2、河川地115km^2。示范区地处渭河中上游,海拔1 067~2 717m,是暖温带半温润—半干旱过渡带。年均降水量567mm,且分布不均,主要集中在7~9月份,占全年降水量的50%,多以大雨或大暴雨形式出现,局部发生的频率高、历时短、强度大。区域内地形支离破碎,沟壑纵横,水土流失危害严重,1~5级支流14 000余条,75km^{2}以上的一级支流55条,二级支沟31条,沟壑密度4.13km/km^2,水土流失面积1 318.45km^2,占总面积的88.75%。

示范区处于秦岭山脉向陇西黄土高原的过渡地带,西部为土石山林区,西南部山脊局部为土石山区,渭河及藉河南北的山坡、梁峁被黄土母质上发育的土壤所覆盖。水土流失严重的沟坡主要分布着第三纪红土,大部分土壤为旱作土壤,受雨水侵蚀严重,是主要的土壤流失类型。

1 旱作土壤的分布情况

藉河示范区土壤类型的分布依海拔由高到低为褐色土、黄绵土、黑垆土、红土。

褐色土主要分布于秦岭山地,海拔1 500~2 000m范围内,面积约1.8万hm^2,土质黏重,土性紧实,结构较好,抗旱性能强,自然肥力较高。因海拔高,气候较凉爽,所以适宜于林牧业的发展。

黄绵土分布在海拔1 350~1 500m的梁峁沟壑及迎风向阳的梁顶梁坡,面积约6.7万hm^2,土层深厚,耕性良好,土性绵酥,结持力小,流失严重。

黑垆土是褐土与黄绵土的过渡土壤,分布于示范区南北两山山坡的中下部,面积约2.5万hm^2,质地良好,保水保肥力强,耕性好,适宜于各种农作物的生长。

红土分布于水土流失严重的滑坡和湾地切沟、冲沟、沟谷两岸的沟坡上,面积约3.4万hm^2,土性僵板,质地黏重,结持力大,通透性差,遇水易饱和,是示范区内较难利用的土壤。

2 旱作土壤的特性评价

旱作土壤肥力的形成与发展除耕作施肥等人为条件外,主要受当地自然水热条件的影响，与灌溉土壤相比，水肥流失严重，其特性为：

(1)旱作土壤的有机质含量与腐殖化程度低，土壤腐殖质层厚度也较灌溉土壤薄。据调查，示范区旱作土壤有机质平均含量为0.626%，较灌溉土壤低0.603%。褐色土和黑垆土的有机质含量较高，腐殖质层较厚。旱作土壤的有机质含量高，则侵蚀强度弱；有机质含量低，则侵蚀强度强，见表1。

表1 旱作土壤有机质含量和侵蚀强度

土壤类型	调查土样(个)	有机质含量(%)			1m土层有机质储量(kg/hm²)	侵蚀强度
		变幅	平均	标准		
褐色土	15	0.910~1.739	1.322	0.726 6	74.44	轻度
黄绵土	12	0.810~0.993	0.902	0.268 7	51.25	强度
黑垆土	38	0.460~1.209	0.683	0.349 6	113.23	极强度
红土	15	0.360~1.187	0.410	0.479 7	45.12	强度

(2)旱作土壤中氮、磷、钾素含量较低。土壤侵蚀强度越高，有机质和氮素含量就越低，导致土壤抗稳定性减弱。由于旱作土壤施肥较少，甚至长期不施肥，加上侵蚀强度大，因此土壤中的有效养分含量逐年降低，养分含量见表2。据测定，耤河示范区氮、磷、钾素的年流失量分别为4.4、11.4、262.8kg/hm²。在4种旱作土壤中，褐色土全氮和速效氮的含量较高，黄绵土较低。褐色土侵蚀程度小，黄绵土等土壤的侵蚀强度高。

表2 旱作土壤养分含量

土种类型	养分含量					
	全氮(%)	全磷(%)	全钾(%)	速效氮(10^{-6})	速效磷(10^{-6})	速效钾(10^{-6})
褐色土	0.118	0.102	2.075	78.583	10.333	170.542
黄绵土	0.068	0.072	1.950	57.720	9.764	160.991
黑垆土	0.085	0.073	2.123	75.750	6.875	163.250
红　土	0.082	0.081	2.040	68.333	6.633	228.330

(3)旱作土壤水分循环比较简单，供水效果差，易产生水土流失。旱作土壤水分循环主要有大气水(包括雨、雪、露)、土壤水和植物水三个环节，因此旱作土壤的水分性质是易渗透，蒸发少，保墒差，供水不足，易流失。耤河示范区旱作褐色土渗透量平均每小时113~185mm，降水在土壤中下渗深度1.5~2.5m，土壤持水量253~314mm，其中可供作物利用的有效水161~250mm。黄绵土、黑垆土、红土的渗透量平均每小时94~143mm，下渗深度0.7~2.0m，土壤持水量107~281mm，作物可利用的有效水89~203mm。土壤蓄水性能差，易随高强度降雨或连续降雨而产生水土流失。

(4)旱作土壤生产力水平较低。由于旱作土壤没有灌溉条件和足够的养分供给，因此生产力水平较低。耤河示范区旱作土壤长时期农业经济结构单一，耕作粗放，耕层偏浅，施肥水平低下，一遇到高强度暴雨，坡面水土流失十分严重，加速了坡面侵蚀的发展，造成土壤贫瘠，生产力不断下降。旱作土壤生产力水平见表3。

表3　主要作物旱作土壤的生产力水平

土　壤	作物	生产潜力(kg/hm^2)	实际产量(kg/hm^2)
褐色土	小麦	10 214.52	3 166.50
	玉米	11 650.00	3 844.50
黄绵土	小麦	10 038.50	2 740.31
	玉米	11 459.18	3 369.00
黑垆土	小麦	9 767.21	2 979.00
	玉米	11 191.60	3 592.50
红　土	小麦	6 222.95	1 686.42
	玉米	8 079.60	2 367.32

尽管旱作土壤生产力水平低，但旱作土壤疏松软绵，耕性良好，只要采取有效的水土保持耕作措施，就能减少土肥流失，提高土壤的生产力。

3　旱作土壤侵蚀特征分析

3.1　旱作土壤抗蚀性分析

土壤抗蚀性的强弱，主要表现在土壤对水的击溅、分散和悬移的抵抗能力上。通过野外观测和人工室内模拟相结合的滴水击溅方法得出不同旱作土壤的抗蚀性指标，见表4。

表4　不同旱作土壤的抗蚀性测定结果

土壤类型	褐色土	黄绵土	黑垆土	红土
渗透速度(mm/min)	9.10	3.33	4.03	3.95
崩解速度(cm/min)	13.60	4.50	5.75	3.15
抗蚀性	较强	较弱	较弱	中等

3.2　旱作土壤侵蚀特征分析

区域内土壤侵蚀类型主要有水力侵蚀和重力侵蚀，以水力侵蚀为主，两种土壤侵蚀类型交互作用，广泛发生。水力侵蚀多以面蚀和沟蚀发生，重力侵蚀则表现为滑坡、崩塌、泻溜等。强度侵蚀主要发生在各侵蚀沟沟坡、沟岸和河岸，主要分布在第三纪红土出露区以及岩石裸露风化强烈的土石山区；中度侵蚀发生在梁坡；轻度侵蚀发生在梁顶及坡度较缓的梁坡；微度侵蚀发生在川道局部。区域内水土流失面积为1 318.45km^2，多年平均侵蚀模数为5 426t/km^2，年地表径流模数为8.73万m^3/km^2，年侵蚀总量为842.73万t。

(1)褐色土主要分布在植被覆盖率较大的梁顶和坡度较缓的梁坡，属温带落叶阔叶与针叶混交或森林迹地灌丛草原带内的典型土壤。土壤有机质含量高，结构良好，抗冲性、抗蚀性较强，透水性良好，土壤侵蚀轻微，以面蚀、细沟侵蚀为主，年侵蚀量为 4 790t/km²。

(2)黄绵土主要分布在藉河中部南北二山的黄土梁峁沟壑地带，土壤耕性良好，垦殖指数达 60%。土壤侵蚀以面蚀、沟蚀等水力侵蚀和滑坡、泻溜、崩塌等重力侵蚀为主，面蚀面积最大，多数侵蚀沟发育活跃，沟底纵坡大，沟头溯源前进迅速，沟岸扩张，沟底下切较普遍，年侵蚀量为 11 990t/km²。

(3)黑垆土主要分布在示范区西南部土石山丘陵沟壑地带，呈带状分布，是森林褐色土带以下的主要古老耕种土壤，土壤肥力差。土壤侵蚀以滑坡、崩塌、泻溜等重力侵蚀为主，其次有面蚀、沟蚀等水力侵蚀及人为采石弃渣等形成的泥石流，年均侵蚀量为 7 011t/km²。

(4)红土主要分布在示范区中西部和东南部丘陵沟壑地带，适宜于多种经济作物生长。植被除陡坡上残存的天然灌草外，主要为人工植被。土壤主要以坡面细沟侵蚀和滑坡、泻溜、崩塌侵蚀为主，侵蚀沟发育活跃，沟底比降大，沟底下切，沟岸扩张严重，沟头溯源前进迅速，年侵蚀量为 9 882t/km²。

4 结语

根据以上分析可以得出以下结论：

(1)水土流失是环境危害的主要问题，尤其在西部地区，要搞好生态环境建设，就必须要解决旱作土壤的水土流失、生产力水平等问题，这也是西部生态环境保护的首要问题。

(2)分布位置和特性决定了旱作土壤极易产生水土流失，这也是水土保持工作最难解决的问题。只有掌握了旱作土壤的特性，才能从根本上解决干旱、半干旱地区的水土流失问题。

(3)藉河示范区旱作土壤面积大，侵蚀严重。根据旱作土壤特性及流失状况，因地制宜地布设水保措施，是提高水土保持综合治理质量的有效途径。

(4)藉河示范区的旱作土壤大部分分布在陡坡地带，结构差，肥力低，流失严重，生产力水平不高。除采用水保旱农耕作技术提高粮食产量外，还应加大退耕还林(草)力度，以防止水土流失。

(本文发表于《人民黄河》2002 年第 8 期)

重力侵蚀观测方法试验研究

李绍铠

摘　要　本文以1963年罗玉沟陈家磨滑坡作为试验基点，采用地面摄影测量进行滑坡体位移量、产沙量观测方法的试验研究。分别对该滑坡进行了1/500比例尺的地面摄影测量与方格网法作位移量的对比观测；滑坡前沿1/250比例尺的地面摄影测量与30条断面产沙量的对比观测，在精度、布设上与一般测量方法进行比较，探讨地面摄影法的适应情况。

重力侵蚀是地表土体(岩体)在重力作用下发生运动的现象。本地区重力侵蚀主要有滑坡、崩塌、泻溜、泥流等类型。根据天水地区的吕二沟、罗玉沟和渭河上游的野外调查资料，重力侵蚀现象在本地区分布相当普遍，由于重力侵蚀作用的结果，使沟壁迅速扩张，土体发生移动，变成松散的物质输入沟道(为沟道水流搬运泥沙提供了条件)，从而加速了水土流失，给当前山区农业生产和人民生活带来了极大的危害。因此，重力侵蚀的研究就成为水土流失规律研究的一个重要组成部分。

重力侵蚀研究的最终目的，是为了提出最合理、最有效的防治措施。为此，必须从物理成因概念出发，摸清地貌、土壤特性、地下水动态、气候等一系列因素对重力侵蚀发生发展的影响程度和内在联系，而这种内在联系表现为土体(岩体)位移。因此，重力侵蚀位移量的观测研究，是研究它的发生、发展规律的基本前提。同时，研究重力侵蚀所提供的大量泥沙数量和比重，也为研究小流域泥沙来源和泥沙平衡提供条件和数据。

由于重力侵蚀多分布于沟壁附近，运动性质很特殊，因而要求观测方法必须具备精度高、速度快、操作容易、布设方便、设备简单、人力经济等特点。因此，寻求一套又快、又好、又省的新的观测方法，就成为进行重力侵蚀研究工作中亟待解决的课题。

1963年开始采用地面摄影测量进行滑坡体位移量、产沙量观测方法的试验研究。经查勘选择了罗玉沟陈家磨滑坡作为试验基点。该滑坡面积为7 200m^2。为了从精度上、经济上、布设上同一般测量方法进行比较，探讨地面摄影法的适应情况，在该滑坡上布设了1/500比例尺的地面摄影测量同方格网法作位移量的对比观测；在滑坡的前沿，布设了1/250比例尺的地面摄影测量，同30条断面作产沙量的对比观测；同时，还收集了一部分有关的自然因素资料。

1　用方格网法测定滑坡位移量

1.1　基本原理及精度

在滑坡上，设置若干条平行的纵线或横线(纵横线相互垂直)，这些线的端点，用混凝土标石埋设在滑动范围以外的稳定地面上，并在滑坡范围内，每一纵横线交点处埋设观测桩(如图1所示)。

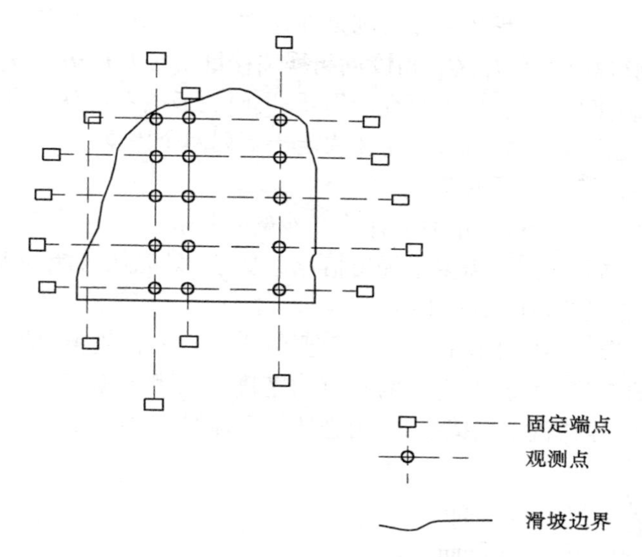

图 1　重力侵蚀观测布设图

观测时,用两台经纬仪分别设于纵横线端点,对准各自的另一端点,依照三角测量中归心原素投影的方法,将纵横线的交点投影到设置在交点处的平板仪上,同样将观测桩的中心位置投影于平板仪上,即得到平面位移的观测成果(如图 2 所示)。

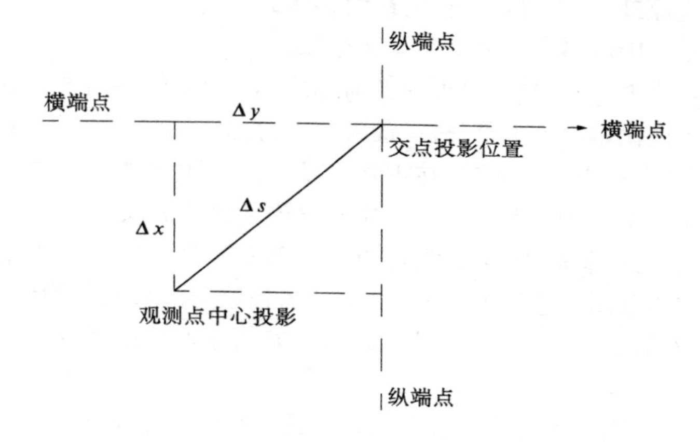

图 2　平面位移观测图

假定观测点的中心与纵横线交点的平面距离为"偏离值",其纵向分量 Δx、横向分量 Δy 及合量 Δs 均可自图上量取。

设同一点上两次观测的成果为 Δx_1、Δy_1、Δs_1 及 Δx_2、Δy_2、Δs_2,则该点的平面位移量为:

$$\Delta x = \Delta x_2 - \Delta x_1$$

$$\Delta y = \Delta y_2 - \Delta y_1$$

$$\Delta s = (\Delta x^2 + \Delta y^2)^{1/2}$$

各点的高程位移量(即高程的变化),则是在每次观测时用直接水准引测各点的高程H,设同一点两次测得高程为H_1、H_2,则该点高程位移量为:$\Delta H = H_2 - H_1$。

位移量测定的精度要求,应根据研究的需要,同时也适当考虑现有设备及操作技术的可能性确定。从研究需要方面考虑时,主要决定于下列两个因素:

(1)滑体位移特性(剧烈、缓慢等)。

(2)在力所能及的情况下,尽量适应计算产沙量的要求。

由于没有资料依据,不能从需要上提出恰当的要求,只能从可能性上考虑初步提出,水平及高程位移量的误差均应小于1cm。

在正常情况下,端点不发生位移。每次只要测出各点的偏离值,即可计算出位移量。因此,平面位移量的精度,决定于测定偏离值的精度。在测定偏离值时,采用WildT1及Zeiss Theo 030型光学经纬仪正倒镜投影,用悬挂的垂球线作照准目标,考虑主要的误差来源及最大值为:

(1)仪器对中误差$M_{仪} = \pm 2mm$。

(2)目标对中误差$M_{目} = \pm 2mm$。

(3)描绘误差　$M_{描} = \pm 1mm$。

(4)望远镜照准误差对投影点的影响$M_{照}$,取决于望远镜的性能、通视条件及投影点至仪器的距离。根据实际情况,望远镜放大倍数25,最大投影距260m时,通视良好,则$M_{照} = \pm 60''/25 \times 260m/206\,265'' = \pm 3mm$。

按误差等影响原理,可得投影点位的最大误差为:

$M_{投} = \pm(M_{仪}^2 + M_{目}^2 + M_{照}^2 + M_{描}^2)^{1/2} = \pm 4.2mm$

偏离值为两投影点之差,故其最大误差为:$M = \pm 4.2 \times 2^{1/2} = \pm 5.9mm$。

平面位移量为两次偏离值之差,故其最大误差为:$M = \pm M \times 2^{1/2} = \pm 8mm$。

由此可知,用现有的设备及方法,在正常情况下,平面位移量的误差在1cm以下。

各点的高程采用Zeiss 030型水平仪及带有气泡的区格式双面水平尺,按Ⅳ级水准进行引测。从1963年成果来看,闭合于假定原点的基本水准线路闭合差最大为±3mm,引测各点高程的支线水准闭合差最大亦为±3mm。若以线路闭合差作为线路上最弱点的高程误差,则观测点对假定原点而言,其最大高程误差为±4.5mm,高程位移量的最大误差为±8mm。

若在各次引测时,固定各支线的起点和终点站,则基本线路的误差对高程位移量不发生影响,使高程位移量的误差为±4.5mm。因此,每次观测时采用固定的水准支线,对提高精度有着重要的作用。

综上所述,无论平面位移量或高程位移量其精度均达到既定要求。

1.2　适应的范围及条件

(1)方格网法只能适应地形比较简单、滑体比较完整和整体位移的滑坡。对于滑坡零乱破碎,既有整体位移又有局部位移的基点,观测点的位置不能按照需要因地制宜的设置,因此观测资料不能全面如实地反映滑坡表面的不均匀变化。

(2)用方格网法只能测得接近地面表层的位移量,而对较深层的位移变化情况不适用。根据所获得资料的分析(位移变化极不规律),滑体表层与下层(深层)的位移量是不相同的，因为在某一时段中，表层动不一定下层也动，而下层动表层随之而动。

(3)此法对通视条件要求较高。在地面有高秆作物和林地时则无法布设，所以不能用做造林固坡的效益观测。

综上所述，用方格网法测定滑坡位移量，在现有设备和操作条件下，可以达到误差小于 1cm 的精度。但在使用时必须考虑其局限性和费时费力等缺点。

2　用断面法观测滑坡产沙量

2.1　基本原理

此法是在滑坡的前沿布设若干条垂直于前沿的断面，借助观测断面上各点的平面位置及高程，计算前沿体积及某一观测时段中的体积变化，并进一步计算出该时段内的产沙量。

(1)布设及观测。在前沿附近的稳固地带，选设一条基线，然后按照滑坡前沿地形起伏情况，确定每条断面线的实地位置，每条断面线均与基线方向垂直，在断面线与基线的交点处埋混凝土桩固定(如图 3 所示)。

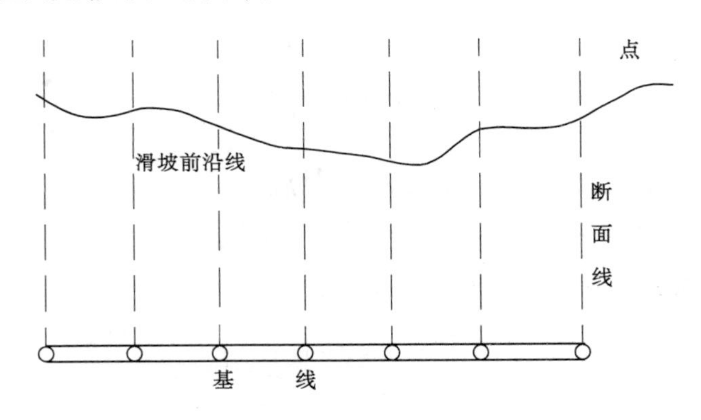

图 3　重力侵蚀观测布设图

断面上各点，除最近和最远点每次观测时按固定距离(即同基线间的距离，以下简称起点距)放设以外，中间各点均视地形变化而定。

观测时，用两台经纬仪同时测角，并用经纬仪定线(如图 4 所示)。各点高程均用直接水准引测。

(2)起点距计算。图中 θ 角为 90°，故 $S' = b_1\tan\beta_1$，$S'' = b_2\tan\beta_2$，$S = 1/2(S' + S'')$。

(3)断面面积计算。设在一条断面上，测出了若干个点，各点的起点距为 S_i，高程为 A_i(i 与点号相应，依次为 $1,2,3,\cdots,n$)(如图 5 所示)。

相邻点间的距离为：

$L_{1\cdot2} = S_2 - S_1$

$L_{2\cdot3} = S_3 - S_2$

……

各梯形或三角形的面积为：

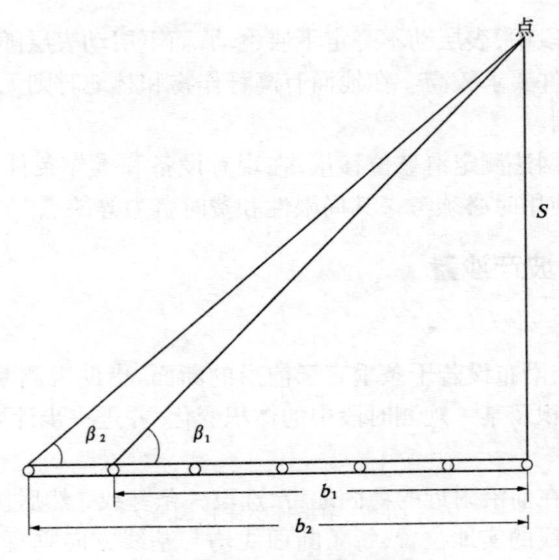

图 4 经纬仪定线观测图

$$P_1=\frac{A_2}{2}L_{1\cdot 2}$$

$$P_2=\frac{A_2+A_3}{2}L_{2\cdot 3}$$

$$P_3=\frac{A_3+A_4}{2}L_{3\cdot 4}$$

以此类推。

断面 A 的面积 $P_A=P_1+P_2+P_3+\cdots+P_n$。

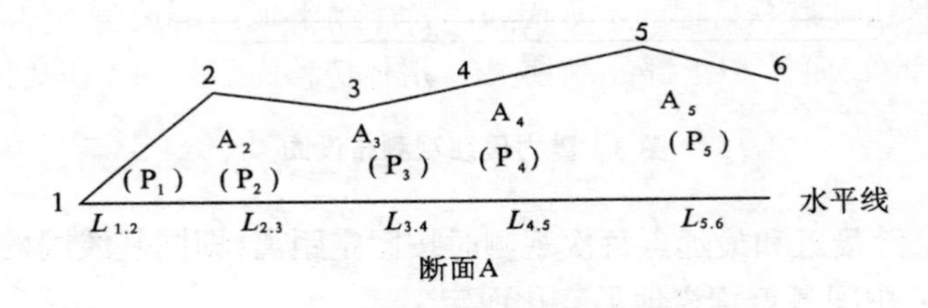

图 5 观测点高程图

(4)前沿体积变化计算每条断面线代表相邻断面线间距的一半(称“代表宽”,下同),如图 6。

断面线间距 L_1'、L_2'、…、L_n',断面线代表宽 L_A、L_B、…,则

$L_A=L_1'/2$

$L_B=(L_1'+L_2')/2$

……

各断面线代表地区的体积 W_A、W_B、…为:

$W_A=P_A\cdot L_A$

$W_B=P_B\cdot L_B$

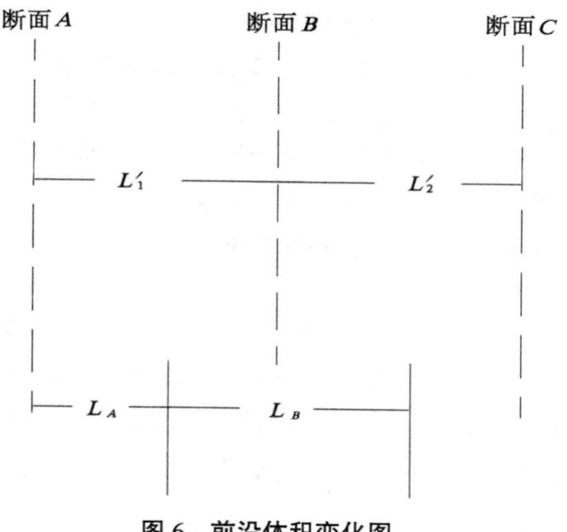

图6　前沿体积变化图

……

滑体前沿某一统一高程以上的总体积$\sum W$为：

$$\sum W = W_A + W_B + \cdots + W_n$$

设第一次实测总体积为$\sum W_1$，第二次总体积$\sum W_2$，则两次观测时段中体积变化量：

$$\sum \Delta W = \sum W_2 - \sum W_1$$

陈家磨滑坡1963年计算结果：$\sum W_1 = 8\ 918.5m^3$，$\sum W_2 = 8\ 940.2m^3$，体积变化量：

$$\sum \Delta W = +21.7m^3$$

(5)产沙量计算。

由断面图上看，滑坡前沿地面变化，一般具有图7的形式。图中AO是在空间固定的观测范围线，$OD'D$是通过某一高程的水平面，D及D'为滑坡前沿坡脚。显然，产沙量($W_{失}$)发生在C点以下部分，而C以上部分，则是由于滑体位移而引起的体积变化($W_{移}$)。

图7　前沿地面变化图

假设C点以下变化的断面面积为$P_{失}$，其符号增加为正，减少为负；C点以上变化的断面面积为$P_{移}$，增加为正，减少为负；该断面代表宽为L。

则$\sum W_{失} = \sum(P_{失} \cdot L)$，$\sum W_{移} = \sum(P_{移} \cdot L)$它反映在前沿总体积的变化上为：

$$\sum \Delta W = \sum W_{移} - \sum W_{失}$$

陈家磨滑坡1963年计算结果：$\sum W_{移} = +106.3m^3$(增加)，$\sum W_{失} = +84.6m^3$(流失)，

$\sum\Delta W = +21.7\text{m}^3$(剩余)。

通过对以上观测、计算情况的分析，它不能如实地反映出土体变化和流失量数值；同时，在适应条件上也有着局限性。它只能反映出某一次或某几次观测时的现状，而对次与次之间的变化和联系没有反映；同时它只能适用于滑体范围小，地形起伏小，滑体不破碎，滑动单一的浅层滑动，而不适用于如陈家磨滑坡这样范围大、地形起伏变化大、滑动错综复杂的情况。为此，在分析研究了已有资料的基础上，进一步探讨另一个计算途径，简述如下：

假定滑体为一刚体，而位移后又未产生流失。此时，由于滑坡范围大小不同，有两种不同的观测布设，其计算方法也不同：①当滑坡范围较小，断面测至滑体以上的稳定地带时，abc 部分体积 $= a'bc'$ 部分体积；②当滑坡范围较大，断面仅测滑坡前沿部分时(如图 8 所示)，位移前测得总体积 $\sum W_1 = abedc$，位移后测得总体积 $\sum W_2 = a'be'dc$。

其变化量为：

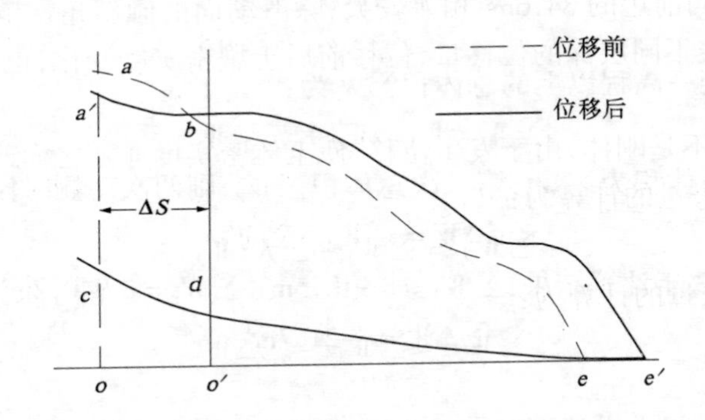

图 8　断面位移体积图

$$\sum\Delta W = \sum W_2 - \sum W_1 \tag{1}$$

由图 8 中可以看出：

$$a'bdc\text{ 部分} = bee'\text{ 部分} = \Delta S \cdot H \cdot L \tag{2}$$

式中，H 为 a 处滑体厚度 $= a'c$；ΔS 为 a 处水平位移量；L 为断面的代表宽度。

由于位移而使 ac 以前增加了 $abcd$ 和 bee' 等两部分。以 $\sum W_{移}$ 代表这一增加体积，并考虑式(2)的关系，得

$$\sum W_{移} = \sum(\Delta S \cdot H \cdot L) \tag{3}$$

以上为没有发生流失的三个基本关系式。在此基础上，进一步探讨在位移发生后，由于河水的冲刷，使前沿发生流失的情况下的各种关系。

在图 9 中，虚线为流失后的坡脚线。

第一种方法(如图 9(a))：流失部分即

$$dd'c' = abc - a'dd', \sum W_{失} = \sum W_1 - \sum W_2 \tag{4}$$

第二种方法(如图 9(b))：以 $W_{失}$ 代表流失($ff'e'$)，则 $\sum W_1 + \sum W_{移} - \sum W_{失} = W_2$，由此可得

$$\sum W = \sum W_1 - \sum W_2 + \sum W_{移} = \sum W_{移} - \sum\Delta W \tag{5}$$

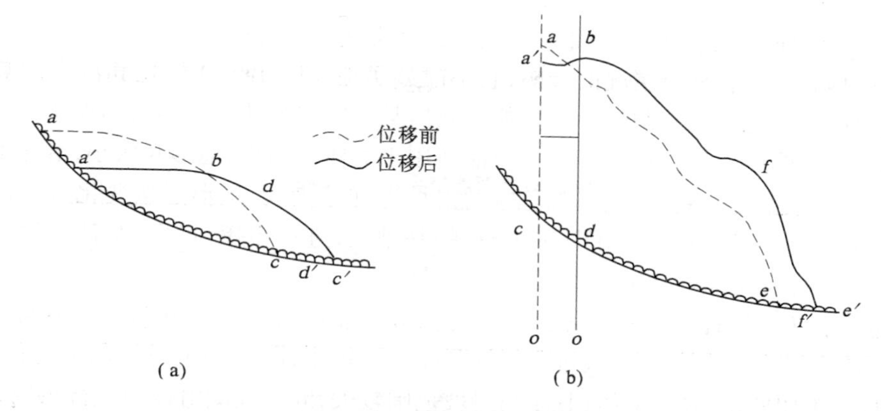

图 9　前沿位置流失变化图

根据这一关系式,假定滑动面为一水平面,估算得陈家磨滑坡的产沙量$\sum W_{失}$为303.1m³。这一结果同前边的84.6m³相差较大,除滑动面的倾斜角影响使结果偏大以外,将表层位移量来代表不同层深的位移量,位移前后土壤密实度变化,也对结果产生直接影响。

实际上,滑体并不是刚体,由于发生位移,使土体密实度亦随之而改变,若变化系数为K,则第一种方法流失量的计算为:

$$\sum W_{失} = \sum W_1 - \sum K \cdot W_2 \tag{6}$$

第二种方法流失量的计算为:

$$\sum W_{失} = \sum W_{移} - \sum \Delta W \tag{7}$$

而必须注意

$$\sum \Delta W = \sum K \cdot W_2 - \sum K \cdot W_1 \tag{8}$$

$\sum W_{移}$仍按式(3)计算。

从以上分析结果可以看出,式(6)至式(8)以及式(3)可作为今后探讨产沙量观测方法时的理论依据。在今后布设观测时,除用测量或摄影法测出体积变化$\sum \Delta W$外,还要观测不同层深的水平位移量ΔS、土体密实度变化系数。当采用第二种方法时,还要弄清滑动面以确定H,并在实践中验证和改进这一方法。

另外值得注意的是,首先此处所指的"土体密实度"不同于"土壤孔隙度",土体密实度不仅包括土壤颗粒间的孔隙,而且也包括大的土块与土块间的洞隙及裂缝等,因此观测方法也与一般的方法不同。其次滑动面的形状和倾斜角,对于计算$\sum W_{移}$数值的精度有重要作用,研究和掌握各种滑动面的类型及其分布规律,对于全面开展流域内各滑坡的产沙量观测计算,有着重要的作用。

2.2　精度

重力侵蚀产沙量观测计算方法的精度问题,是关系到这一方法是否适用于研究泥沙来源问题的需要和直接影响到研究泥沙来源的精度问题,也是关系到今后研究途径的大问题。因此,必须给予应有的重视。通过几年的实践,对这一问题的研究确定,应该考虑以下两个方面:

(1)从计算方法的严密程度上考虑。

(2)注意计算中所需各有关因素的观测,并保证其必要的精度。

现就 1963 年两次观测的 740 个断面点成果(见表 1),来探讨点位误差对计算流失量体积的影响。

表 1　　1963 年断面点交会不符值统计

范围(cm)	0～1.0	1.1～2.0	2.1～5.0	5.1～10.0	10 以上	总计
点　数	432	188	88	23	9	740
占总点数(%)	58.4	25.4	11.9	3.1	1.2	100

从表 1 可以看出,超过限差(10cm)的点数占总点数的 1.2%,而不符值小于限差一半(5cm)的占 95.7%,且有 58.4%的点之不符值在 1cm 以下。要获得这样的精度,经误差理论上的分析及实践的验证,只有当使用性能良好的 Wild T1 或 Zeiss Theo 030 型经纬仪观测 β 角,用普通经纬仪定线,用钢尺丈量基线(并经水平改正)和布设观测时,使 β 角小于 60°的条件下,才可达到。

由于上述点位误差及 1cm 以下的高程误差的影响,在 1 460m^2 的测量范围上,估算得体积误差为 ± 13m^3,占此法算得的流失体积 84.6m^3 的 15%左右。若将断面法所不能反映出的地面起伏和其他因素的观测计算误差都加以考虑,误差就更大。

2.3　断面布设条件

(1)布设断面时,要求布设场地开阔、平坦,便于布置基线。重力侵蚀现象多发生在山区小河沟的沟壁附近,有相当多的观测基点都不可能达到这样的要求,故在应用上受到限制。

(2)滑坡前沿应无林木等障碍物,以免影响通视,无法进行断面测量。

3　结语

综上所述可以看出以下几点:

(1)观测产沙量仅通过断面法测出体积变化是不够全面的,必须同时观测位移前后土体密实度变化、不同深度处的位移变化以及掌握滑动面的资料。

(2)断面法的本身,点位误差虽然可以达到 5cm 以下,但断面线与线间的地面起伏变化无法测出,因此只能适用于地形变化较简单的情况,而对地形起伏变化较复杂的情况不宜采用。

(3)布设要求有开阔、平坦、稳固的基线场地和良好的通视条件。总之,断面法可作为观测产沙量的方法之一,但应根据上述条件和特点,认真地加以分析考虑。

吕二沟泥石流的形成及特性

王学礼[1]　刘世德　赵良成

摘　要　汛期吕二沟流域在重力侵蚀和水力侵蚀的综合作用下，常常发生一种特殊的山洪——泥石流。本文根据吕二沟流域多年来的径流泥沙测验成果及调查资料，对吕二沟泥石流的发生、特性、固体物质补给来源作初步探讨，为泥石流的防治提供依据。从16年的资料看，吕二沟流域泥石流的形成，是在胶结疏松的砂砾岩，红、青黏土和黄土覆盖物，地面被覆差，地形陡峻，降水集中且多暴雨等诸因子综合作用下的结果，其中暴雨是泥石流形成的触发因子。

黄土丘陵沟壑区第三副区渭河以南，地形复杂，气候差异较大，土地面积广阔，是发展农林牧业的良好基地。但由于受地质构造、岩石性质、地形、地貌、气候条件、地面被覆以及人类活动等因素的影响，其固体径流的组成有很大的差异。如在藉河上游植被良好的石质山区，以石洪为主；在藉河上、中游铁炉一带土石山区，多为泥石流；在藉河下游黄土地区，吕二沟主要为泥石流。暴雨汛期，在重力侵蚀和水力侵蚀的综合作用下，常常发生一种特殊的山洪——泥石流。其特点是固体径流为超饱和状态的急流，含有大量泥沙、土体、石块，容重高、流量大、流速急、历时短，暴发突然，对农业生产、村镇安全、工矿交通、城市建设造成巨大危害。本文根据吕二沟流域多年来的径流泥沙测验成果及调查资料，对吕二沟泥石流的发生、特性、固体物质补给来源作初步探讨，为泥石流的防治提供依据。

1　流域概况

吕二沟是渭河支流藉河的一条支沟，位于天水市南郊，流域面积12.01km^2，呈狭长状，南北长6.6km，东西宽2.6km，海拔1 176～1 707m，按土壤侵蚀区划属黄土丘陵沟壑区第三副区。流域地势南高北低，相对高差531m，干沟流向南北，于石马坪村出口，转向东北而入藉河，在藉河阶地上形成面积约40hm^{2}的砂砾质洪积扇。主沟长6.94km，干沟平均比降为4%，有大小支沟51条，干支沟总长45.87km，平均沟壑密度为3.82km/km^2。流域内基岩主要是第三纪红色砂砾岩和甘肃系红、青黏土，上面覆盖几米至十几米厚薄不等的马兰黄土，梁峁顶及谷坡大部发育为灰褐土，在坡脚及沟底有少量的冲积土。

沟域地貌的坡地（沟涧地），系指现代沟缘线以上至梁峁顶部的广大坡地，总面积为9.0km^2；沟谷自现代沟缘线以下包括谷坡和沟底，面积3.01km^2，其坡沟面积比为3:1。

---

[1]王学礼，男，北京房山人，原天水水土保持科学试验站副站长。

2 泥石流成因分析

2.1 地质构造

吕二沟流域在地质构造上,属陇中盆地东南边缘地带,地层微向北倾斜,单斜构造,局部地方有断层和沉陷。其基岩主要为第三纪红色砂砾岩,甘肃系红色及青灰色黏土和第四纪马兰黄土三种岩层。红色砂砾岩为黏土胶结,结构疏松,出露部分主要分布在中上游各支沟,甘肃系红色和青灰色黏土则分布于中下游各支沟。黄土为流域最上层之岩层,其下部与黏土成不整合的接触,分布于梁峁顶部和梁峁坡,厚度为10m以下。此外尚有一些黄土、黏土和砂石等近代沉积层和坡积物,零星分布于坡麓、沟床及干支沟沟口。由于流域内黄土层薄,红土广泛裸露,砂砾岩表层均已为风化状态,胶结疏松,在风力吹蚀、雨滴打击下,极易剥落,在上游各支沟情况尤为明显,这就为泥石流的发生提供了物质条件。

2.2 地形地貌

吕二沟流域在地形地貌上,其特点是相对高差大,沟壑密布,支离破碎,坡度陡峻,10°以下的缓坡地仅占29.4%,11°~25°的坡地占42.1%,25°以上的陡坡地占28.5%(见表1)。根据51条支沟统计:其中长2 000m以上的支沟有3条,1 000m以上的有10条,500m以上的有28条。这些支沟大多底部为切沟,岸坡互不对称,沟掌地带岩土松软,在地表径流、地下水流和重力作用下,滑坡、崩塌极为发育,是泥石流形成的主要地区。

表1 吕二沟流域地面坡度组成

坡 度	0°~5°	6°~10°	11°~15°	16°~20°	21°~25°	26°~30°	31°~35°	35°以上
面积(km^2)	1.75	1.78	1.34	2.67	1.05	1.43	0.48	1.51
占流域总面积(%)	14.6	14.8	11.2	22.2	8.7	11.9	4.0	12.6

2.3 植被

吕二沟流域已无原生林木,仅在上游局部梁坡残存小片酸刺灌丛,现有林地均为20世纪50年代营造的人工刺槐林,因管护工作薄弱,经多次砍伐破坏,多为疏生幼林,郁闭度很差。荒草坡天然草被,在石门以上地区较好,覆盖度达0.7~0.9;石门以下地区较差,覆盖度为0.5~0.7,其群落主要有白草、鹅冠草、冰草、蒿类等。林地和牧荒坡主要分布在沟缘线以下的谷坡上,对暴雨径流产生的面蚀有一定的抗御作用;但由于沟谷一般坡度较陡,大多在30°以上,林地多为疏林地,草被根系浅,加之尚有一些裸露的陡崖峭壁,所以在防止滑塌、崩塌上作用有限,因而被覆差亦是泥石流容易发生的因素之一。

2.4 土壤

流域土壤为灰褐土类,可分为山地灰褐土和灰褐土型粗骨土两个土种。山地灰褐土多发育在黄土母质上,厚50~100cm,柱状结构,团粒占15%~60%,有机质含量0.6%~1.8%,微碱性反应,主要分布在梁峁坡。灰褐土型粗骨土发育在砂砾岩红(青)黏土母质上,结构性极差,土层薄,一般厚30cm,多分布在谷坡上。由于黄土遇水易分散、红(青)黏土透水性差以及砂砾岩胶结松散等母质特性的影响,为泥石流的发生提供了条件。

2.5 水文特征

在上述流域地质、地形地貌、土壤、地面被覆和土地利用情况下，暴雨对泥石流的形成起着决定作用。吕二沟流域多年(1954～1979年)平均降水量为628.2mm，其中51.9%集中在7、8、9月，且主要以暴雨形式发生。在一般情况下，一次暴雨降水量可达全年总量的10%～15%，暴雨过后，地表径流夹带大量泥沙从坡面和支沟汇入干沟，形成高浓度超饱和状态的泥流宣泄输移。泥流一般呈暗褐色，有腥味，流速变幅较大，实测最大流速为6～8m/s，容重1.4～1.8t/m^3，表面平滑，不显波纹，有时还夹杂滚动的土块和砾石。从定性来看，吕二沟一般属稀性泥流。根据1954～1979年水文测验结果分析，吕二沟流域平均年径流总量为84万m^3，其中汛期平均径流量为67.5万m^3，占年总量的80.3%，最大丰水年径流量为177万m^3，最小枯水年径流量为22.1万m^3，一次最大洪水径流量为52.6万m^3，一次最大洪峰流量为86.7m^3/s。流域内平均径流模数为7.01万m^3/km^2，平均年输沙量为9.53万t，其中汛期平均输沙量为9.07万t，占年输沙总量的95.2%，平均侵蚀模数为7 940t/km^2。另据1954～1964年及1975～1979年16年中发生大于1m^3/s流量的降水资料分析，在年总降水量、一次降水量、前期降水量、土壤含水量、降水强度诸因素中，以降水强度对径流、泥沙的影响最为突出，其相互间存在着极为密切的关系(见表2)。

表2　　吕二沟大于1m^3/s流量的雨型径流泥沙对比

雨型	降水强度(mm/h)	降水次数(次)	累计降水量(mm)	产流总量(m^3)	产沙总量(t)	每100mm降水			
						产流量(m^3)	产流比	产沙量(t)	产沙比
Ⅰ	10～22.3	12	235.1	480 200	415 700	204 200	1.5	176 800	5.6
Ⅱ	<10.0	60	2 185.3	3 068 800	687 900	140 400	1	31 500	1

从表2可以看出，在发生大于1m^3/s流量的情况下，每100mm降水Ⅰ型雨的产流产沙量分别为Ⅱ型雨的1.5倍和5.6倍。即在相等的雨量下产生径流和泥沙的数量与降水强度有关，一般降水强度愈大，径流、泥沙愈多，对泥沙的影响最显著。

从降雨资料分析，吕二沟的土壤侵蚀，主要伴随降雨径流而产生，尤其是强度大的暴雨对输沙量影响极大。据16年统计，发生大于1m^3/s流量的累计雨量共2 609mm，占16年总降水量10 194.2mm的25%；其洪水径流量累计为460.63万m^3，占16年径流总量1 212.9万m^{3}的37%；洪水输沙总量累计143.7万t，占16年总输沙量154.85万t的92%。这说明暴雨洪水和输沙量之间有着极为密切的相互关系，即输沙量随着洪水量的增大而增大。

3　固体物质的补给来源

吕二沟泥石流固体物质的补给来源，是指第三纪红色砂砾岩，甘肃系红色及青灰色黏土和第四纪马兰黄土，在水力、重力、风力等营力作用下所形成的各种侵蚀地表形态的过程。其来源主要有以下几方面。

3.1 水力侵蚀所产生的固体物质

水力侵蚀系指发生在梁峁坡和沟谷大面积上的漫流冲刷,径流集中后所引起的程度不同的各类沟蚀现象。由于土地类别和利用情况不同,产生固体物质的数量差异也较大。

(1)农耕地。暴雨径流是农耕地产生固体物质的主要动力。当土壤在降水饱和后形成地表径流,沿坡面集水线流动时夹带土壤颗粒,使地面形成"挂椽",留下明显的细沟侵蚀痕迹。坡度愈陡,这种搬移作用愈为强烈(见表3),且随着坡长的增大而加剧。农耕地产生的固体物质,主要是粉砂和黏土颗粒(见表4)。

表3 耕地坡度与冲刷量关系

农地坡度	4°33′	7°45′	14°09′	17°31′
冲刷量(作物荞麦)(t/hm²)	0.97	1.75	2.87	4.09
比例(%)	100	180	296	421

注:系指一次23.9mm,历时4h50min,最大10min雨强0.5mm/min降雨观测记录。

表4 吕二沟梁峁灰褐土土壤颗粒组成

类别	砂粒		粉粒		黏土	
	粒径(mm)	%	粒径(mm)	%	粒径(mm)	%
数量	0.1~0.05	8.8~10.0	0.05~0.005	61.2~65.0	<0.005	26~30

(2)荒草坡。流域内荒草坡上由于有一定数量的植物被覆,根系直接固持土体,地上茎叶能减弱雨滴对地表的击溅,增加了地面糙率,对集中水流有削能减势的作用。根据观测,在荒草坡上遇到强暴雨,地面径流形成集中股流,对牛羊践踏的牧道冲刷,产生固体物质,搬运泥沙于沟壑。荒草坡产生固体物质的数量远较农耕地小,流域牧荒坡侵蚀模数为13.35t/hm²。

(3)林地。根据小区观测,5~7年生刺槐人工林平均土壤侵蚀模数为6.75t/hm²。

(4)村庄道路。因道路多为径流汇集的渠道,土壤冲刷相当剧烈,许多山村道路经过多年冲刷后形成路堑,与沟头相连,构成坡面径流的主要排水系统,使沟头前进,是坡面侵蚀最活跃的部分。据流域内毛家庄实测资料,村庄道路年侵蚀模数为259.5t/hm²。

3.2 重力侵蚀所产生的固体物质

吕二沟流域因受地形破碎、地势陡峻、沟床比降大、基岩疏松等条件的影响,在下渗水分的作用下,地表土体或岩石的内摩擦力和凝聚力减少,失去平衡,致使滑坡、崩塌、泄溜等重力侵蚀剧烈发生,尤以滑坡最为严重,这也是吕二沟泥石流固体物质的主要来源。

3.2.1 滑坡

流域内共有大小滑坡64处,大多发育在红土和砂岩上。滑坡总面积约368hm²,占流域总面积的30.4%。从调查看,处于相对稳定状态的有30处,处于活动状态的有34处,滑动土体243.4万m³;其中一处最大滑坡面积为58.7hm²。根据流域滑坡的发展程度和形态特征,可分为以下几个类型:

(1)相对稳定性深层滑坡。分布于梁峁坡上段,滑动面透过黄土切入基岩砂砾岩或红黏土,滑壁高达 20m 左右,坡度 70°~80°,滑体表面坡度为 15°~25°,一般滑体前沿已切入沟谷底部,受沟谷水流的冲刷,但不影响整个滑坡体的相对稳定。

(2)相对稳定坍塌性滑坡。多发生在岩层节理发育的地段,滑体坡度 40°左右,如上游石家堡黑沟口对岸滑坡,即岩体沿岩层节理裂缝滑动。

(3)缓慢活动性深层滑坡。多发生在砂砾岩地区,外貌呈马蹄形或半椭圆形,滑体坡面上缓下陡,坡度 10°~18°,滑壁高 10~20m,经过一个相对稳定阶段后又重新开始活动,在前沿部分有交错裂缝。

(4)急剧活动性浅层滑坡和泥滑。以地下水出露较多的迎水坡地段最为严重。滑动范围不大,一般为 40~50m,坡度在 30°~40°之间。受沟水冲刷,活动急剧,易形成泥滑,是滑坡补给泥石流固体物质的主要类型。

(5)急剧性活动的崩塌性滑坡。在岩层节理发育的地带,沟床比降大,下切侵蚀剧烈,同时岸边有地下渗水露头,致使坡脚受到浸润,岩体失去平衡,常沿节理面形成崩塌性滑坡。

流域滑坡产生的固体物质,其补给方式除滑坡体表面受降雨径流携带的泥沙外,主要是沿重力作用方向推移堆积于坡脚和沟床的滑坡体本身,严重时可造成沟道堵塞。这些堆积物受沟水淘冲,平时少量补给于常流水,如遇暴雨则大量补给。当暴雨洪水通过滑坡堆积区后,泥沙含量迅速提高,变成高含沙水流,达到超饱和状态时则发展为泥石流。以石家堡滑坡前缘部位与沟床的接触长度,测得每米接触处可产生补给体 3.69t/m,以此推算,流域内活动性滑坡每年约补给泥石流固体物质 56 600t,占流域输沙总量的 59.5%。

3.2.2 崩塌

吕二沟崩塌发育较滑坡弱,多发生在 70°~90°的陡峻地段,一般分布在干支沟两岸及沟头处,多为岸塌,共 17 处,其中砂砾岩岸塌 9 处,红黏土坍塌 8 处。流域崩塌的形成主要是坡脚受水流淘冲,破坏了岸坡原来的相对稳定状态,使岩(土)体失去平衡而崩解。

根据崩塌体与沟床的接触长度,测定其固体物质的补给量,红土崩塌为 1.26t/m,砂砾岩崩塌为 2.78t/m,以此计算,流域崩塌的年补给量约为 3 834t,占流域输沙总量的 4%。崩塌是流域泥石流固体物质中推移质的主要来源。

3.2.3 泻溜

流域内共有泻溜 32 处,总面积为 12.7hm^2,泻溜堆积体约 15 405m^3,均发生在裸露的砂砾岩和红(青)黏土陡坡上,其坡度大多为 50°~70°,以上游吊湾一带比较普遍。吕二沟泻溜发育的原因,一是流域砂砾岩表层已成风化和半风化状态,在风力吹蚀和雨滴击打和冻融作用下极易剥落;二是裸露的红(青)黏土陡崖,因无植被保护,在强烈风化作用下表层变成蓬松的粒块状结构,遇外力作用即沿坡面撒落。

从调查看,泻溜侵蚀固体物质的堆积方式有三种情况:①在泻溜面比较均一的情况下,撒落物沿坡面堆积于坡脚,常与沟床呈带状平行;②泻溜面本身已被切割成浅凹地或细沟,风化物沿泻溜面上的细小沟道流向沟谷,堆积物呈锥体状;③泻溜面下部为比较平缓的坡地或台地,或有一定的植物被覆,风化物被截留而停积。从泄溜物停积部位看,前两种可直接补给于泥石流,第三种在遇较大暴雨时为坡面径流携带中转后才能补给于泥石流。据观测,流域泻溜侵蚀模数为 339.0t/hm^2,每年可补给固体物质 4 308t,占流域总输沙量的4.5%。

3.3 固体物质的其他来源

吕二沟泥石流固体物质的其他来源，系指近年来在流域内修路、建设工厂、开挖人防工事等基本建设工程的弃土以及开荒等人为活动产生的固体物质，其中以流域下游人防工程弃土最为严重。加之一些工厂倾倒废弃杂物，使沟床断面缩减至5~6m。据测定，这部分固体物质总储量约4 716t，年补给量为1 800t，占流域泥石流输沙总量的2%。

从以上补给侵蚀情况看，吕二沟泥石流固体物质的补给量主要来自重力侵蚀，占总量的68%；次为水力侵蚀，占总量的30%。在各种侵蚀形态中，以滑坡补给量最大，占总量的59.5%（见表5）。

表5　吕二沟泥石流固体物质补给来量

侵蚀类型	侵蚀模数（t/hm^2）	年总量（t）	占流域输沙总量（%）
水力侵蚀		28 758	30.0
其中：农地	28.95	6 188	6.5
牧荒地	13.35	2 879	3.0
林地	6.75	2 391	2.5
村庄道路	259.5	17 300	18.0
重力侵蚀		64 742	68.0
其中：崩塌	红土 $0.84m^3/m$ 砂 $1.85m^3/m$	3 834	4.0
泻溜	339.0	4 308	4.5
滑坡		56 600	59.5
其他		1 800	2.0
合计		95 300	100

4 结语

（1）吕二沟流域泥石流的形成，是在胶结疏松的砂砾岩，红、青黏土和黄土覆盖物，地面被覆差，地形陡峻，降水集中且多暴雨等诸因子综合作用下的结果，其中暴雨是泥石流形成的触发因子，主要受降雨强度大小影响。从16年资料看，每100mm降雨，雨强为10~22.3mm/h的，比雨强小于10mm/h的产流量大0.5倍，产沙量大4.6倍。

（2）吕二沟泥石流的水沙关系是：输沙量随洪水量的增大而增大，相互间成正相关。

（3）吕二沟泥石流的固体物质，主要来自水力侵蚀和重力侵蚀。来自水力侵蚀的占年输沙总量的30%，来自重力侵蚀的占年输沙总量的68%，其中滑坡补给量占有相当比重，约占年输沙总量的59.5%。

（本文发表于《中国水土保持》1981年第2期）

黄土高原泻溜侵蚀的分布特征

李裕厚

摘　要　泻溜侵蚀是黄土高原一种严重的土壤侵蚀方式，它是高含黏量地层因黏土矿物的强烈吸水膨胀而引起的地质现象。在一个流域里，泻溜面的分布数量和规模，随侵蚀沟不同发育阶段内在侵蚀力的变化而变化，主要发生于中游以上地区，愈向下游分布愈少。支沟中泻溜的分布状况与主沟分布状况十分相似。河谷阶段的沟谷，泻溜分布于河谷阶地下红层露头处和沿新谷坡发育起来的短小切沟中，切沟阶段沟谷的泻溜面沿沟床两侧条状分布。防治泻溜侵蚀，最关键的是要稳定坡脚和沟床。只有当泻积物在坡面堆积创造了条件后再在泻溜面上种草、造林，才会收到好的治理效果。

泻溜侵蚀是黄土高原一种严重的土壤侵蚀方式，它兼有水力和重力双重作用，人们多把它归入重力侵蚀类型。由于这种侵蚀多发生在含黏量大于30%，坡度在45°~75°之间的第三纪红黏土地层上，所以也有人称这种侵蚀发生的坡面为红土泻溜面。第三纪红黏土在黄土高原分布、露头比较普遍，因而泻溜侵蚀普遍发生于各地的沟谷中。

泻溜侵蚀，是高含黏量地层黏土矿物的强烈吸水膨胀而引起的地质现象。顾名思义，其侵蚀方式是物质迁移过程如腹泻状顺坡流动。冬季和春季，地面风化壳因所含水分的冻融作用和蒸发失水，促使风化壳成粒状或层状大量解体崩落，堆积在坡脚和沟床，形成泻积裙；夏秋季节，岩层吸收雨水、承受烈日暴晒，一方面形成新的风化壳，另一方面因该地层不透水，引起风化地壳腹泻状大量侵蚀，并在洪流作用下输入沟道。如此年复一年，给黄河带来了大量的泥沙。据西峰水保站观测，南小河沟泻溜面年均侵蚀量可达85kg/m^2，全流域年均泻溜侵蚀量占流域多年平均土壤侵蚀量133 200t的57%。由此可见，泻溜侵蚀在黄土高原土壤侵蚀中占有重要地位，防止泻溜侵蚀是水土保持重要的研究课题之一。

1　泻溜侵蚀的流域分布特征

泻溜侵蚀的发生和侵蚀沟发育的阶段性有密切关系。泻溜面的分布数量和规模，随侵蚀沟不同发育阶段内在侵蚀力的变化而变化。泻溜面的存在状况，可看做是黄土高原沟道发育阶段性的指示性地貌形态之一。南小河沟（面积36.3km^2）、罗玉沟（面积72.79km^2）是高原沟壑区和丘陵沟壑区的代表流域，尽管两沟所处地貌区不同，面积相差一半，但沟道发育过程都经历了三个阶段：中下游和中游以下已进入河谷阶段，中上游、上游处于冲沟、切沟阶段。两个流域中，泻溜侵蚀主要发生于中游以上（含中游）地区，愈向下游分布愈少，见表1。

表1　南小河沟、罗玉沟泻溜面分布情况

沟名	上游			中游			下游			全流域		
	区面积	泻溜面积	泻溜占%	区面积	泻溜面积	泻溜占%	区面积	泻溜面积	泻溜占%	区面积	泻溜面积	泻溜占%
南小河沟	6.573	0.260	3.96	3.887	0.430	11.06	5.200	0.208	4.00	15.66	0.898	5.73
罗玉沟	9.94	0.304	3.06	34.56	1.239	3.58	28.99	0.685	2.36	72.8	2.228	3.06

注:表中区面积、泻溜面积以 km^2 计;南小河沟区面积指沟壑面积,不包括塬面积。

表1中两沟中游段泻溜面积分别占流域泻溜总面积的47.8%和55.1%。据调查,中游泻溜面主要分布在支沟中。罗玉沟流域泻溜面主要分布在中游坚家沟、茹家沟和草胡沟中,三沟泻溜面积占全流域泻溜总面积的33.6%,占中游泻溜面积的54.7%。南小河沟下游主沟两侧,除接近中游段有小面积泻溜分布外,以下几乎看不到一片泻溜,这与下游沟道发育过程已进入河谷阶段,沟床和沟坡已相对稳定,斜坡处于安息坡度,残积物、泻积物得以在斜坡堆积,杂草滋生后泻溜面消失有关。

2　泻溜侵蚀在流域支沟中的分布特征

在流域的支沟中,中上游泻溜分布最多,上上游和中下游次之,下下游最少,与主沟分布状况十分相似。主沟与支沟发育阶段的不同决定了泻溜面在小流域中的分布状况,支沟发育阶段一般比主沟低一级(有的是同级)。主沟处于切沟阶段,所属支沟也全部处于切沟阶段,泻溜面多连片状地分布于沟床两侧;主沟处于冲沟阶段,支沟的下游段也具冲沟特征,但距离不长,以上全部为切沟,泻溜面多连片分布在切沟两侧,冲沟段分布很少(碎片状分布);主沟处在河谷阶段,除大支沟外,多数支沟的中游段以下均属冲沟阶段,上游属切沟阶段,泻溜面主要分布在中上游切沟向冲沟过渡的地段,冲沟下段分布渐少。这一分布特征,除晚期发育的短小冲沟流域外,在具有三级发育阶段的流域中都是大致相同的,所不同的是,由于地质构造基础和古地貌发育状况的差异,泻溜面在流域中的分布规模和集中程度有较大差别。在鄂尔多斯地台区,随着地壳的上升运动,沟道下游的沟床多深嵌在白垩纪老岩中,沟水冲击不到第三纪黏土岩层,从而促使沟道斜坡稳定,泻溜面自然消失,泻溜面主要分布在中游以上第三纪以及第四纪早期黏土岩出露地带。陇西古陆和西秦岭褶皱区,因受古地貌条件和第三纪造山运动的影响,红层产状和分布情况都较复杂,致使各地泻溜分布情况大不相同。凡是现代侵蚀切割到红层上的沟道,泻溜面的分布都与侵蚀沟的发育阶段特征相一致。

3　泻溜侵蚀在沟谷横剖面上的分布特征

黄土高原除高原沟壑区和汾渭阶地区新发育的现代侵蚀沟之外,其他河谷和沟谷都经历了古代侵蚀与现代侵蚀两个阶段,并在沟坡上留下两个明显的阶梯,丘陵沟壑区甚至留下三个阶梯。上级阶梯是被马兰黄土覆盖的古代侵蚀沟,下级阶梯是在马兰黄土基础上发育起来的现代侵蚀沟,第三阶段是在现代侵蚀沟基础上发育起来的最新侵蚀沟。上下阶梯之间为一带黄土陡崖。马兰黄土之下为黏土地层,泻溜面全部分布在现代侵蚀沟中。黄土高原西部丘陵沟壑区主要分布于最新侵蚀沟中。由于流域各段处于不同发育阶段,因而各段泻溜面的分布部位又各不相同。河谷阶段的沟谷,泻溜面分布于河谷阶地下红层露头处和沿新谷坡发育起来的短小切沟中,分布位置很低。在冲沟或冲沟向河谷阶段过渡的沟段,泻溜面主要分布于上下两个地带。上带为大滑坡的外露弧面和马兰黄土陡崖下草被不易恢复的黏土暴露带,下带为流水线两侧坡脚,即水流顶冲或水流向岸侧蚀强烈地带。上带多呈连续带状沿黄土陡崖坡脚分布,下带均为零星片状分布。上下之间为残积、坡积、泻积物覆盖的草坡,坡度较缓。这些坡面次生坡积物厚度多数不超过 1m,因其下垫面不透水,遇到多量的淫雨极易造成滑泻,使大量泥流物质壅塞沟道,或使上下带合二为一成为坡面更长的泻溜面。

切沟阶段沟谷的沟床比降大(多为 10%左右),陡崖下的坡长较短,黏土露头高度小,泻溜面沿沟床两侧条状分布。

丘陵沟壑区红层在山顶附近出露,泻溜分布在高出主沟沟床 300~400m 的地方。

除以上分布状况外,泻溜面在沟谷的阴坡和阳坡分布也是不对称的。南小河沟与罗玉沟走向、沟谷形状基本相同,前者阴、阳坡泻溜面积分别占总泻溜面积的 66.6%和33.3%,后者分别占 60.2%和 39.8%,两沟阳坡泻溜面积比阴坡泻溜面积约少 1/3。这种状况的形成,是与阴、阳坡小气候条件的差异分不开的。

4 泻溜侵蚀的防治问题

从泻溜的分布特征与沟道发育阶段的关系可知,泻溜侵蚀随沟道发育的阶段性有其产生、发展和消失的过程。这一过程的进行状况,主要取决于水流对沟床的切割状况以及由此而引起的坡脚和坡面的稳定状况。沟床不稳定,不仅会加速泻溜侵蚀的发展,而且会促使崩塌、滑塌的发生;沟床稳定、残积、坡积、泻积物在坡面发育和堆积,会使泻溜侵蚀自然消失。

对泻溜以及其他重力侵蚀的防治,关键是要稳定坡脚和沟床,这样才能使侵蚀现象自然消失。20 世纪 60 年代初,对泻溜面采取挖穴客土植树、挖水平沟和编柳鱼鳞坑植树的办法进行治理,到 80 年代,这些工程已经荡然无存;相反,南小河沟中的杨家沟,50 年代末期在沟底营造了防冲林,1964 年沟床宽度由原来的 1~3m 淤宽为 5~8m,由于泻积坡的发育,沟中泻溜面积也由原来的 0.084km^2 缩小为 0.048km^2。由此可见,对泻溜侵蚀的防治,应通过固定坡脚和沟床的途径来进行,即当沉积物在坡面堆积之后,再考虑在坡面种草、造林,这样才会收到良好的治理效果。

(本文发表于《中国水土保持》1989 年第 9 期)

小流域滑坡发育与水土保持

王永祥❶

摘　要　天水属黄土丘陵沟壑区，黄土分布广泛，雨量丰沛，大小沟壑发育，侵蚀严重，滑坡发生普遍，给黄河带来了大量泥沙。本文通过对天水罗玉沟、吕二沟流域的典型调查，对其滑坡成因及影响因素进行了分析，确定了滑坡的类型和防治方法。

天水地区，黄土分布广泛，雨量丰沛，大小沟壑发育，侵蚀严重，滑坡发生普遍，不仅给黄河带来了大量泥沙，而且给国民经济建设和人民生命财产带来严重危害。因此，揭示滑坡侵蚀的发生、发展及其在水土流失中的地位，探索有效的防治措施，为工农业生产和治黄服务显得尤为重要。

1　小流域滑坡分布及其发育

天水属黄土丘陵沟壑区，每遇连绵秋雨，几乎每个流域都有滑坡发生，重者呈一面坡或一个山体的滑落，形成土体深层滑动堵沟成坝或毁村毁地，给人民的生产、生活造成破坏性的灾难，轻者在沟沿线附近或陡坡地下水露头地段形成表层土体的絮状滑动或泥滑，在滑坡发生的同时，都伴有不同程度的泥流产生。滑坡的活动，使沟壁急速扩展，成为小流域沟壑发育和扩展侵蚀的主要方式之一，也是小流域沟壑泥沙主要来源。通过对天水罗玉沟、吕二沟两个重点小流域的调查，其水文、气象诸因素见表 1。

表 1　　罗玉沟、吕二沟流域水文、气象因素

流域名称	海拔高度（m）	干沟长（km）	支沟条数（条）	沟壑密度（km/km^2）	沟道比降（%）	年均降水量（mm）	最大年降水（mm）	6～9月降水占全年（%）
罗玉沟	1 165～1 895	21.8	138	3.54	2.5	538	—	65
吕二沟	1 175～1 705	6.33	50	3.75	6.9	628	823.3	65

吕二沟流域面积 12.01km^2，有大小滑坡 64 处，总面积 3.68km^2，占流域面积的 30%，其中有 30 处处于相对稳定状态，其余 34 处为缓慢和急剧活动的滑坡，滑动土方量达 243.4万 m^3，最大滑坡体面积 58.7 万 m^3，有泥流 8 处，面积 0.18km^2。1961 年 10 月 1 日，其支沟柴家山沟沟头部分滑坡发生的同时和发生之后，都伴有泥流，这次滑坡受灾面积 7.0hm^2，滑体上近 60% 的耕地被毁，1 300 株幼树被压埋。在其相邻的李官湾村，10 月 6 日和 8 日，坡面两次发生滑动，滑体面积 4.7hm^2，最大滑壁高 3m，滑体水平位移 2m，滑坡体上树高 5～6m、胸径 10cm 的刺槐发生倒伏，道路错断。滑坡发生时，地下水位升高到 5～

❶王永祥，男，甘肃张掖人，教授级高级工程师。

6m，附近的窑洞有地下水渗流，使 18 户群众受灾，93 间房屋倒塌，2.0hm^2 耕地被毁，为该村 60 年来最大的一次自然灾害。

罗玉沟流域面积 72.79km^2，滑坡 200 多处，都分布在黄土—红土支沟中段和沟头、干沟上，中游两岸及下游迎水岸坡，滑动层厚 3m 左右，属发育在残积—坡积黄土上的浅层滑坡，个别发育在马兰黄土深层，滑坡、滑动层厚 5～8m。

罗玉沟流域下游支沟桥子沟鹰嘴沟，流域面积 2.45km^2，沟壑密度 5.1km/km^2，沟道比降 17.6%，发生滑坡、泥流共 33 处，面积达 145 万 m^2，其中最大滑体滑动土方量 23.8 万 m^3，如图 1 所示。

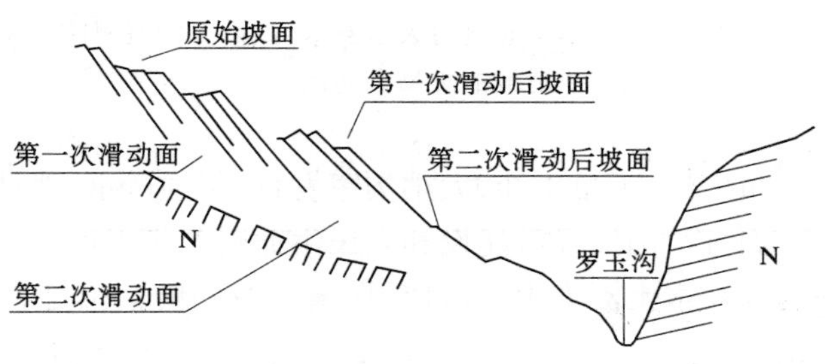

图 2　罗玉沟呆家门黄土滑坡发育示意图

由上所述，小流域滑坡发育分布的特点是：

(1)支沟沟头有冲、切沟发育割切，坡面破碎，滑坡发生较多。

(2)各支沟中段沟道比降大(一般都在 11%以上)，沟底下切快，两侧沟坡不稳定，滑坡发生多。

(3)有丰富地下水露头的坡地，岩层含水量大，易发生滑坡。

(4)受水力冲淘的迎水岸坡，临空面高，坡面稳定性差，滑动层深厚，滑动范围较大。

2　滑坡成因分析

2.1　地质条件与滑坡的关系

黄土丘陵沟壑区第三副区属于西北滑坡分布密集区，仅次于降水多、切割深的西南区。这里红色黏土和新、老黄土等易滑地层广泛分布，这些地层的物理特性给滑坡的发生创造了条件。原状黄土物理性质试验资料见表 2。

土体的稳定性，在很大程度上决定于它的结构和均匀性，单粒结构的土体(如砂、砾石、卵石等)都具有较好的稳定性；蜂窝结构(如淤泥土)及海绵状结构的土(如红黏土)较易发生变形和滑动，尤其在含水的影响下，更是如此。据化验分析，黄土中 0.05～0.005mm粒径土粒所占比重和红土滑坡体泥沙黏土比重都比较大，易于滑动。从罗玉沟和吕二沟两个流域滑坡集中分布的地域特点看出，在地质条件复杂的构造地带附近滑坡发生比较多。这是地质构造中各种软弱构造地带与地貌条件给滑坡的发生提供了有利因素，另外，新构造运动对滑坡的直接和间接影响，是不可忽视的因素。渭河中游位于秦岭地槽和陇西陆台的过渡带，新构造运动活跃，地震频繁，直接触发滑坡的发生。

表 2　　原状黄土物理性质试验资料调查

编号	容重		含水量(%)	孔隙率(%)	塑性限度(%)	土粒组成(mm)				饱和快剪		击实	
	湿	干				<0.05(%)	0.05~0.005(%)	>0.005(%)	分类	c	φ	γ	最优含水量(%)
	(g/cm³)												
Ⅰ	1.42	1.20	1.89	41.9	24.0	19.0	59.5	21.5	重粉质土壤	0.30	23°	1.28	21.0
Ⅱ	1.40	1.57	21.9	38.2	20.8	7.5	64.0	28.5	重粉质土壤	0.65	20°	1.68	19.5
Ⅲ	1.62	1.38	17.4	40.2	22.8	21.0	58.4	20.6	重粉质土壤	0.15	18°	1.62	20.0

2.2　地形条件与滑坡的关系

天水黄土梁状丘陵沟壑区，沟道比降都在10%以上，特别是沟道的中、上段，比降更大，沟底切割力更强，在此地段的两岸沟坡临空面增大，使沟坡处在不稳定状态，促使滑坡发生，如图2所示。所以滑坡的形成与地形切割深度和沟壑密度有直接关系，只有足够的切割深度，才能导致滑坡发生。在一定的切割条件下，沟壑密度增大，滑坡发生率也相应地增高，另外，沟谷的迎水岸坡，经常受流水冲淘，岸坡临空面增高，给滑坡的发生创造了有利条件。

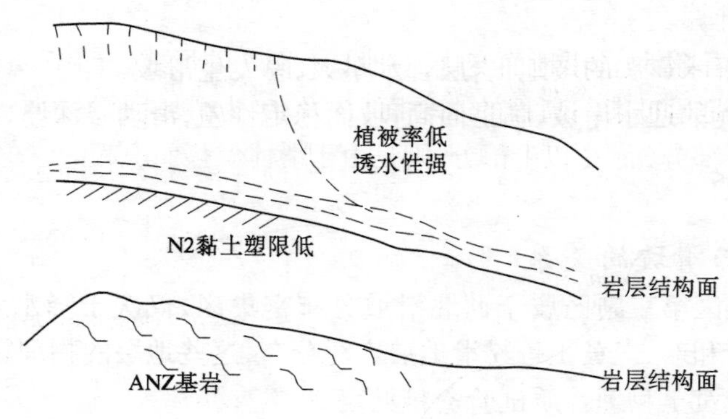

图2　滑坡结构图

2.3　降雨对滑坡的影响

天水地区降雨量较多，且多集中在7、8、9月，据调查资料，这期间滑坡活动最为频繁，1961~1965年天水地区滑坡情况见表3。

从表3可以看出，滑坡发生与季节降水关系密切，除降雨外，地下水的活动，也是形成滑坡的重要因素之一。滑坡发生地带，多是地下水露头地段。

表 3　　1961～1965 年天水地区滑坡发生调查

滑坡发生地点	滑坡发生时间	滑坡发生前的降雨情况
吕二沟柴家山和李官湾	1961.10.6	9 月下旬到 10 月初连续降水 7 天，降水量 40.4mm
罗玉沟吊沟门和桥子沟	1962.9	9 月中旬连续降水 7 天，降水量 48.6mm
二十铺张家河	1964.9	据调查，连续降雨 4～5 天
罗玉沟滴水崖	1965.7.7	暴雨历时 1 小时 10 分钟，降水量 98.3mm
郭川三条沟村	1965.7.7	暴雨历时 1 小时 10 分钟，降水量 98.3mm

3　滑坡类型的划分及其防治

按照形态特点及易滑地层的不同，将滑坡分为 3 个类 4 个亚类，见表 4。

表 4　　滑坡分类

滑坡类型		形态特征	生成条件	成因	分布
类	亚类				
深层（切层）滑坡	砂砾岩深层滑坡	整块岩体或土体沿一定滑动面下滑，形成高数米或数十米的滑壁陡崖，滑体坡面呈阶地状，有弧形裂缝和聚水凹地，一般范围较小，多呈簸箕或半圆状	1.疏松砂砾岩 2.沟道下切和沟坡水力冲刷强烈 3.连续降雨或地下水旺盛	1.重力作用 2.水力冲刷 3.地震作用 4.地下水活动	1.沟底急剧下切的沟坡 2.水力冲刷强烈的迎水岸坡
	黄土深层滑坡	滑体坡面呈阶地状或波浪起伏状，一般范围较大，形状不定，有时有泥流伴生。其余同上	1.厚层黄土 2.沟道下切和沟坡水力冲刷强烈 3.连续降雨或地下水旺盛	1.重力作用 2.水力冲刷 3.地震作用 4.地下水活动	1.深切沟坡 2.被沟道割切的沟头坡地
浅层滑坡	黄土或红色土浅层滑坡	表层土体沿滑动面下滑，滑壁不显，滑体呈起伏的松散堆积体，有泥流产生，滑动层厚 2m 以下	1.黄土层疏松红色土或红土 2.连续降雨或地下水旺盛	1.重力作用 2.降雨和地下水活动	1.沟坡 2.有丰富地下水活动的坡地
	坡积层浅层滑坡	很少有泥流产生，其余同上	疏松坡积层陡坡	1.重力作用 2.降雨和地下水活动	坡积层陡坡
泥滑		坡面表层土体含水饱和，呈泥块状，其下部形成滑动面，沿坡面碎裂下滑并有泥流产生	1.黄土或黏土层 2.地下水旺盛	1.重力作用 2.降雨和地下水活动	1.沟坡 2.有地下水露头的坡地

滑坡的发生和发展，使沟壑扩展、坡地崩塌，危及人们的生产活动。研究滑坡并对其进行分类，不仅是为了掌握滑坡发生发展的规律，更重要的是为了从水土保持的角度进行有效的治理，控制水土流失，发展工农业生产，减少入黄泥沙。对深层（切层）滑坡的治理，除采用刷坡减重、砌垫、打桩等大型工程措施外，简单易行的有效方法不多。对浅层滑坡和泥滑的治理，可采取以下措施。

3.1 生物治理措施

据调查,吕二沟流域治理的滑坡有 3 处,其中石家堡有 2 处,采用营造刺槐乔木林固持坡面;上游吊湾沟 1 处,采用酸刺等灌木林固坡,林下种植禾本科草类阻止滑坡体前进。罗玉沟支沟桥子沟有滑坡 1 处,在红土浅层滑坡上营造刺槐和酸刺乔灌混交林固坡。

3.2 工程措施

结合坡面生物措施,在滑坡体下游沟底,修筑淤地坝或大型谷坊,可拦蓄泥沙,防止沟底下切,抬高侵蚀基点,减缓坡度,促进坡面稳定,防止滑坡发生和发展。桥子沟试验场附近的鹰嘴沟,坡面平均坡度 24°,经连续降雨,坡面产生 0.1m 宽的弧形裂缝,开始滑动。后在沟底修筑一座 4m 高土谷坊,淤积填平后,沟底侵蚀基点抬高,坡面平均坡度减缓 4°左右,坡面趋于稳定,滑坡也停止活动。

4 结语

滑坡活动是天水地区沟壑泥沙的主要来源。吕二沟流域缓慢和急剧活动的滑坡(包括泥滑)面积 1.24km^2,占流域内沟壑面积 2.66km^2 的 46.6%,1961 年仅滑坡造成的泥沙流失量就达 10 万 t,占汛期沟口总输沙量 23.5 万 t 的 49.6%,因此滑坡在渭河中上游泥沙来源中占有很大比重。从水土保持角度研究滑坡问题,可以给沟壑治理工程的布设提供科学依据,同时也将赋予沟壑治理新的内容和意义,即把过去沟壑治理工程只是单纯拦截泥沙径流,跃升为增强坡面静力稳定和平衡,防止滑坡发生和发展,从而使治沟工程具有固坡及治沟的双重意义。

(本文发表于《中国水土保持》1981 年第 3 期)

渭河流域降雨产流产沙经验公式初探

王　宏[1]　熊维新

摘　要　通过对渭河流域1954～1970年水沙资料统计分析和对影响产流产沙因子优选组合,分别建立了8个降雨产流、6个降雨产沙经验公式,并用之计算了流域水利水保措施综合治理的减水减沙效益。计算结果为:1970～1989年共减水464.74亿m^3,效益为29.3%;减沙量为11.352亿t,效益为31.9%。为检验计算结果的科学性,采用"水保法"计算了同期水利水保措施减水减沙效益,其结果分别为28.8%和32.0%。两种方法计算结果基本吻合,说明所建立的经验公式具有一定的代表性。

1　流域概况及水文特性

渭河发源于甘肃省渭源县鸟鼠山,自西向东流经天水、宝鸡、咸阳、西安等地市,于陕西潼关附近注入黄河,干流全长818km,流域面积(不包括泾河张家山站以上面积)63 282km^2。流域多年平均降水量628.2mm,多年平均径流量65.28亿m^3,多年平均输沙量1.497亿t。林家村水文站所控制30 661km^2的中上游地区,是黄河粗泥沙(粒径≥0.05mm)的主要来源区之一,也是渭河流域水土流失最严重的区域。据统计,该区域多年平均降水量533.8mm,多年平均径流量25.09亿m^3,多年平均输沙量1.516亿t,其年径流量、输沙量分别占渭河流域的38.4%和101.3%。林家村站年输沙量大于华县站年输沙量,主要是由于下游河道淤积和灌溉用水引沙造成的。

渭河流域降水量、径流量和输沙量在年内分配极不均匀,汛期(5～10月)此三项分别占年值的79.4%、75.5%和94.7%,7～9月分别占年值的50.3%、42.8%和79.8%,这说明流域水沙量主要集中于汛期,沙量尤其集中于7～9月份。渭河流域降水量、径流量和输沙量在年内各月分配情况见表1。

表1　　渭河流域降水量、径流量、输沙量年内分配情况

项目	月占年值(%)											
	1	2	3	4	5	6	7	8	9	10	11	12
降水量	1.5	1.9	4.2	8.2	9.9	10.4	17.8	16.3	16.2	8.3	3.9	1.4
径流量	2.7	3.4	3.6	6.7	8.4	6.2	12.6	11.2	19.0	14.8	7.7	3.7
输沙量	0.1	0.1	0.5	2.7	3.8	3.2	27.0	26.8	26.0	8.2	1.4	0.2

注:资料年限为1954～1989年,下同。

---

[1]王宏,男,甘肃秦安人,高级工程师,主要从事水土保持科学试验研究工作。

本项目是水利部第二期黄河水沙变化研究基金项目。

渭河流域多年平均流量模数为 3.326L/(s·km^2),输沙模数为 2 366t/km^2,实测最大洪峰流量为 7 660m^3/s。林家村站以上中上游地区多年平均流量模数为 2.586L/(s·km^2),输沙模数为 4 954t/km^2。

渭河流域地质地貌较复杂,大致可分为黄土丘陵沟壑区、土石山区及河谷川台区三大地貌类型。河谷川台区侵蚀轻微;黄土丘陵沟壑区侵蚀强烈,年侵蚀模数达到8 000t/km^2,侵蚀严重地区主要分布于河流北岸。新中国成立以来,流域内开展了大规模的水土保持综合治理工作,对控制水土流失起到了明显的作用。实测资料表明,20 世纪 70、80 年代流域年平均径流量和输沙量与 1954 ~ 1969 年平均值相比,分别减少了 40.1%、26.0% 和 15.7%、43.3%。截至 1989 年底,全流域主要水利水保措施的保存数量分别为:梯田 2.52 万 hm^2,人工林 2.25 万 hm^2,人工草 0.653 万 hm^2,水库 361 座,淤地坝 2 003 座,塘坝 2 666座,670hm^2 以上灌区 72 处,有效灌溉面积 84.1 万 hm^2,共计治理水土流失面积 8 136km^2,治理度 17.1%。

2 降雨产流经验公式

1954 ~ 1969 年,渭河流域虽进行了水土流失治理,但治理工作时断时续,流域治理程度低,从点绘的年降水量、径流量、输沙量双累计曲线上可知,水利水保措施对流域水、沙量变化的影响很小,因此可将这一时段视为非治理状态,然后用其还原计算的径流量和输沙量资料进行降雨产流产沙相关分析。

2.1 影响产流的主要因子分析

流域产流取决于下垫面情况及降雨条件。本文采用降雨诸因子与年径流量 R 单因子相关分析、因子优选的方法,选择影响流域产流的主要因子。根据分析可知 R 是下列各因子的函数:

$$R = F(P_N, P_X, P_{30}, P_1, P_K, P_Y, K_1, K_2) \tag{1}$$

式中,R 为年径流量,亿 m^3;P_N 为流域年平均降水量,mm;P_X 为流域汛期平均降水量,mm;P_{30}为最大 30 日流域平均降雨量,mm;P_1 为流域最大 1 日平均降雨量,mm;P_K 为非汛期流域降雨量,mm;P_Y 为日雨量大于 9mm 的累计雨量,mm;K_1、K_2 为降雨综合指标,$K_1 = P_X(P_1/P_X)^m + P_K{}^n$,$K_2 = P_X(P_{30}/P_X)^m + P_K{}^n$,$m$、$n$ 为经验指数,取 $m = 0.25$,$n = 0.75$。

按照 $R = \beta X^\alpha$ 型关系进行回归分析,得到 R 与各因子的相关关系见表 2。

由表 2 可知,林家村站以上 P_N 与 R 关系最为密切,其次是 K_1、K_2、P_X、P_Y 等因子。降雨指标 K_2 的幂指数最大,说明其具有较强的产流能力;华县站以上 P_N 与 R 关系最密切,其次是 P_Y、K_2、P_X、K_1 因子。

2.2 降雨产流经验公式的建立及减水减沙效益计算

通过单因子优选及多因子组合,分别建立了林家村站以上及华县站以上流域降雨产流经验公式各 4 个(见表 3)。

表 3 中各公式的复相关系数均达到 0.80 以上,说明其相关程度较好。

将 1970 ~ 1989 年各因子代入表 3 各公式中,求得流域可能产流量,将其与实测值进行比较,即得水利水保措施综合治理的减水效益。据此,林家村站以上流域按公式① ~ 公式④计算的治理减水效益分别为16.2%、14.9%、13.7%、14.8%，平均值为14.9%；华县站以上流域按公式⑤～公式⑧计算的治理减水效益依次是29.5%、28.9%、28.9%、29.7%，平均值为29.3%。

表2　　渭河流域年径流量 R 与各因子相关关系

区 域	$R=\beta X^{\alpha}$	相关系数
林家村站以上	$R=4.672\times10^{-2}P_3{}^{1.267}$	0.654
	$R=4.630\times10^{-3}P_X{}^{1.427}$	0.808
	$R=2.583\times10^{-4}P_N{}^{1.844}$	0.886
	$R=3.562\times10^{-2}P_Y{}^{1.132}$	0.801
	$R=6.430\times10^{-4}K_1{}^{1.894}$	0.844
	$R=3.330\times10^{-4}K_2{}^{1.910}$	0.841
华县站以上	$R=3.025\times10^{-3}P_X{}^{1.640}$	0.858
	$R=9.233\times10^{-4}P_N{}^{1.765}$	0.901
	$R=1.478\times10^{-2}P_Y{}^{1.429}$	0.868
	$R=1.186\times10^{-3}K_1{}^{1.927}$	0.851
	$R=2.213\times10^{-3}K_2{}^{1.730}$	0.859

表3　　渭河流域降雨产流经验公式

区 域	编 号	经 验 公 式	复相关系数
林家村站以上	公式①	$R=2.583\times10^{-4}P_N{}^{1.844}$	0.886
	公式②	$R=6.430\times10^{-4}K_1{}^{1.894}$	0.844
	公式③	$R=1.033\times10^{-3}P_Y{}^{1.372}(P_N-P_Y)^{0.414}$	0.901
	公式④	$R=9.281\times10^{-4}P_{30}{}^{0.213}(P_N-P_{30})^{1.556}$	0.897
华县站以上	公式⑤	$R=9.233\times10^{-4}P_N{}^{1.765}$	0.902
	公式⑥	$R=1.186\times10^{-3}K_1{}^{1.927}$	0.851
	公式⑦	$R=4.215\times10^{-3}P_Y{}^{1.190}(P_N-P_Y)^{0.501}$	0.909
	公式⑧	$R=2.995\times10^{-3}P_{30}{}^{0.529}(P_N-P_{30})^{1.221}$	0.900

3　降雨产沙经验公式

3.1　影响流域产沙的主要因子

流域产沙是流域内气象因素与下垫面条件相互作用的结果。渭河流域地处半干旱、半湿润气候带，雨量分配季节性很强，汛期暴雨频繁，土壤侵蚀最为严重。如咸阳站1973年8月27日一次暴雨洪水，实测输沙量占年值的44.6%。对于某一特定的流域而言，其下垫面条件可以认为在短时期内是不变的，故影响流域产沙的主要因子是降雨因素，暴雨尤其是重要的动力因子。经分析，流域产沙量 W_s（本文以流域出口处实测输沙量代替）是下列各因子的函数：

$$W_s=F(P_1,P_{30},P_X,P_N,P_Y,T_Y,I_Y,K_1,K_2)\qquad(2)$$

式中，W_s 为年输沙量，亿t；T_Y 为相应于日雨量9mm的累计降雨天数，d；I_Y 为有效降雨强度，即 $I_Y=P_Y/T_Y$，mm/d；其余符号意义同前。

W_s 与各因子相关关系分析见表 4。

表 4　　渭河流域 W_s 与各因子相关关系

区域	W_s与各因子相关关系	相关系数
林家村站以上	$W_s = 3.864 \times 10^{-4} P_1^{2.219}$	0.680
	$W_s = 6.778 \times 10^{-5} P_{30}^{2.014}$	0.823
	$W_s = 2.504 \times 10^{-4} P_X^{1.454}$	0.700
	$W_s = 4.738 \times 10^{-5} P_N^{1.677}$	0.680
	$W_s = 1.670 \times 10^{-3} P_Y^{1.190}$	0.586
	$W_s = 1.308 \times 10^{-6} I_Y^{4.818}$	0.705
	$W_s = 3.810 \times 10^{-5} K_1^{1.908}$	0.767
	$W_s = 6.556 \times 10^{-6} K_2^{2.108}$	0.781
华县站以上	$W_s = 6.408 \times 10^{-3} P_{30}^{1.073}$	0.611
	$W_s = 4.744 \times 10^{-6} P_X^{2.069}$	0.690
	$W_s = 1.988 \times 10^{-5} P_N^{1.773}$	0.567
	$W_s = 3.305 \times 10^{-4} P_Y^{1.431}$	0.606
	$W_s = 4.054 \times 10^{-6} K_1^{2.254}$	0.685
	$W_s = 7.579 \times 10^{-6} K_2^{2.041}$	0.701

由表 4 可知,林家村站以上 P_{30}与 W_s 关系最密切,其次是 K_2、K_1、I_Y 等因子,I_Y 的幂指数最大,说明其具有较强的产沙能力;华县站以上 W_s 与 K_2 关系最密切,其次为 P_X、K_1 等因子。

3.2　降雨产沙经验公式的建立及效益的计算

通过因子优选和多因子组合,采用线性和非线性多元回归分析方法,建立了林家村站以上流域 3 个、华县站以上流域 3 个降雨产沙经验公式(见表 5)。

将 1970～1989 年渭河流域有关气象因子代入表 5 公式中,计算出流域可能产生的沙量,用计算的沙量减去相应时段的输沙量实测值,即得水利水保措施综合治理的减沙量。用公式①～公式③计算的林家村站以上流域治理的减沙效益分别为 23.0%、27.0%、21.7%,平均值为 23.9%;用公式④～公式⑥计算的华县站以上流域治理减沙效益分别为 32.3%、32.7%、30.6%,平均值为 31.9%。

4　经验公式评价

4.1　相关性检验

据对表 3 中各公式及表 5 中公式①、公式③进行 F 检验,其 $F_{计}$ 值远大于检验水平 $\alpha = 0.01$时的临界值 F_0,相关性为高度显著,其余公式其 $F_{计}$ 值均大于检验水平 $\alpha = 0.05$ 时的 F_0,相关性显著。

4.2　误差范围

表 3 中公式①～公式⑧的平均相对误差为 8.88%～15.9%,平均误差为 0.73%～1.64%,最大相对误差为 22.0%～35.4%,相对误差在 20%以内的点占 75.0%～93.8%。表 5 中各公式平均相对误差为 17.4%～29.7%,平均误差为 2.17%～6.39%,最大相对误

表 5　　渭河流域降雨产沙经验公式

区域	编 号	经 验 公 式	复相关系数
林家村站以上	公式①	$W_s = 7.225 \times 10^{-8} P_Y^{0.890} I_Y^{4.020}$	0.812
	公式②	$W_s = 6.556 \times 10^{-6} K_2^{2.108}$	0.781
	公式③	$W_s = 2.821 \times 10^{-2} P_Y - 0.4426 T_Y + 0.2253$	0.831
华县站以上	公式④	$W_s = 1.282 \times 10^{-5} P_{30}^{0.951} (P_X - P_{30})^{1.202}$	0.707
	公式⑤	$W_s = 7.579 \times 10^{-6} K_2^{2.041}$	0.701
	公式⑥	$W_s = 1.110 \times 10^{-2} X_1 - 9.712 \times 10^{-2} X_2 + 2.497 \times 10^{-2} X_3 - 0.523 X_4 + 2.342 \times 10^{-3} X_5 - 0.330 X_6 - 0.293$	0.713

注：(1)公式③、公式⑥为线性相关；

(2)公式⑥中，X_1、X_3、X_5 分别表示 9～25.0mm、25.1～50.0mm、≥50.0mm的不同降雨级的累计日降雨量，X_2、X_4、X_6 分别表示与前三级降雨相对应的累计降雨天数。

差为 36.4%～84.7%。

上述数据表明，降雨产流经验公式较降雨产沙公式的精度要高一些。

4.3 计算结果验证

用所提出的流域降雨产流产沙经验公式，分别计算了渭河流域 1970～1989 年水利水保措施的减水减沙效益，其结果为：20 年间共减水 464.74 亿 m^3，平均减水效益为 29.3%；减沙量 11.352 亿 t，平均减沙效益为 31.9%。为了验证“经验公式法”计算结果的正确性，采用“水保法”对流域 1970～1989 年水利水保措施减水减沙效益进行了分析计算，其结果为：流域治理减水总量 450.24 亿 m^3(其中坡面措施拦蓄 63.76 亿 m^3，库坝拦蓄 75.15 亿 m^3，灌溉引水 311.33 亿 m^3)，减水效益为 28.8%；各项措施减沙总量为 11.435 亿 t(其中坡面措施拦沙 3.371 亿 t，库坝拦沙 4.4848 亿 t，灌溉引沙 3.216 亿 t)，效益为 32.0%。“经验公式法”和“水保法”两种方法计算结果基本吻合，说明所建立的经验公式具有一定代表性，可以用于渭河流域水利水保措施减水减沙效益的分析计算。

(本文发表于《中国水土保持》1994 年第 8 期)

渭河中上游流域水沙变化分析及预测

马春林[❶]

摘　要　本文运用渭河支、干流散渡河、葫芦河、牛头河、榜沙河、藉河等水文站 1959~1983 年的降水、径流、泥沙实测资料，对渭河中上游流域径流、泥沙年内分配和年际变化及水沙变化情况进行了分析，并应用灰色系统理论，对渭河中上游流域输沙量和径流量变化规律进行了预测分析。

众所周知，黄河的主要问题是中上游黄土高原严重的水土流失，使下游淤积而成为"悬河"。据统计，三门峡以上多年平均输沙量 16 亿 t，而渭河中上游流域林家村水文站以上面积仅占三门峡以上 68.8 万 km^2 的 1/22，但输沙量却占 1/10。因此，分析渭河中上游流域水沙变化情况，搞清泥沙来源及其分布，正确估算水土保持的减水减沙作用，为治黄决策提供科学依据具有十分重要的意义。

1　流域概况

渭河发源于甘肃渭源县鸟鼠山，向东流经陇西、天水、宝鸡、西安等城市，在陕西潼关附近汇入黄河。渭河林家村水文站以上流域面积 30 661km^2，河长约 371.5km，北与清水河、祖厉河相邻，西接洮河，南隔秦岭，东北与泾河共岭；主要支流有散渡河、葫芦河、牛头河、榜沙河、藉河等。干流渭源至南河川区间河床比降约 1/184，中游南河川至林家村区间河床比降约 1/400，流域平均比降约 1/260。流域下垫面差异较大，大致可分为三个类型区：黄土丘陵沟壑区，分布于流域中部、西部及北部，为水土流失严重地带，约占流域面积的 68%，多年平均侵蚀模数 7 000t/km^2，局部达 7 000~30 000t/km^2，侵蚀类型主要为重力和水力两种；土石山区，分布在流域的南侧和东部地区，约占流域面积的 26%，多年平均侵蚀模数约为 500~1 500t/km^2；河谷川台区，分布于主河道及主要支流两侧，呈树枝状，仅占流域面积的 6%。

2　流域水沙特性

2.1　资料情况说明

降水：林家村水文站以上流域共选用 1959~1983 年的资料 113 站，共 2 825 站年。资料系列 5~17 年的站占总站数的 47%，17 年以上占总站数的 35%，25 年的站占总站数的 18%。

---

❶马春林，男，甘肃西和人，工程师。

本项目是水利部第二期黄河水沙变化研究基金项目。

径流泥沙:由于流域内各干流和支流站资料系列不同,为方便计算比较,径流泥沙资料均统一采用 1959 ~ 1983 年 25 年系列实测资料。干流选用武山、牛头河、社棠、耤河天水等水文站,共计 7 个控制站。

2.2 降水

渭河流域东、南、西三面为六盘山、关山、陇山、秦岭、乌鼠山等山脉环抱,地处暖湿气流背风面,不适宜气流越坡造雨效应,因而气候较干燥,降水量少。流域多年平均降水量为 552.5mm,而且在时空上分布很不均匀,由东南向西北雨量逐渐减少,北岸多年平均降水量在 380 ~ 560mm,南岸较北岸降水量多,达 650mm,沿干流中游降水多于上游,中游多年平均降水量 631mm,上游为 493mm,降雨中心偏于宝鸡峡一带,附近朱园站年降水高达 1 011mm,降水最少的北部西吉县黄家川降水量仅 196.8mm(1971 年)。流域降水大多集中在汛期的 6 ~ 9 月份,连续四个月降水占多年平均的 66.1%,整个汛期 5 ~ 10 月份降水占多年平均的 84.4%。流域最大日降雨量多年平均达 46.9mm,最多达 62.7mm(1964 年),最大 30 日降雨量平均达 171.5mm,最多达 227mm(1981 年)。流域降水量年际变化较小,多年降水量变差系数 $C_v = 0.196$,最大日平均降雨量变差系数 $C = 0.181$。

2.3 径流

(1)径流组成:渭河林家村水文站以上流域支流很多,500km^2 以上的一级支流,右岸有榜沙河、南河、耤河。由于各支流把口水文站资料系列长短不一,本次分析报告仅选用主要支流及主要控制站来计算。

(2)径流的年内分配:渭河中上游流域年径流计算结果径流的年内分配主要集中在 7 ~ 10 月份,与降水关系较密切,多年月平均降水 7 ~ 10 月份为 62%,同期径流占年径流的 61.3%,其中 9 月份最大,占年平均径流量的 20.1%。

(3)径流的地区分布:流域下垫面差异较大,有水土流失严重的黄土丘陵沟壑区,有侵蚀较轻微的土石山区,地势西高东低,故流域径流在地区上的分布是上游多、中游少,南部多、北部少;上游渭河武山站多年平均径流模数为 85 644m^3/km^2;渭河中游林家村站多年平均径流模数为 75 340m^3/km^2;南部耤河天水站多年平均径流模数为 99 411m^3/km^2;而北部葫芦河秦安站则为 44 875m^3/km^2。

(4)径流的年际变化:流域年平均径流变差系数 $C_v = 0.49$,年径流变率丰水年高达 48.8 万 m^3(1964 年),枯水年仅有 7.08 万 m^3(1972 年),相差 7 倍,故渭河中上游流域径流年际变化较大。

2.4 泥沙

2.4.1 输沙量

渭河中上游流域黄土丘陵沟壑区面积占流域面积的 68%,是河流泥沙来源的主要地区。林家村水文站多年平均输沙量 1.56 亿 t。按区间计算,武山以上输沙量占流域年输沙量的 17.6%;武山至南河川区间,年输沙 1.155 亿 t,占流域输沙量的 74%;南河川至林家村区间输沙 0.13 亿 t,占流域输沙量的 8.3%;在武山至南河川区间,散渡河输沙量为 0.223 9 亿 t,占流域输沙量的 19.4%,葫芦河年输沙 0.8 亿 t,占区间输沙量的 69.2%;南河川至林家村区间,牛头河年输沙 0.072 亿 t,占区间输沙量的 55.4%,耤河年输沙 0.035 6

亿 t,占区间输沙量的 27.4%。

从上可以看出,渭河中上游流域泥沙的主要来源是武山至南河川区间,而该区间沙量又主要来自葫芦河与散渡河,两支流集水面积是南河川站集水面积的 52%,而沙量占 71.6%。其次为牛头河,藉河输沙最少。

2.4.2 含沙量

渭河中上游流域多年平均含沙量见表 1。

表 1 渭河中上游流域多年平均含沙量统计

河名	散渡河	葫芦河	牛头河	藉河	渭河	渭河	渭河
流域面积(km^2)	2 484	9 805	1 846	1 019	8 080	23 385	30 661
年含沙量(kg/m^3)	286.5	142.9	34.4	44.0	39.2	83.7	67.1
侵蚀模数(t/km^2)	8 857	5 318	2 858	3 594	3 284	5 302	5 006
测站	甘谷	秦安	社棠	天水	武山	南河川	林家村

流域多年平均含沙量最大地区分布在渭河上游北岸,其中散渡河含沙量最大为 286.5kg/m^3,葫芦河含沙量次之为 142.9kg/m^3,历年瞬时最大含沙量在渭河北岸的散渡河、葫芦河地区,洪水最大含沙量可达 905kg/m^3。

2.4.3 泥沙的年内分配和年际变化

流域河流泥沙的年内分配很不均匀,主要集中在 6 ~ 9 月份,一般占年输沙量的 80% 以上,其中 7 ~ 8 月份所占比例最大,大部分支流 7 ~ 8 月份输沙量占全年的 46% ~ 76%。

泥沙的年际变化较径流大,林家村水文站输沙变差系数 $C = 0.60$,年输沙量变率高达 2.96 亿 t(1966 年),最低仅 0.355 亿 t(1974 年),相差 8 倍。

2.5 洪水

流域泥沙的主要来源是葫芦河与散渡河。为此,对葫芦河秦安水文站和散渡河甘谷水文站 1959 ~ 1983 年实测洪水资料进行统计分析,两支流洪水资料每年各选取最大、次大两次,求得洪水总量、相应输沙量、最大洪峰及最大含沙量。

葫芦河秦安站在 1959 ~ 1983 年 25 年系列中,洪峰大于 1 000m^3/s 的洪水出现 15 次,其中大于 2 000m^3/s 的洪水出现 7 次。实测最大洪峰是 1966 年 7 月 22 日,洪峰 2 960m^3/s,该次洪量 7 724 万 m^3,相应输沙量 4 449 万 t,占年输沙量的 21%,最大含沙量达593kg/m^3。1959 年 7 月 14 日,洪峰 2 270m^3/s,洪量为 9 414 万 m^3,相应输沙量 5 000 万 t,占年输沙量的 32%,最大含沙量达 723kg/m^3。

散渡河甘谷水文站在 1959 ~ 1983 年 25 年系列中,最大洪峰大于 800m^3/s 的洪水出现 10 次,其中洪峰大于 1 000m^3/s 的洪水出现 4 次,实测最大洪峰是 1966 年 7 月 21 日,洪峰 1 880m^3/s,该次洪量 2 282 万 m^3,相应输沙量 1 509 万 t,占年输沙量的 34%,最大含沙量达 668kg/m^3。1964 年 7 月 20 日,洪峰 1 430m^3/s,洪量 2 981 万 m^3,相应输沙量 1 628 万 t,占年输沙量的 41%,最大含沙量达 672kg/m^3。

从洪水资料分析,葫芦河与散渡河两条支流洪水的一般特性是,峰大量多,陡涨陡落,洪峰以单峰为主，而且水大沙大，洪水出现时间大都在6~9月份。

3 渭河中上游流域水沙变化

要分析流域水土保持措施减水减沙效益，必须弄清流域水沙变化情况。

据调查和渭河流域有关各县的资料，渭河中上游流域水土保持工作是从20世纪50年代初起步，经历了几起几落的过程。从整体而言，1970年以前，是初期治理阶段与停顿破坏时段，基本上水保效益很小或无效益。1970~1980年属于恢复治理和治理发展较快的阶段，特别是部分小流域治理已见成效。同时，据渭河林家村水文站1959~1983年25年系列实测资料，以年累计降雨量为纵坐标，以累计径流深和累计输沙模数为横坐标，根据双累计曲线图中曲线的转折情况和流域水保治理的实际情况，把1970年作为流域水沙变化的分界年，即1959~1970年为前时段(未治理时段)、1971~1983年为后时段(治理时段)。把前后时段的水沙变化进行对比分析。

根据流域干流和主要支流沟口水文站实测资料对流域降水、径流、泥沙和洪水情况进行了多年平均值的对比计算，渭河中上游流域后时段(1971~1983年)较前时段(1959~1970年)平均每年减少沙量0.886亿t，共减少11.518亿t，减沙43.8%。其中主要产沙地区的葫芦河年平均减沙0.591亿t，总减沙7.688亿t，较前时段减少52%；散渡河年平均减沙0.126亿t，总减沙量1.638亿t，较前时段减少43%；上游武山站年平均减沙0.048亿t，总减沙量0.624亿t，较前时段减沙16.1%；牛头河年平均减沙0.014 2亿t，总减沙0.185亿t，较前时段减沙22%。

在几个主要支流中，葫芦河减沙最多，藉河、散渡河次之，上游武山站最少。

流域径流量的变化情况与输沙量基本类似，前时段较后时段径流平均每年减少14.83亿m^3，共减少92.79亿m^3，减少43.8%。从计算结果看，葫芦河径流减少40.5%，散渡河减少径流40.4%，其中葫芦河减少径流最多，藉河、散渡河次之。

但是，流域多年平均降水量为525.5mm，前时段平均降水596mm，后时段平均降水509mm，减少14.6%。从流域各支流降水情况看，降水量减少范围为4%~14%。

总之，就前后时段比较，全流域降水减少14.6%，径流减少48%，输沙量减少43.8%。

4 流域水沙关系和径流泥沙灰色预测

4.1 流域水沙关系

为了说明流域水沙关系，对主要产沙区葫芦河秦安站和散渡河甘谷站的洪水资料进行了统计。对上述两站的洪水资料，逐年选出主次两场洪水，并对较大次洪水资料进行统计分析，求得其相关系数和洪水径流量与相应输沙量的相关关系，用$W_s = K \times W^a$表示。

两支流的水沙相关关系均在0.9以上，说明水沙关系密切。各自的关系式可表示为：

$$W_s = 1.13W^{0.88} \quad \text{(葫芦河)}$$

$$W_s = 0.91W^{0.911} \quad \text{(散渡河)}$$

式中，W_s为年洪水输沙量；W为年洪水径流量。

上式中计算值与实测值的相对误差平均值分别为28%和27%(绝对误差)。

由于流域面积较大，支流较多，限于资料的关系，全流域的洪水组成等情况较难说明，故仅用主要产沙区的情况说明流域情况。

4.2　流域水沙特征值的灰色预测

本文应用华中工学院邓聚龙创立的灰色系统理论,对渭河中上游流域输沙量和径流量变化规律进行预测分析。

部分信息已知,部分信息未知的系统称为灰色系统。基于灰色系统理论的 CM(1.1)模型的预测,称为灰色预测,对渭河中上游水沙变化规律的预测应用了灰色预测的方法之一即拓扑预测。拓扑预测,是对一段时间内行为特征数据波型的预测,它是用 CM(1.1)模型群来预测未来发展变化的整个波型,因为许多点可以构成一个波型,所以拓扑预测是规定许多给定值,对每一个给定值,都可以从给出的曲线上得到一组数据,然后对每一个给定值建立 CM(1.1)模型,预测这组给定值未来发展变化的时间间隔。下面就是流域输沙量与径流量变化规律预测分析过程与结果。

根据流域 1959~1983 年实测输沙量历年变化图,取下列值,0.34 亿、0.7 亿、1.0 亿、1.2 亿、1.4 亿、1.8 亿、2.1 亿、2.4 亿、2.7 亿、2.9 亿 t。作平行时间轴的直线,得时刻数据列分别为:

$\sum_1 = 0.34$ 亿 t, $t = [13.8, 14.1, 16]$

$\sum_2 = 0.7$ 亿 t, $t = [13, 14.2, 15.9, 16.6, 23.7, 24.6]$

$\sum_3 = 1.0$ 亿 t, $t = [12.8, 14.2, 15.8, 18.1, 20.8, 21.6, 23.4]$

$\sum_4 = 1.2$ 亿 t, $t = [2.8, 3.2, 4.7, 5.1, 12.8, 14.3, 15.8, 18.6, 20.5, 22.5, 23.1]$

$\sum_5 = 1.4$ 亿 t, $t = [1.9, 4, 5.2, 7, 11, 12.7, 14.4, 15.7, 18.6, 20.2]$

$\sum_6 = 1.8$ 亿 t, $t = [1.7, 5.5, 6.6, 7.3, 10.6, 11.2, 12.5, 14.4, 15.6]$

$\sum_7 = 2.1$ 亿 t, $t = [1.5, 5.8, 6.4, 7.4, 10.3, 11.4, 12.4, 14.5, 15.5]$

$\sum_8 = 2.4$ 亿 t, $t = [1.2, 6.2, 6.4, 7.6, 10, 11.6, 12.2, 14.6, 15.4]$

$\sum_9 = 2.7$ 亿 t, $t = [1.1, 7.8, 8.6, 11.8, 12.1, 14.7, 15.4]$

$\sum_{10} = 2.9$ 亿 t, $t = [1.08, 8, 8.2, 12, 14.7, 15.3]$

按以上 10 组数据,可建下列 CM(1.1)模型群。

$X_1(t+1) = 104.63e^{0.13} - 90.84$　　$(\sum_1)$

$X_2(t+1) = 82.53e^{0.15} - 69.53$　　$(\sum_2)$

$X_3(t+1) = 142.37e^{0.098} - 129.57$　　$(\sum_3)$

$X_4(t+1) = 39.59e^{0.16} - 36.79$　　$(\sum_4)$

$X_5(t+1) = 32.79e^{0.16} - 30.89$　　$(\sum_5)$

$X_6(t+1) = 40.58e^{0.14} - 38.88$　　$(\sum_6)$

$X_7(t+1) = 41.85e^{0.139} - 39.55$　　$(\sum_7)$

$X_8(t+1) = 42.99e^{0.136} - 41.79$　　$(\sum_8)$

$X_9(t+1) = 56.38e^{1.35} - 55.29$　　$(\sum_9)$

$X_{10}(t+1) = 40.49e^{0.178} - 39.41$　　$(\sum_{10})$

由上述模型,经 PC-1500 计算机分别处理,建立预测数据群如表 2 所示,按表 2 可作出 1984～2000 年 17 年间的输沙量变化预测曲线。由 1984 年和 1985 年实测资料对比，预测值与实测值基本吻合。

表 2　　预测 1984～2000 年不同输沙量出现时期

输沙量(亿 t)	预测出现时期(年份)				
0.34	26.5(1985)	30.1(1988)	38.7(1997)		
0.70	29.3(1988)	34.1(1992)	39.7(1998)		
1.0	26.4(1985)	29.1(1987)	32.1(1990)	35.4(1993)	39.1(1997)
1.2	32.1(1990)	37.4(1995)			
1.4	26.1(1984)	30.7(1988)	36.2(1999)		
1.8	28.6(1986)	32.9(1991)	37.9(1996)		
2.1	28.4(1986)	32.6(1990)	37.5(1996)		
2.4	27.7(1986)	31.8(1990)	41.7(2000)		
2.7	27.5(1985)	31.5(1989)	36.1(1994)	41.2(1999)	
2.9	32.8(1991)	39.2(1997)			

用同样方法可以求得流域径流量预测曲线。

从渭河中上游年输沙量和年径流量预测曲线中可以看出，大于 2.4 亿 m^3 的输沙量出现年份，大约在 1988、1990 年和 1999 年，大于 36 亿 m^3 的径流量大约出现在 1988 年和 1990 年。

人类活动对天水市河流泥沙影响的研究

柳荣先[1]　熊维新

摘　要　本文通过典型调查及资料分析,得出天水市1950～1991年42年间,由不合理的人类活动,累计造成弃土量及诱发的滑坡、崩塌、砂石量约11.04亿t,其流失量达2.773亿t,占同期河流输沙量的12.89%,年均增加土壤流失量460t/km²。不合理的人类活动极大地削减了水土保持措施的减沙作用,这一问题应引起各级政府和水保部门的高度重视。

新中国成立以来,随着经济建设的不断发展,各种人类活动也迅速增多。多年来,人们在改造自然环境、开发利用自然资源的过程中,一定程度上忽视了对自然环境的保护。如基本建设中破坏地表植被和土石结构,多数未采取有效的环境保护措施,致使植被不断遭受破坏,裸露土地增多,土壤退化,水土流失加剧,河流水质遭到严重污染,生态环境逐渐恶化。特别是随着工矿、交通、乡镇企业的蓬勃发展和人口的增长,人类活动引起的水土流失问题越来越严重,近年来已得到有关部门和一些专家的高度重视,为进一步探索不合理的人类活动对水土流失的影响,于1992年对天水市五县两区进行了较为全面的调查研究,获得了一些定量数据,供有关决策部门参考。

1　人类活动种类及对河流泥沙的影响形式

1.1　人类活动种类

据调查,天水市五县两区新中国成立以来的人类活动主要有:修筑铁路、农路,兴建城镇庄园、工厂、矿山及其他企业建设,毁林毁草开荒、陡坡开荒,修渠、建坝,工程毁坏,挖药材、铲草皮,城镇垃圾乱堆滥放,工厂排放废渣等。

1.2　人类活动对河流泥沙的影响形式

人类活动对河流泥沙的影响形式可归纳为:①松动了地表土石,改变了地表土石结构的稳定性,致使重力侵蚀活跃,加剧了滑坡、泻溜、崩塌及泥石流的发生;②毁林毁草破坏植被,使地表裸露,降低了地面土壤的抗蚀能力,加大了水土流失;③基本建设中随意倾倒废渣、弃土、尾沙,为水土流失提供了大量的固体物质;④基本建设中的弃土弃石及城镇工厂、矿山企业排弃的废渣、炉灰、垃圾,就近倾入沟道、河流,直接增加了河流含沙量。

---

[1]柳荣先,男,甘肃庄浪人,工程师。

2 各种人类活动引起的新的水土流失

2.1 城镇、庄园建设造成的新的水土流失

城镇建设一般均在河谷川台区施工,且系多年续建的工程,局部地带的施工,大部分地基土用以回填,只有一小部分弃土量。而大部分弃土量在水保和环保部门的指导下处理得当,并实施水土保持措施,基本不引起新的水土流失。一小部分弃土量和垃圾由于处理不当,乱堆滥倒,暴雨时造成了水土流失。

城、乡庄园建设多在地势平坦的地带进行,其所挖土体绝大部分用以打土坯和院墙,弃土量很少,且弃土在河谷川台区基本没有造成流失,仅在土石山区、黄土丘陵沟壑区有一定量的流失。

据对天水市五县两区有关部门的资料统计和典型调查,1950~1991年,全市城镇、庄园建设共有弃土点12.75万处,弃土量达108.4万t,弃土流失量约32.5万t。1950~1991年全市共有弃土窑洞15 076孔,弃土量达52.77万t,流失量约13.2万t。

2.2 工矿建设造成的新的水土流失

天水市的工矿企业主要有:蛇纹玉、大理石开采厂,铁、铜、硫、铅、锌及金开采矿,砖、瓦、水泥、石灰生产厂。开矿不仅有大量的弃土弃石,而且松动了原地表土石结构,为以后的侵蚀创造了条件。直接排放于河沟的矿渣尾沙,堵塞河道,影响行洪,且易给下游造成危害。本区的采矿石,1970年以前主要以国营矿厂开采加工为主,1980年以后随着改革开放的深入发展,乡镇集体和个体开矿采石、经营加工迅速崛起。据调查统计,全市1950~1991年共有规模较大的采矿点93处,累计排弃土石量3 388.2万t,流失量845.1万t。

2.3 修筑铁路、公路、农路造成的新的水土流失

(1)铁路。横贯天水市东西的陇海铁路宝天路段,1939年动工修建,1945年通车;1950年动工修建的天兰段铁路,于1952年正式通车。在本次统计计算年限内,铁路沿线植被已基本恢复,路基稳定,引起新的水土流失量较小,可忽略不计。

(2)公路、农路。在修建公路、农路过程中,开挖路基,道旁取土,穿山打洞,直接将弃土弃石任意堆放在路旁或沟道,形成松散黄土堆积带,长年累月的风吹水蚀,形成新的水土流失。据调查统计,天水市1950~1991年筑路总长度达22 660km,其中国道里程345km,省道里程430.24km,县、乡(镇)公路1 944.2km,发展最快的是乡村农路,里程为19 940.56km。乡村农路由村民自发组织修建,一般均无排水和防洪设施,多数修建在黄土丘陵沟壑区和土石山区的陡坡和沟道里,对水土流失的影响很大。据设计施工资料及典型调查分析,公路、农路修建中造成的弃土量达23 294万t,已流失5 874万t。

2.4 毁林毁草、陡坡开荒造成的新的水土流失

毁林毁草、陡坡开荒致使地表裸露,表土疏松,降雨时土壤冲刷严重,直接增加了河流输沙量。天水市人类繁衍生息较早,人口密度大,造成了长期持续的开荒,尤其是近几十年来随着人口的不断巨增,对自然资源的掠夺也日益增强,在黄土丘陵沟壑区已基本达到了开荒到山顶的地步,并逐步蔓延到土石山区。据统计,全市1950~1991年总开荒面积

达 4.737 万 hm^2,年平均开荒 1 128hm^2,如以坡耕地土壤流失量与荒地土壤流失量之差计算因开荒增加的沙量,则累计土壤流失量达 3 758 万 t。

2.5 修渠造成的新的水土流失

天水市农田水利建设从 1970 年起有较大发展,1950～1991 年全市共兴修渠道 373 处,951 条,总长度 2 490km,累计弃土量达 516.924 万 t,每公里修渠弃土约 2 000t,累计弃土流失量约 129.23 万 t。1970～1991 年修渠长度占全市总渠长的 66%。

2.6 建坝、修堤造成的新的水土流失

1950～1991 年,天水市先后建成大中型水库 12 座,较大淤地坝 71 座。取土筑坝、开挖溢洪道,造成弃入沟道的土石量达 144 万 t,流失量约 100 万 t。此外,1970～1991 年在渭河及其干支流上修筑防洪堤 246.54km,直接弃入河道的土石量为 384.6 万 t,经暴雨洪水的多次冲刷,其流失量超过 300 万 t。

2.7 挖药材、铲草皮造成的新的水土流失

挖药材、铲草皮,破坏了植被和地表土壤,直接加大了侵蚀量与流失量,特别是在沟道两旁陡坡、梯田地埂上挖药材,造成的土壤流失量更大。目前,市场对药材的需求在增加,挖药材活动有增无减。据统计,1950～1991 年全市因挖药材和铲草皮破坏的面积年均达 8.67hm^2,造成弃土量累计达 418.2 万 t,累计流失量约 104.5 万 t。

2.8 水利水保工程毁坏造成的新的水土流失

新中国成立以来兴建的各种水利水保工程,对促进天水市经济的发展起到了巨大作用,但也有一小部分群众自筹兴建的水利水保工程,尤其是中小型水库、淤地坝和灌溉渠道,因多数无规划设计,为赶速度,施工质量差,再加上人们对工程的维修、管护利用不善,造成大量的工程被水毁。据统计,1950～1991 年天水市共有人为因素造成的工程毁坏 802 处,累计冲毁土石量达 1 212 万 t,流失土体 404.0 万 t。由自然因素和人为因素共同作用造成的工程毁坏流失量更大,此处未统计。

2.9 公路、农路毁坏及诱发重力侵蚀造成的新的水土流失

公路、农路的修建,破坏了道路沿线植被,使原地表土石结构的稳定性也受到严重影响,在暴雨洪水作用下,不少地方诱发了滑坡、崩塌、泻溜等重力侵蚀,持续不断地引起新的水土流失。据对天水市五县两区 1950～1991 年公路、农路水毁及重力侵蚀资料统计和现场典型调查,42 年间公路、农路因无排水设施或排水设施失效,造成挡土墙、路基、路面被冲毁及破坏地表土石结构而诱发泥石流、滑坡、泻溜、崩塌产生的土石量达 8.084 8 亿 t,流失量按产生量的 20%计,则累计流失量为 1.617 亿 t。以上仅是影响行车路段的调查资料,而不影响行车路段的水毁侵蚀、乡村路建设等导致的土壤流失量则更大。

3 人类活动对河流泥沙的影响分析

由以上分析计算可知,在 1950～1991 年的 42 年间,几种主要的人类活动累计弃土石量达 11.04 亿 t,流失土石量约 2.773 亿 t,年均流失 660.24 万 t,每年每平方公里流失量为 460t。

天水市五县两区多年平均径流深 95.17mm,多年平均年总径流量为 15.7 亿 m^3,全市

河流多年平均含沙量为 32.64kg/m^3,42 年来累计河流总输沙量为 21.52 亿 t,42 年来不合理的人类活动造成的泥沙流失量约占全市河流输沙总量的 12.89%。据分析,新中国成立以来,全市各项水土保持措施同期拦蓄的泥沙量约占总侵蚀量的 15%。据对天水市大部分支流的分析研究,除个别综合治理搞得好的小流域外,多数小流域因不合理的人类活动新增加的河流输沙量是多年来各项水土保持措施拦蓄泥沙量的 1.15~1.99 倍。不合理的人类活动极大地削减了水土保持措施的减沙作用,这应该引起各级政府和水保部门的高度重视,在贯彻、实施《中华人民共和国水土保持法》的今天,要尽快杜绝此类现象的发生,以促进天水市经济建设的不断发展。

(本文发表于《中国水土保持》1994 年第 6 期)

渭河流域水沙变化的水文分析与计算

王　宏　秦百顺　赵光耀　蔡小春　赵俊侠

摘　要　依据渭河流域40多年水文泥沙实测资料，采用经验公式、双累计曲线、不同系列对比三种方法，对渭河上游、中上游及全流域的水沙变化进行了分析计算。结果表明，全流域1970~1996年径流年均减少32.65亿 m^3，其中降水影响和人类活动作用分别占33.9%和66.1%；沙量年均减少9 040万t，其中降水影响和人类活动作用分别占29.2%和70.8%。

渭河发源于甘肃省渭源县鸟鼠山东麓，自西向东流经天水、宝鸡、西安、渭南等城市，于陕西潼关附近注入黄河。河流全长818km，华县站以上流域面积63 282km²（不包括泾河张家山站以上流域面积）。渭河不仅是黄河最大的一级支流，而且也是一条多沙支流，每年向黄河输送泥沙1.85亿t（1954~1969年）。20世纪70年代以来，随着流域水土保持治理工作的开展，流域来水来沙发生了较大的变化。依据该流域40多年水文泥沙实测资料，对上游（南河川以上）、中上游（林家村以上）以及全流域的水沙变化情况和原因进行了分析研究。

1　基本资料

渭河流域先后设立雨量站250余处，各雨量站观测系列长短不一，观测时间在35年以上的有116处，20年以上的有144处。干流上共布设水文站7处，支流上布设32处，收集到的径流泥沙观测系列从1954年至1996年。通过对资料的合理性进行分析，径流泥沙系列比较完整，而降雨资料存在诸多问题，主要是20世纪50~60年代雨量站点偏少，且分布不均，个别年份存在缺测、漏测等现象，势必影响到资料的完整性和代表性。据此，采取去伪存真、插缺补漏的办法，对部分支流的降雨资料进行插补展延。从资料情况看，1977年以后的降雨资料系列基本趋于稳定，可作为参证变量，用1977~1989年期间观测的多站与少站的年平均雨量为相关变量，建立相关关系。当相关关系显著时，将短系列资料延长至长系列。

2　水文统计模型分析（经验公式法）

水文统计模型分析就是利用治理前实测的水文资料，建立降雨与径流、泥沙关系式。将治理后的降雨资料代入关系式，可求得在未治理状况下流域可能产生的水量和沙量，即天然产水产沙量，把计算值与同期实测值相比较，其差值为流域治理后减少的水量和沙量。

若以不受人类活动影响的径流和泥沙与基准期（1970年以前）的差值，则为治理期由于降雨变化引起的径流、泥沙变化量。计算公式如下：

$$\Delta R = R_{前计} - R_{后计} \quad (1)$$

式中，ΔR 指降水变化对径流或泥沙的影响量；$R_{前计}$指基准期计算的径流或泥沙量（采用时段均值）；$R_{后计}$指计算的治理期径流或泥沙量。

3 双累计曲线分析

依据流域实测的降雨量分别与径流量、输沙量点绘累计曲线（图略）。通过观察关系曲线斜率的变化，找出流域治理与非治理系列的分界点（渭河流域以 1970 年为分界），沿非治理期曲线顺势延长，求得治理期在非治理状况下的径流、泥沙累计值$\sum W'$和$\sum W_s'$，与同期实测累计值$\sum W$和$\sum W_s$比较，其差值$\sum W' - \sum W$和$\sum W_s' - \sum W_s$即为径流、泥沙某一时段变化量。

4 不同系列对比分析

利用流域治理阶段和天然状态（基准期）实测的径流、泥沙量的时段均值进行比较，求得流域治理阶段径流、泥沙的变化量。在分析计算中需对非治理期实测的历年径流量和输沙量进行各项水利水保措施影响量的还原计算，然后用还原后的径流、泥沙进行流域水沙变化分析计算。计算式如下：

$$\Delta W = W_I - W_J \quad (2)$$

$$\eta = \Delta W / W_I \times 100\% \quad (3)$$

式中，ΔW 为各时段降水和人类活动综合影响的变化量；W_I 为基准期实测值；W_J 为治理期实测值。

5 分析结果及其评价

5.1 分析结果

（1）经验公式法计算结果。全流域 1970～1996 年流域综合治理年均减水量为 21.58 亿 m^3，相对减少 30.3%；年均减沙量 6 400 万 t，相对减少 38.2%。上游 1970～1996 年流域综合治理年均减水量为 2.563 亿 m^3，相对减少 18.2%；年均减沙量 3 915 万 t，相对减少 28.2%。中上游 1970～1996 年流域综合治理年均减水量为 6.24 亿 m^3，相对减少 24.2%；年均减沙量 5 000 万 t，相对减少 31.5%。

（2）双累计曲线法计算结果。全流域 1970～1996 年减水总量为 589.1 亿 m^3，其中减洪量 298.91 亿 m^3；减沙总量 16.22 亿 t，其中减洪沙量 15.00 亿 t。上游 1970～1996 年减水总量为 148.4 亿 m^3，其中减洪量 67.6 亿 m^3；减沙总量 17.1 亿 t，其中减洪沙 16.35 亿 t。中上游 1970～1996 年减水总量为 247.8 亿 m^3，其中减洪量 103.5 亿 m^3；减沙总量 20.81 亿 t，其中减洪沙量 19.27 亿 t。

（3）不同系列对比法计算结果。全流域 1970～1996 年与 20 世纪 50～60 年代相比，年降水减少 16.7%，年均减水量 27.59 亿 m^3，其中减洪量 12.01 亿 m^3；年均减沙量 8 140 万 t，其中减洪沙量 6 830 万 t。上游 1970～1996 年与 50～60 年代比较，年降水减少 7.4%，年均减水量 4.218 亿 m^3，其中减洪量 2.130 亿 m^3；年均减沙量 6 050 万 t，其中减洪沙量 5 520

万 t。中上游 1970～1996 年与 50～60 年代比较，年降水减少 7.9%，年均减水量 8.924 亿 m^3，其中减洪量 3.104 亿 m^3；年均减沙量 7 710 万 t，其中减洪沙 6 510 万 t。

5.2 综合评价

(1)从点绘的双累计图上可以看出，流域水沙从 1970 年始呈现明显递减变化趋势，这与流域开展水土保持治理的实际情况相吻合，符合流域水沙变化特性及其一般规律。

(2)水沙变化原因分析。1970～1996 年降雨和人类活动综合影响年均减水量为 32.65 亿 m^3，其中降雨影响占 29.2%，人类活动占 70.8%。可见，流域综合治理是引起水沙变化的主要原因。

(3)从几种方法分析结果可知，双累计曲线法和不同系列对比法分析结果较经验公式法偏大，这是因为经验公式法分析结果反映的是流域综合治理影响的变化量，而双累计曲线法和不同系列对比法分析结果反映的是降雨和人类活动综合影响的变化量。

(4)与以往各水文法分析成果对比。表 1 列出了本次水文法和水沙基金、水保基金的分析成果。

从表 1 可以看出，本次研究"水文法"中"经验公式法"计算结果 20 世纪 70 年代年均减水量与水沙基金、水保基金两家成果比较，其值虽属同一数量级，但绝对值偏大约 6 亿 m^3，相对值偏大 23.3%；80 年代年均减水量与两家成果很接近。减沙量 70 年代、80 年代与两家成果都比较接近，无明显偏差。经检查，本次计算成果比较合理、可信，而 70 年代水量偏大，有待进一步研究。

表 1　渭河华县站以上水文法减水减沙效益计算成果对比

年代	水沙基金		水保基金		水文法	
	水量(亿 m^3)	沙量(亿 t)	水量(亿 m^3)	沙量(亿 t)	水量(亿 m^3)	沙量(亿 t)
1970～1979	21.02	0.218	21.02	0.269	27.39	0.318
1980～1989	12.39	0.781	12.39	0.809	12.87	0.850
1990～1996					25.71	0.800
1970～1989	16.70	0.500	16.7	0.539	20.13	0.584

6 结语

渭河流域面积大，下垫面情况错综复杂，其水沙变化受多种因素影响千变万化。本文采用三种方法对该流域水沙变化情况进行了分析计算，同时对水沙变化原因进行了分析，为水沙变化提供了说明力较强的论证资料。但水文分析计算是以水文资料为依据，建立模型所依据的基准期降雨资料站年较少，其精度偏低，代表性欠佳，虽经插补展延，但插补和展延本身还存在误差，这些偏差必然会带到计算结果中；其次，对暴雨产流产沙研究不够，还有待进一步深化研究。

(本文发表于《人民黄河》2002 年第 8 期)

大柳树沟径流泥沙测验及水保措施对水土流失影响初探

华绍祖

摘　要　大柳树沟是黄土高原丘三区进行较早的水土流失观测小流域。本文通过一定时段的流域水沙变化的观测资料，分析水土保持林业、工程措施对流域水土流失变化的影响情况，以阐明水土保持措施在流域综合治理中的作用和其减水减沙效益。

1　自然概况

大柳树沟位于天水市南郊，为藉河南岸的一条支沟，属黄土丘陵沟壑区。流域面积0.49km²，其中耕地32.86hm²，占流域面积的67.1%；沟壑7.6hm²，占流域面积的15.5%；崖埂、道路、村庄、坟地等8.5hm²，占流域面积的17.4%。主沟长1.35km，有支毛沟两条，沟壑密度5.28km/km²。梁顶海拔1 490m，沟口1 170m，相对高差320m，沟道断面上部呈"V"形，下部呈"U"形。土壤主要为淡栗钙土，梁顶黄土厚20~30m，中部沟壑及沟底露出大量青色及红色土，腐殖质含量低(一般小于1%)，团粒结构差(粒径0.5~5.0mm的占75%)。

大柳树沟于1943年开始进行治理，累计保存措施数量为：梯田33.3hm²；营造刺槐、臭椿、白榆、侧柏、核桃等15.5hm²，现已郁闭成林，沟岸崩塌、泻溜现象已经完全制止；修土谷坊19座，柳谷坊39座，石谷坊3座，木梢谷坊2座，沟头防护工程4道，涝池24个，并修筑了道旁连环台阶地。

2　径流泥沙测验

大柳树沟的径流泥沙测验工作开始于1946年，1948年停止观测，1954年又恢复观测，有不连续的7年资料，其中1946~1947年的资料残缺不全(仅有自记水位记录)。大柳树沟的测验设备系采用混凝土制三角量水埝，缺口最大深度为90cm。

水位在1946~1947年用自记水位计记载，但由于泥沙淤积严重，使水位过程线的退水线部分误差极大，故于1954年恢复测验后，水位根据埝口的水尺进行测读。

2.1　测验成果及相关插补计算

有关计算成果及统计见表1、表2。

表 1　　1954～1958 年径流总量及年输沙总量成果

年份	年降雨总量（mm）	发生径流雨量（mm）	年输沙总量（t/km²）	年径流深度（mm）	年径流量（m³/km²）	年径流系数（%）
1954	588.0	290.7	556	1.90	1 895	0.324
1955	466.9	208.4	0.56	0.11	114	0.024
1956	628.3	407.3	2 518	8.70	8 697	1.39
1957	462.5	226.5	4.9	1.0	999	0.206
1958	541.8	266.7	679	3.09	3 092	0.57
平均			751.69			

表 2　　1946～1958 年水文特征值统计

项　目	1946 年	1947 年	1954 年	1955 年	1956 年	1957 年	1958 年
年最大流量（m³/s）	0.105（6 月 26 日）		0.085 6（9 月 8 日）	0.005 4（9 月 10 日）	0.398（6 月 1 日）	0.021 5（7 月 12 日）	0.257（8 月 11 日）
年最大降雨量（mm）			31.7（6 月 3 日）	46.4（7 月 2 日）	55（8 月 21 日）	34.2（7 月 17 日）	46.8（8 月 11 日）
年最大输沙率（kg/s）			64.1	0.093 4	276	1.54	85.32
年平均含沙量（kg/m³）			263.4	4.9	259.3	4.9	202.9
年最大一次雨量（mm）			22.4（9 月 8 日）	46.4（7 月 2 日）	10.6（9 月 9 日）	12.8（7 月 17 日）	46.8（8 月 11 日）

2.2　降雨强度与冲刷率

据分析，表示冲刷强度的冲刷率与降雨强度之间有一定的相关关系，故对此作如下的两种相关计算：

(1)一次降雨强度与冲刷率的相关(降雨量在 20～50mm)，见表 3。

(2)月平均降雨强度与月冲刷率的相关(冲刷率 = 泥沙重/清水径流量(t/m³))，见表 4。通过计算推估 1953～1945 年的输沙量，从而求各年平均输沙量值。

相关系数 $r = \dfrac{\sum K_x K_y - n}{\sqrt{(\sum K_x^2 - n)(\sum K_r^2 - n)}} = \dfrac{0.9}{\sqrt{1.02 \times 1.7}} = \dfrac{0.9}{1.3} = 0.69$

均方差 $\delta_x = \bar{x}\sqrt{\dfrac{\sum K_x^2 - n}{n-1}} = 4.24\sqrt{\dfrac{1.02}{11}} = 4.24 \times 0.304 = 1.29$

$\delta_y = \bar{y}\sqrt{\dfrac{\sum K_y^2 - n}{n-1}} = 0.354\sqrt{\dfrac{1.7}{11}} = 0.354 \times 0.393 = 0.139$

回归系数 $R_y/X = r\delta_y/\delta_x = 0.69 \times 0.139/1.29 = 0.074$

$y - \bar{y} = R_y/X(X - \bar{X})$

$y - 0.354 = 0.074(X - 4.24)$

$y = 0.074X + 0.04$

$Er = \pm 0.6745 \times \frac{1 - 0.475}{\sqrt{12}} = \pm 0.102$

表 3 　**降雨强度与冲刷率相关关系**(降雨量 20 ~ 50mm)

次序	日期(年·月·日)	平均降雨强度 X_i	冲刷率 y_i	偏差 K_x	偏差 K_y	方差 K_x^2	方差 K_y^2	协方差 K_xK_y
1	1954.7.3	3.7	0.144	0.87	0.41	0.76	0.17	0.351
2	1956.8.17	5.8	0.588	1.37	1.66	1.86	2.75	2.27
3	1954.9.3	2.5	0.251	0.59	0.65	0.35	0.42	0.384
4	1954.6.3	3.1	0.374	0.73	1.06	0.53	1.11	0.774
5	1954.7.9	4.4	0.450	1.04	1.27	1.08	1.62	1.32
6	1954.9.8	5.2	0.487	1.22	1.38	1.30	1.90	1.68
7	1956.6.1	6.9	0.504	1.63	1.42	2.64	2.03	2.31
8	1956.6.5	3.7	0.166	0.87	0.47	0.76	0.22	0.408
9	1956.8.21	5.0	0.282	1.18	0.80	1.39	0.64	0.944
10	1956.8.25	3.7	0.294	0.87	0.83	0.76	0.69	0.722
11	1954.8.16	4.2	0.410	0.99	1.16	0.98	1.34	1.15
12	1956.6.28	2.7	0.317	0.64	0.90	0.41	0.81	0.576
总计		50.9	4.247	12	12.01	13.02	13.70	12.9
平均		4.24	0.354					

表 4 　**月平均降雨强度与月平均冲刷率相关关系**

项 次	日期(年·月)	月平均降雨强度 X_i	月平均冲刷率 y_i	K_x	K_y	K_x^2	K_y^2	K_xK_y
1	1954.6	2.10	0.374	1.220	1.133	1.488	1.285	1.381
2	1954.4	1.46	0.392	0.847	1.067	0.718	1.138	0.903
3	1954.8	2.50	0.410	1.451	1.242	2.106	1.545	1.803
4	1954.9	0.98	0.278	0.568	0.842	0.323	0.709	0.478
5	1956.6	1.59	0.313	0.922	0.945	0.850	0.900	0.875
6	1956.7	0.52	0.264	0.302	0.800	0.091	0.640	0.242
7	1956.8	2.90	0.319	1.682	0.967	2.830	0.935	1.625
总 计		12.05	2.31	6.992	6.996	8.406	7.152	7.307
平 均		1.724	0.33					

2.3 1945 ~ 1953 年年径流量及年输沙量的插补

由于观测系列较短，只有 1954 ~ 1958 年的资料，且 1946 ~ 1947 年资料残缺不全，根据

1946～1953 年的自记雨量计记载,借助 1954～1958 年降雨量与径流的关系对 1945～1953 年年径流量及年输沙量进行插补。

年径流量的插补采取两种方法:一是根据 1954～1958 年年平均降雨强度与年径流系数的关系点绘曲线进行;二是根据 1954～1958 年月降雨量(发生径流之月降雨量)与月径流量之关系(以月平均降雨强度为参变数)点绘曲线进行。插补结果见表 5。

表 5　　径流泥沙插补结果

年份	年径流量[m^3(净)]			年输沙量 Y(t)	
	实测加上谷坊等拦水值	根据年径流量与年降水量插算	根据月径流与月降水插算	实测加上谷坊等拦泥值	插补值
1958	2 194			440.7	
1957	830			56.4	
1956	4 262			1 223.7	
1955	(545)			143	
1954	928			272.4	
1953		1 820	1 721		584.7
1952		956	1 270		399.8
1950		2 000	2 924		1 782.9
1949		3 240	4 061		1 369
1948		955	661		207.4
1947		9 430	8 224		3 131.4
1946		1 710	1 398		446.6
1945		2 890	1 895		711.9
总计	8 759	24 041	22 154	2 136.2	8 633.7

年均输沙量为:

$$\bar{Y}=\frac{1}{25}(3\,131.4+\frac{24}{12}\times 7\,638.5)=736.3(\mathrm{t})$$

从表 5 可以看出,用两种不同方法,插补所得 1945～1953 年径流量在总和上是近似的,可以认为按月降雨量－月径流量(以月平均降雨强度为参变数)所得之插补值是更为可靠,故在以后频率分析时采用这种插补法。同时必须看到,这些插补值是根据 1954～1958 年的实测资料及谷坊工程拦蓄修正后得出的,在 1954 年以后沟壑中的森林已经郁闭,坡地都已地埂化。对于坡地未地埂化,森林未郁闭情况,年径流量还必须进一步考虑其修正方法。

年径流量的频率分析见表 6。

因为 1947 年径流特别大,应按特大值处理。自 1934～1958 年的雨量记载都没有超过 1947 年。并已知此 X_N 的重现期为 N 年,$N=25$。则可计算治理后年均径流量($\bar{x}$)和变差系数(C_v)

$$\bar{x}=\frac{1}{N}\left(X_N+\frac{N-1}{n-1}\sum_{i=1}^{i=n-1}X_i\right)=\frac{1}{25}(8\,224+\frac{24}{12}\times 22\,689)=2\,144$$

$$C_v=\sqrt{\frac{1}{N-1}\left(\frac{X_N}{\bar{x}}-1\right)^2+\frac{1}{n-1}\sum_{i=1}^{i=n}\left(\frac{X_i-1}{\bar{x}}\right)^2}$$

$$=\sqrt{\frac{1}{24}\times 8+\frac{1}{12}\times 3.966}=\sqrt{0.334+0.33}=0.81$$

表 6　　年径流量的频率分析

m	年 份	年径流量（m^3）	k_i	(k_i-1)	$(k_i-1)^2$
特大值	1947	8 224	3.84	2.84	8.0
1	1956	4 262	1.98	0.98	0.96
2	1949	4 061	1.90	0.90	0.81
3	1951	2 924	1.36	0.36	0.129
4	1958	2 194	1.02	0.02	0.000 4
5	1945	1 895	0.89	-0.11	0.012
6	1953	1 721	0.80	-0.20	0.04
7	1946	1 398	0.65	-0.35	0.122
8	1952	1 270	0.59	-0.41	0.167
9	1954	928	0.43	-0.57	0.324
10	1957	830	0.39	-0.61	0.370
11	1948	661	0.31	-0.69	0.472
12	1955	545	0.25	-0.75	0.560

治理前后，特大径流变差系数和频率计算见表 7～表 9。

表 7　　频率计算表

P(%)		1	3	5	10	25	50	75	90	95
$C_s=2C_v$	K_p	3.76	2.97	2.59	2.07	1.37	0.79	0.41	0.21	
	X_p	8 060	6 370	5 560	4 440	2 940	1 690	880	450	
$C_s=3C_v$	K_p	4.08	3.09	2.63	2.01	1.26	0.71	0.47	0.37	
	X_p	8 760	6 620	5 640	4 310	2 700	1 520	1 010	790	
$C_s=4C_v$	K_p	4.31	3.13	2.63	1.94	1.13	0.66	0.54	0.57	
	X_p	9 240	6 700	5 640	4 160	2 420	1 420	1 160	1 090	

表 8　　频率计算表

m	年份	X_i	$\frac{X_i}{\bar{x}}$	$\frac{X_i}{\bar{x}}-1$	$\left(\frac{X_i}{\bar{x}}-1\right)^2$
特大值	1947	18 828	3.12	2.12	4.5
1	1956	10 844	1.8	0.8	0.64
2	1949	9 422	1.56	0.56	0.31
3	1958	7 168	1.19	0.19	0.036

续表 8

m	年份	X_i	$\frac{X_i}{\bar{x}}$	$\frac{X_i}{\bar{x}}-1$	$\left(\frac{X_i}{\bar{x}}-1\right)^2$
4	1950	6 814	1.13	0.13	0.017
5	1945	6 271	1.04	0.04	0.002
6	1953	5 537	0.92	0.08	0.006
7	1946	4 278	0.71	0.29	0.084
8	1952	3 810	0.63	0.33	0.109
9	1957	3 404	0.56	0.44	0.194
10	1954	2 978	0.48	0.52	0.270
11	1948	2 690	0.45	0.55	0.304
12	1955	2 652	0.44	0.56	0.313
总计	特大值	18 825			4.5
	其余几年	65 888			2.28

治理前年均径流量和径流变异系数为：

$$\bar{X}=\frac{1}{25}\left(18\ 828+\frac{24}{12}\times 65\ 888\right)=\frac{1}{25}(18\ 828+131\ 776)=6\ 024$$

$$C_v=\sqrt{\frac{1}{24}\times 4.5+\frac{1}{12}\times 2.28}=\sqrt{0.188+0.19}=0.61$$

表 9　　频率计算表

$P(\%)$		1	3	5	10	25	50	75	90
$C_s=3C_v$	K_p	3.19	2.54	2.23	1.81	1.25	0.82	0.56	0.43
	X_p	19 200	15 300	13 450	10 900	7 530	4 930	3 370	2 590
$C_s=4C_v$	K_p	3.37	2.60	2.25	1.78	1.19	0.78	0.59	0.52
	X_p	20 300	15 650	13 550	10 700	7 170	4 700	3 560	3 140

3　小流域水土保持措施对径流泥沙的影响

3.1　森林对径流的影响

因大柳树沟在 1946～1947 年森林植被尚未达到郁闭，故 1946～1947 年的实测资料可认为是在无森林郁闭情况下的径流量，比较情况见表 10。

从表 10 可以看出：

(1)当一次降雨量在 20mm 以下时，径流系数的减少特别显著，此时有森林情况下的径流系数仅为无森林情况下的 1/10～1/15，当一次降雨量在 20～50mm 时(考虑前期降雨影响)，有森林情况下的径流系数为无森林情况下的径流系数的 1/3～1/4。

(2)由于降雨强度的差异而导致对径流系数的影响，其关系不明显。

3.2　综合治理后对年径流量的影响

不同频率下治理前后年径流量减少的比例见表 11。

表 10　有森林郁闭与无森林郁闭情况下径流量对比

时间（年·月·日）	考虑前期影响之雨量(mm)	降雨强度（mm/h）	实测净径流量(m^3)	径流系数(%)		有森林郁闭与无森林郁闭径流系数比值
				有森林郁闭	无森林郁闭	
1947.7.2	29.5	3.2	331.2	0.64	2.29	0.279
1947.6.25	23.0	1.8	77.2	0.21	0.69	0.305
1946.6.24	36.0	2.5	378.8	0.5	2.14	0.234
1946.6.26	52.5	2.2	653	0.65	2.54	0.256
1946.8.7	12.5	2.5	306.7	0.5	5.0	0.100
1946.8.11	16.1	1.5	122	0.1	1.55	0.064
1946.8.24	30.4	1.8	134.8	0.25	0.90	0.278

表 11　不同频率下治理前后年径流量减少的比例

频率(%)	1	3	5	10	25	50	75	90
治理后年径流量减少	0.455	0.428	0.416	0.388	0.338	0.302	0.326	0.348

根据以上计算可以初步看出：

(1)治理前的多年平均年径流量是 6 024m^3，而治理后的多年平均年径流量为 2 144m^3，治理后较治理前平均年径流量减少 2/3 左右。

(2)从表 11 可以看出，对不同重现期的年径流量其影响程度也是不同的，虽然由于实测资料不足，不能看出明显的规律，但显然存在这样一种趋势，即随着重现期的增大其影响的相对百分比却随之减小，不过变化的幅度不大。

3.3　工程措施对冲刷的影响

工程措施主要包括谷坊群及道路防蚀等措施。

不同降雨条件下工程措施冲刷率变化见表 12。

表 12　不同降雨条件下工程措施冲刷率变化

时间（年·月·日）	降雨量（mm）	降雨强度（mm/h）	冲刷率	
			有森林覆盖	有森林覆盖及谷坊拦蓄
1958.7.3	30.9	7.1	0.565	0.207
1958.8.1	34.8	3.6	0.304	0.233
1958.8.11	46.8	8.6	0.676	0.255
1957.5.15	21.7			0.032
1957.6.12	32.5			0.003 5
1957.7.17	34.3			0.000 5
1955.7.2	46.4	4.2	0.351	0.000
1955.8.11	27.5	3.7	0.306	0.002
1955.9.10	31.0	3.9	0.328	0.013

从表 11 可以看出,实施工程措施的第一年,其对冲刷的影响最为显著,1955 年汛期前在大柳树沟修建谷坊群,该年冲刷率减少到几近于零。1950 年为丰收年,影响即不明显;1957 年进行谷坊工程的加修,几乎全部控制了冲刷;1958 年冲刷又有所增加。从中可以初步得出以下结论:

(1)谷坊工程措施对冲刷的影响量是不恒定的,而是呈逐渐减少的趋势,并可推测其对不同重现期的影响也是不同的。

(2)对于工程措施必须每年进行维修加固,才能取得比较好的效果。

渭河中上游河道冲淤变化分析

熊维新[1]

摘　要　本文采用定性和定量的分析方法，对渭河中上游河道的冲淤变化进行分析，进一步推求其泥沙输移比。经分析计算，1966～1983年18年间渭河中上游河道总冲刷量为1.629亿t，总淤积量为2.39亿t，冲淤抵消后，实际淤积量为0.76亿t，平均每年淤积0.04亿t，冲淤基本平衡。1971～1983年13年间总冲刷量为1.126亿t，总淤积量为1.95亿t，实际淤积0.82亿t，平均每年淤积0.06亿t，淤积比多年平均多，平均年输沙量1.139亿t，泥沙输移比为0.95。

在流域大面积水利、水土保持效益分析中，河道的泥沙输移比是一个极为重要的特征值，它的大小直接影响到效益的高低，要计算出泥沙输移比的大小就须对河道的冲淤变化进行分析。

1　河道概况

渭河中上游河道长182.5km，总落差达1 325.5m，平均比降1/260。陇西以上河道宽浅顺直，平均比降1/125；陇西以下河道迂回曲折，平均比降1/310，九川九峡相间，从上至下是陇西川、哑子峡、鸳鸯川、五家峡、甘谷川、裴家峡、新阳川、余家峡、三阳川、豆家峡、南河川、黄石峡、北道川、兰家溪峡、前川里川、伯阳峡、武隆川、宝鸡峡。其中陇西、甘谷川较长，约70km；南河川最短，约4km；峡谷除宝鸡峡较长外其余均较短，约2～8km。

渭河中上游支流很多，500km^{2}以上的一级支流有九条，左岸是：秦祁河、咸河、散渡河、葫芦河、牛头河、通关河；右岸是：榜沙河、南河、藉河。水系呈非对称分布，左岸支流多且大，水少而沙多；右岸支流少且小，水多沙少。支流中除秦祁河、咸河无显著峡谷外，其他七条均是川、峡相间，比降在1/100～1/200。

2　河道冲淤定性分析

河道冲淤的定性分析，首先得从河床特性入手，为此我们沿渭河中上游主流及多沙支流，对散渡河、葫芦河河道进行了实地调查，从而了解到干流渭源以上河床质为卵石，渭源以下为砂卵石河床，粒径从上到下由粗变细。右岸支流均发源于秦岭北坡的石质山区或土石山区，泥沙粒径大，推移质多，河床质多为卵石或砂卵石，在河口及其下游段淤积较多；左岸支流除牛头河、通关河河床质为砂卵石外，其余均为细砂或泥质河床，河口及下游段淤积较右岸支流少，但在支流的上游段，无论泥沙粒径大小，都因河道比降较大难于淤

[1]熊维新，男，四川苍溪人，黄河水利委员会水土保持局副局长，教授级高级工程师。

本项目系水利部第二期黄河水沙变化研究基金项目。

积而存在不同程度的冲刷。无论干流还是支流，河道在川区段均表现为淤积大于冲刷，在峡谷段则表现为冲刷大于淤积。这是因为，川区河道宽浅，水流由峡谷到川区在过水段而逐渐增大，水流速度逐渐减少的变化过程，进而使水流的挟沙能力由强变弱，导致一部分粒径较大的泥沙淤积在川区河道；相反水流在峡谷段，挟沙能力将由弱变强因而表现为冲刷。尽管干支流河道都几乎是冲淤并存，但在调查中发现总淤积量要大于总冲刷量，而沿河川区从地貌特征看均是河道淤积而成。沿河峡谷区往往受比较坚实的基岩所限，冲刷扩张缓慢，其冲刷量明显小于川区淤积量，这是通过较长的历史变化形成的。在短时间内这种变化不明显，葫芦河 1988 年 7 月 25 日发生的一次较大洪水资料显示，在秦安县城川区段就同时有冲刷淤积现象，在左岸人工河堤内的低滩地发生较严重的淤积，淤积厚度最薄为 7cm，最厚达 25cm，平均厚度为 3cm，所调查河段长 1 550m，宽 150m，面积 23.3hm^2，共淤泥沙 45 340t，淤积达 1 950t/hm^2；但在主流区又存在较严重的冲刷，其冲刷量难于计算。从这次洪水看，一次大洪水对河床的调整变化是很大的，两岸宽滩明显向上淤积发展，主河槽则明显向下冲刷切割。据沿河水文站资料，渭河中上游干支流河道几乎都是丰水年冲刷量远大于淤积量，枯水年则是淤积量远大于冲刷量，平水年份冲淤相差不多，多年平均来看，尽管河床有一定的调整变化，但总冲刷量与总淤积量基本平衡。渭河中上游水土保持治理工作从 20 世纪 50 年代开始，70 年代开展了大规模治理活动。各种水利水保措施现已初具规模，在这种情况下，河道的冲淤将发生什么样的变化呢？要弄清这一问题还必须进行定量分析。

3　河道冲淤定量分析

定量分析采用断面法，渭河中上游地区，共有水文控制断面 13 个，其中干流 3 个，支流 10 个；系列较长的有 8 个，短的有 5 个，实测大断面资料是从 1965 年开始的，每年选择各站汛后一次实测大断面资料，这样共有 196 个站年的实测大断面资料。将这些资料逐年点绘大断面图，即可计算出历年各断面的冲淤变化面积，然后根据沿河道调查的实际情况，确定出各水文断面所代表的河段，再从 1/50 000 的航测地形图上量出各代表河段长度，计算出河道冲淤量，泥沙容重取 1.5t/m^3，从各主要河段历年冲淤变化可以看出，各主要河段历年冲淤变化并不完全一致，但冲淤变化强烈的年份却又存在较好的一致性，如冲刷较多的 1973 年、1978 年和 1982 年，这些年份各水文断面均冲刷严重。而淤积较多的 1967 年、1974 年、1979 年和 1981 年各水文断面普遍淤积严重，各主要河段 1966 ~ 1984 年 19 年间总淤积量稍大于冲刷量，这完全与实地调查情况及实际分析结果相符合。

为了更清楚地了解渭河中上游河道历年冲淤变化的情况，将各主要河段的冲淤量进行汇总，可以看出渭河中上游河道冲淤年际变化十分突出，但多年平均冲淤变化就很不明显，1966 ~ 1983 年 18 年间总冲刷量为 1.629 亿 t，总淤积量为 2.39 亿 t，冲淤抵消后，实际淤积量 0.76 亿 t，平均每年淤积 0.04 亿 t，冲淤基本平衡。70 年代初流域大规模治理后河道冲淤变化情况是：1971 ~ 1983 年 13 年间总冲刷量为 1.126 亿 t，总淤积量为 1.95 亿 t，扣除冲刷量后绝对淤积 0.82 亿 t，平均每年淤积 0.06 亿 t，淤积比多年平均多，平均年输沙量 1.139 亿 t，据此可以推算出这一时段的泥沙输移比为 0.95。

4 结果分析

(1)从上面计算结果可以看出,渭河中上游河道的冲刷和淤积是交替进行的,究其原因主要是受气候因素影响,特别是降雨因素影响最大,如与雨量、雨强、雨型等有着较密切的关系。当雨量及雨强都很大时,就会造成峰高量大的洪水,使水流的挟沙能力极强,河床就会被严重冲刷,相反就会使河床淤积。暴雨中心在石质山区或土石山区,则水流将挟带大量的推移质和粗粒径的泥沙,这些推移质和粗粒径泥沙在支流下游段及河口或干流的宽浅河段因流速减小而淤积在河床,当暴雨中心降在黄土地区时,其结果就截然不同。

(2)泥沙输移比等于 0.95,凭直觉有些偏大,这存在着两种可能性,其一是它反映了渭河中上游河道的输沙特性。渭河中上游地区每当遇到枯水年份或暴雨偏少年份水流从坡面和小支沟带来的泥沙有相当一部分因水流的速度减小无法带动继续前进而停留下来,造成河床淤积,遇丰水年份或暴雨偏多年份常产生峰高量大的洪水,水流的挟沙能力极强,除了从坡面及细小沟道带走了大量泥沙外,还将枯水年份河道中淤积的泥沙也一起带走,这样就使得干支流河道多年平均冲淤基本平衡,因而输移比符合实际。其二是由于当初选择水文断面仅是为了控制水流的,大都选在较狭窄顺直的河道卡口处,而这些地方往往是冲淤变化不大而相对稳定的河段,而那些淤积较多的宽浅川区河段又没有观测资料,这样用水文控制断面资料计算出的河道淤积量可能偏小,从而导致推算的泥沙输移比偏大。

吕二沟流域水土流失特征及水保措施效益分析

张满良　张海强　黄桂香

摘　要　吕二沟流域属黄土丘陵沟壑第三副区，在20世纪50~60年代是我国水土保持综合治理的典型流域，自1954年开始作为水土流失观测试验流域进行了降水、径流、泥沙的长期观测，取得了丰富的实测资料。本文通过对该流域水土流失特征的分析，结合流域不同治理阶段的综合治理措施数量，对流域各治理阶段的水土保持措施的减水减沙效益进行了分析，以阐明水土保持各单项措施在流域综合治理中的效果。

1　基本概况

吕二沟流域是渭河一级支流藉河南岸的一条支流，流域面积12.01km²，呈狭长形，似叶舟状。干沟长6 800m，平均宽度1 830m，海拔在1 175~1 707m之间，相对高差532m。流域内丘陵起伏，沟壑纵横，有大小支沟51条，沟壑密度3.8km/km²，平均比降7.24%，其中坡面面积9.68km²，占流域总面积的80.7%，大部分在5°~20°；沟壑2.33km²，占19.3%，沟壑为底部切沟，溯源侵蚀严重。流域地区结构属陇西盆地东边缘地带，上游系白垩纪红色砂砾层，下游显现甘肃系红层及局部漂白层，岩石多为红色砂砾岩，分水梁峁黄土覆盖，低山坡脚青土与红土露头，土层薄厚不等，色调不一。在土壤侵蚀类型上可作为黄土丘陵沟壑区第三副区的典型代表。

20世纪50~60年代，该流域水土保持综合治理曾作为水土保持界的治理典型在全国推广，并多次受到地方政府部门的表彰、奖励。目前流域治理度已达70%左右，水土流失基本得到控制，由于植被恢复效果好，已被列为当地生态旅游园区，经济、社会效益初现端倪。

2　水土流失特征分析

2.1　流域泥沙来源分析

吕二沟流域的水土流失观测始于1954年，是我国最早布设的小流域水土流失观测网站。按照“前后对比”(治理前和治理后的对比观测)的原则，在小流域内布设了降水、径流、泥沙观测站点，通过各雨量点的实测资料，掌握流域范围内的实际降雨情况，利用沟口径流泥沙观测站实测次降雨的径流、泥沙数量，结合典型暴雨分析径流泥沙的来源，由此对整个流域在不同治理阶段的水土流失状况有了系统的了解，对流域的水土流失规律也有了比较完整的认识。

表1为流域径流泥沙来源分析。由表1可以看出，流域内的坡耕地、天然荒坡地的水土流失程度最高，主要是汛期暴雨和高强度的降雨造成了坡面土壤侵蚀；沟壑地的水土流

失较沟间地大，陡崖崩塌、泻溜等重力侵蚀危害也十分严重。

表 1　　吕二沟流域径流泥沙来源分析

地类		面积（hm^2）	占流域面积（%）	径流		泥沙	
				径流模数（万 m^3/km^2）	径流量（万 m^3）	输沙模数（t/km^2）	输沙量（t）
沟间地	坡耕地	3.262	27.20	6.29	20.52	8 490.0	27 720.0
	天然荒坡地	3.009	25.10	7.79	23.38	10 170.0	30 530.0
	道路村庄	0.160	1.30	20.97	3.36	9 400.0	15 040.0
	小计	6.431	53.60		47.26		59 754.0
沟壑	坡耕地	0.932	7.80	6.89	6.42	9 712.0	9 052.0
	天然荒坡地	4.140	34.50	8.09	33.37	12 600.0	52 300.0
	道路村庄	0.060	0.50	10.48	0.63	4 243.0	255.0
	陡崖泻溜	0.160	1.30	16.77	2.72	60 220.0	9 756.0
	沟床	0.280	2.30	32.95	9.60	47 480.0	13 340.0
	小计	5.580	46.40		52.60		84 703.0
合计		12.010	100.00		99.85		144 500.0

2.2 坡面水土流失特征

坡耕地：暴雨径流是坡耕地土壤侵蚀的主要动力，当土壤水分饱和后降雨形成地表径流，沿坡面集水线流动挟带土壤颗粒，留下明显的细沟侵蚀痕迹。坡度愈陡，侵蚀愈强烈。不同坡度土壤冲刷情况见表 2。

表 2　　不同坡度土壤冲刷情况

坡度	4°33′	7°45′	14°09′	17°31′
冲刷量（t/hm^2）	0.97	1.75	2.87	4.09
比例（%）	100	180	296	421

荒草地：流域内荒草地上由于有一定数量的植被覆盖，根系直接固持土体，茎叶减弱了雨滴溅击，同时增加了地面糙率，对集中水流有削能减势的作用，据观测荒草地侵蚀模数为 0.06t/hm^2。

林地：坡面林地的土壤侵蚀较小，据相邻梁家坪小区观测资料，5～7 龄刺槐人工林平均侵蚀模数为 0.04t/hm^2。

2.3 沟道土壤侵蚀特征

由于吕二沟流域地形破碎、地势陡峻、沟床比降大、基岩疏松，在下渗水分的作用下，使地表土体或岩石的内摩擦力和凝聚力减少，失去平衡，产生滑坡、崩塌、泻溜等剧烈重力侵蚀，尤以滑坡最为严重，见表 3。

表 3 吕二沟流域重力侵蚀情况调查

侵蚀类型	处 数 (处)	面 积 (hm^2)	年输沙总量 (t)
滑 坡	64	368	55 660
崩 塌	17		3 834
泻 溜	32	12.67	4 308

3 不同阶段水土流失变化

吕二沟流域径流泥沙观测自1954~1989年共分为三个不同阶段:1954~1960年为未治理阶段,1961~1980年为治理时期,1981~1989年为治理效益期。通过对这三个不同阶段水土流失特征的分析,可以看出水土保持治理措施对小流域水土流失的影响程度。

3.1 流域各阶段降雨、水土保持措施状况

吕二沟流域在1989年以前,年降水量均在600mm以上,降水量充沛,属平、丰水年期,汛期也在500mm以上,7、8、9月份的降水量占全年降水量的50.2%,年内分配不均,变率比较大,见表4。

表 4 吕二沟流域各时段降水情况

时 段	年均降水总量 (mm)	汛期		7~9月		洪水	
		降水量 (mm)	占全年 (%)	降水量 (mm)	占全年 (%)	降水量 (mm)	占全年 (%)
1954~1960	605.5	506.3	83.6	314.8	52.0	208.3	34.4
1961~1980	632.5	518.9	82.0	324.9	51.4	141.7	22.4
1981~1989	636.1	557.4	87.6	299.5	47.1	140.1	22.0

1960年以前,流域水土保持措施主要以自然植被、自发耕作措施为主。进入20世纪70年代,人为水土保持措施开始实施,年增加速度较快,截至1989年流域治理面积达到748.1hm^2(见表5)。

表 5 吕二沟流域各时段水土保持措施面积 (单位:hm^2)

年 份	梯田	林 地	果 园	人工牧草	封坡育草	治理面积	治理度 (%)
1954~1960	13.6	120.7	18.3	22.6		175.2	14.6
1961~1980	124	370.1	51.4	37.8	20	603.4	50.2
1981~1989	178.7	389.8	15.5	14.8	149.3	748.1	62.39

3.2 流域不同时期径流、泥沙特征分析

随着治理面积的增加,在降雨变化不大的情况下,流域径流泥沙明显减少(见表6)。

表 6　　吕二沟流域各时段径流泥沙特征分析

时 段	年均输沙量（万 t）	汛 期(5～10 月)		洪 水	
		输 沙(万 t)	占(%)	输 沙(万 t)	占(%)
1954～1960	13.45	13.00	96.70	11.46	85.20
1961～1980	6.78	6.44	95.10	4.79	70.65
1981～1989	5.18	5.08	98.07	4.08	78.77

3.3　吕二沟流域不同降水情况下水土保持措施效益系数

通过吕二沟流域水土保持措施对径流、泥沙影响效果的分析，结合相邻径流小区资料(梁家坪径流场距吕二沟不足 1km)，各水土保持措施减水减沙效益系数见表 7。

表 7　　吕二沟流域不同降水年水土保持措施效益系数

措施名称	丰水年		平水年		枯水年	
	减水(%)	减沙(%)	减水(%)	减沙(%)	减水(%)	减沙(%)
水平梯田	90	95	93	98	100	100
林 地	40	70	45	75	50	80
果 园	5	5	10	10	15	15
人工牧草	43	83	54	76	67	70
封坡育草	30	67	38	61	47	56

从表 7 可以看出，梯田的减水减沙效益最大，但在丰水年、平水年由于土壤水分的饱和，也产生一定量的水土流失；林地和草地的减水、减沙效益平均为 40%～50%、50%～80%；果园地由于植被稀疏，覆盖度较低，减水减沙效益较差。

枯水年降雨量小，强度不大，各项措施的减水、减沙指标相对较大，而在丰水年，全年降水量充足，汛期暴雨、大雨频繁，降雨强度大，各水土保持措施的减水减沙系数相对较小。

4　吕二沟流域水土保持措施减水减沙效益分析

借助与吕二沟相毗邻的我国最早的坡面径流小区资料，采用“水保法”对流域不同治理措施的减水减沙效益进行分析，见表 8。

各项措施单位面积减水减沙以梯田为最优，其次是林地(郁闭度在 65%)，草地的减水减沙效果也较为明显，但丘陵沟壑区因土层薄、坡度不同，修梯田条件有限。所以，在西部大开发生态环境建设的实施过程中，退耕还林草是根治水土流失、改善生态环境的最有效措施。随着沟道坝系工程的建设，降水资源的充分利用，为荒坡植树、种草提供了充足的水源，淤地坝蓄水的利用将成为本区生态恢复的重要保证。

表8　　流域不同治理措施的减水减沙效益分析

项　目	梯田	林地	果园	人工草地	封坡育草	合计
减水(万 m^3)	6.075	9.229	0.132	0.764	1.062	17.26
占减水量(%)	35.2	53.4	0.80	4.4	6.2	100
减沙(万 m^3)	0.604	1.430	0.013	0.100	0.186	2.327
占减沙量(%)	26.0	61.1	0.6	4.3	8.0	100
单位面积减水(m^3/hm^2)	456.75	261.0	42.75	258.75	200.25	
单位面积减沙(m^3/hm^2)	45.0	40.5	4.5	33.75	36.0	

5　结论

(1)吕二沟流域土壤侵蚀主要以重力侵蚀为主,滑坡、崩塌、泥石流等频繁发生,治理前期输沙量占全年的68%,坡面细沟侵蚀所产生的输沙量占30%。

(2)小流域综合治理是水土保持的一项重要措施,吕二沟流域自20世纪50年代开始进行综合治理,主要是以林草措施为主,治理后期以荒坡禁封为主要措施,到1990年林草覆盖率达40%左右,水沙流失明显减少。

(3)从小区到流域观测结果表明,水土保持单项措施效益中梯田的保水保土效益最为明显,但投资大,且缺乏明显环境效益。在丘陵沟壑区,在陡坡荒地上采用生态修复措施、沟道采用修建淤地坝工程,治理效果更好。

坡面措施对小流域治理的减水减沙效益分析

高小平[1] 康学林 郭保文

摘 要 据对吕二沟流域坡面治理措施水平梯田、人工林地、草地等减水减沙作用分析,在治理度为50%的条件下,即使没有库坝沟道工程,流域治理仍具有显著的减水减沙效益:年均减水量为16.99万 m^3,减沙量为3.062万 t,分别占年均计算径流总量69.35万 m^3 与年均计算输沙总量7.655万 t的24.5%和40%。

梯田、林草等单项坡面措施蓄水保土的效益与机制已被大量径流小区观测数据和专题研究所证实。但如何评价小流域综合治理措施中坡面措施,尤其是林草措施对减少全流域径流和输沙的效益,学术界各持已见,目前尚未形成统一的认识。这一问题涉及到对水保治理的全面、客观的评价,关系到今后水保治理方略的制定。为此,在整理与分析以林草措施为主的吕二沟小流域多年实测水沙资料的基础上,拟对以林草措施为主的坡面治理在小流域减水减沙中的作用与效益作一分析。

1 基本情况

吕二沟流域是渭河支流藉河右岸的一条支沟,属黄土丘陵沟壑区第三副区,测站控制面积12.01km²。该流域于1953年被列为丘三区典型小流域开展综合治理,1954年起布设站网进行降水、径流、泥沙等观测,积累了较长系列的基本资料。流域1954~1989年多年平均降水量为628.2mm,降水变化于415.5~842.2mm,汛期(5~10月)降水量占年降水量的82.3%,产洪降水量占年降水量的25.3%。降水年际、年内分配不均,流域水土流失主要来自汛期降水,尤其是来自于暴雨和高强度阵雨,多年平均汛期径流量占年径流量的85.1%,最大达99%(1980年);洪水径流量占年径流总量的36.6%,最大达65.0%(1956年);汛期输沙量占年总量的96.5%,最大达99%(1980年);洪水输沙量占年输沙总量的77.6%,最大达95.6%(1955年)。

1954~1989年,流域治理经历了治理与破坏并存的发展过程。据1991年采用1/10 000地图实地调绘结果,流域内累计保存各种水保措施有效面积7.481km²,占流域面积的62.3%,其中林草措施面积占总措施面积的76.1%。林草措施分项统计为:人工林地占52.0%,果园占2.1%,人工草地占2.0%,封坡草地占20.0%,水平梯田占23.9%。各类措施分布于梁峁坡面的面积占该类措施总面积的百分比依次为:水平梯田91.0%,林地42.0%,果园52.1%,人工草地75.0%,封坡草地35.9%。

---

[1]高小平,男,甘肃天水人,工程师,天水水土保持科学试验站副站长。

2 水保措施减水减沙效益分析

2.1 分析时段的划分

依据流域逐年降水量、径流量和输沙量资料点绘的 1954 ~ 1989 年降水量、径流量、输沙量间各种累计关系曲线，参照历年累计保存有效措施面积情况，并考虑到 1965 ~ 1974 年观测中断的实际，近似地以 1954 ~ 1964 年作为自然治理的对照时段，以 1975 ~ 1989 年作为有计划地重点治理的效益分析时段，该时段流域的年均治理度为 50%。

2.2 分析方法

对观测资料的初步分析结果：分析时段与对照时段相比，年降水量减少 3.0%，而年径流量与年输沙量则分别减少 55.2% 和 66.0%。因此，须分析计算扣除降水特性的影响以后，水土保持综合措施的效益以及不同单项措施对流域减水减沙的作用。考虑资料与分析研究方法的局限性，同时采用经验公式法和水保法进行分析对比。

2.2.1 经验公式法

根据流域水土流失特点，选用对照时段逐年非汛期降水量 P_f(mm)、汛期产洪降水量 P_h(mm)和汛期非产洪降水量 P_x(mm)为变量，分别与年径流量 W(m^3)及年输沙量 W_s(t)建立的降水与径流、降水与输沙经验公式如下：

$$W = 2.8167 P_f^{0.3434} P_h^{1.0337} P_x^{0.9722} \quad (1)$$

$$W_s = 0.2318 P_h^{1.5448} P_x^{0.8568} \quad (2)$$

将分析时段逐年的 P_f、P_h 和 P_x 实测值代入式(1)、式(2)，得出相当于治理前的 W 和 W_s 实测值，由此计算分析时段内逐年水保综合措施的减水减沙效益。

2.2.2 水保法

按基本思路的不同又可分为两种具体方法。

(1)效益系数法。基本公式为：

$$\Delta W = \sum \eta_{wi} \cdot F_i \cdot M_w \quad (3)$$

$$\Delta W_s = \sum \eta_{si} \cdot F_i \cdot M_s \quad (4)$$

上二式中，F_i 为各类水保措施累计保存有效面积，km^2；η_{wi} 为各类水保措施的减水效益系数，%；η_{si} 为各类水保措施的减沙效益系数，%；M_w 为无治理措施下的流域年径流模数，m^3/km^2；M_s 为无治理措施下的流域年输沙模数，t/km^2。

由于流域没有非治理状态下的观测资料，故须按式(3)、式(4)进行多次逼近试算，求得流域无治理措施情况下的 W、W_s 及 M_w、M_s，再按式(3)、式(4)计算分析时段内逐年水保综合措施和单项措施的减水减沙效益。

(2)地理综合法。基本公式为：

$$\Delta W = \sum F_i (M_{woi} - M_{wi}) \quad (5)$$

$$\Delta W_s = \sum F_i (M_{soi} - M_{si}) \quad (6)$$

上二式中，M_{woi} 为各类水保措施对照地的年径流模数，m^3/km^2；M_{soi} 为各类水保措施对照地的年输沙模数，t/km^2；M_{wi} 为各类水保措施地的年径流模数，m^3/km^2；M_{si} 为各类水保措施地的年输沙模数，t/km^2。

计算时逐年按流域年降水量的丰、平、枯变化，以沟口实测值为控制进行多次逼近试算，求得 M_{woi}、M_{soi} 和 M_{wi}、M_{si}，再按式(5)、式(6)计算逐年水保综合措施和单项措施的减水、减沙效益。

分析中采用的措施有效面积，指能有效拦蓄地表径流泥沙的措施面积。水平梯田应完好无损；林地树木一般栽植6年以上，基本郁闭，林下有杂草与枯落物；人工草地只统计多年生草地。数据是以1991年实地填图结果为控制，综合分析订正历年统计调查资料确定的。

采用的各类水保措施减水减沙效益系数 η_{wi} 与 η_{si}，系根据流域附近的梁家坪径流小区1945～1957年资料、罗玉沟试验场径流小区资料以及侵蚀调查资料，按年降水量的丰、平、枯变化与流域水沙平衡原理，经综合分析后确定的，见表1。

表1　吕二沟流域不同降水年各类水保措施效益系数 η_{wi}、η_{si}　%

措施	丰水年		平水年		枯水年	
	减水	减沙	减水	减沙	减水	减沙
水平梯田	90	95	93	98	100	100
人工林地	40	70	45	75	50	80
果园	5	5	10	10	15	15
人工草地	43	83	54	76	67	70
封坡草地	30	67	38	61	47	56

2.3 分析结果

(1)采用上述方法分析计算的吕二沟流域水保综合措施年均减水减沙效益见表2。

表2　吕二沟流域水保措施年均减水减沙效益

计算方法	经验公式法	水保法	
		效益系数法	地理综合法
减水量(万 m^3)	16.44	16.60	17.92
减水效益(%)	23.9	24.1	25.5
减沙量(万 t)	3.512	2.892	2.781
减沙效益(%)	43.4	38.7	37.8

注：两种水保法在分析计算中均考虑了坡面措施减水对沟道产沙的影响。

三种计算方法都是依据水沙平衡原理提出的，并从不同角度考虑了降水特性的变化与下垫面因素变化的影响，其计算结果基本能反映出流域水保措施的综合减水减沙作用。但是，由于流域产沙是一个极其复杂的问题，三种分析方法对流域产沙条件考虑的角度、深度与广度不同，方法本身各有其优点，故计算结果之间存在一定的差异。从表2可以看出，三种计算方法所得结果差异并不大，可以认为计算值是基本可靠的。取其平均值得出水保综合防治措施年均减水量为16.99万 m^3，年均减沙量为3.062万 t，分别占年均计算径流量69.35万 m^3 的24.5%和年均计算输沙量7.655万 t的40.0%。

(2)不同单项措施对流域减水减沙的作用。采用两种水保法计算了各类水保措施历年的减水减沙效益，其计算值实质上就是不同单项措施对流域减水减沙的作用。取两种水保法计算结果的平均值，得出不同单项措施的多年平均减水减沙效益见表3。

表3　吕二沟流域不同单项措施年均减水减沙效益

项目	水平梯田	人工林地	果园	人工草地	封坡草地	合计
减水量(万 m^3)	6.075	9.229	0.132	0.764	1.062	17.26
占总减水量(%)	35.2	53.4	0.8	4.4	6.2	100
减沙量(万 t)	1.114	1.430	0.013	0.100	0.186	2.843
占总减沙量(%)	39.2	50.3	0.5	3.5	6.5	100
平均措施面积(hm^2)	132.66	354.53	31.06	29.53	52.93	600.73
占措施总面积(%)	22.1	59.0	5.2	4.9	8.8	100
每公顷减水量(m^3)	457.5	261	42.45	258	201	
每公顷减沙量(t)	84	40.35	4.2	35.1	35.1	

3　问题与探讨

(1)吕二沟流域经过长期的治理，累计保存各种水保措施的有效面积达流域面积的62%，其中林草措施面积占总措施面积的76.1%，且没有沟道工程，分析期(1975～1989年)平均水保措施面积占流域面积50.0%的条件下，水保综合措施的年均减水量为16.99万 m^3，年均减沙量为3.062万 t，分别占年均径流总量和年均输沙总量的24.5%和40%。这一事实说明，坡面治理措施形成一定规模以后，即使没有沟道拦蓄工程，其小流域减水减沙效益仍然是显著的。这一结论也可从理论上加以阐明：据文献介绍，坡耕地水土保持措施对降水入渗和径流泥沙的影响，主要表现在延缓径流发生时间和减少坡面产流产沙两个方面。坡面措施延缓了径流发生时间，就意味着削减了流域洪水的峰量；坡面措施增加了降水的入渗，就意味着减少了流域洪水的峰量与总量，两者都将大大减轻洪水对沟道的冲刷作用。从调查中看到，吕二沟绝大多数原先不断下切的支毛沟，都已停止了下切，沟床中长满了杂草，为数众多的原来处于活动阶段的滑坡也保持了相对稳定状态。说明坡面措施在减少径流泥沙后，可进一步减少沟道产沙量。此外，邻近的罗玉沟流域两场典型大暴雨的产流输沙分析对比结果，也证实了坡面措施在减少流域径流泥沙和削减洪峰流量方面具有的显著作用。

(2)在吕二沟流域分析期现有措施配置条件下，表3所列各类单项措施多年平均单位有效面积减水量、减沙量数值，是以坡地小区观测资料为依据计算出来的，其作用大小的排序顺序也与文献资料相吻合。这些经过全流域分析确定的单项措施减水减沙指标，可以作为初步成果而取代标准小区的分析结果，并将其用于同类地区小流域规划和水保措施设计。

渭河中上游水土保持治理减沙效益分析

熊维新

摘 要 本文利用调查统计资料，对渭河中上游经过几十年的治理后各项水土保持措施的拦泥拦沙效益进行了分析计算。计算结果为1970～1985年间黄土丘陵沟壑区坡面措施拦沙量为12 291万t，其中梯田拦沙8 524万t，造林拦沙2 888万t，种草拦沙879万t；中小型水库总淤积量为21 928万t，塘坝的淤积总量为2 940.48万m^3，淤地坝的拦沙量为2 500万t；1959～1983年灌溉引沙1.294亿t。渭河中上游地区林家村水文站非治理时段(1959～1970年)与治理时段(1971～1983年)对比分析得减沙比例为43.8%，水土保持措施总减沙效益为22%。

1 流域概况

1.1 地理简况

渭河是黄河中游一条较大的支流，发源于甘肃省渭源县鸟鼠山，自西向东流经陇西、天水、宝鸡、咸阳、西安等市县，在陕西潼关附近汇入黄河。本研究范围为林家村水文站以上30 661km^2的区域。根据地貌特征该区域大致可分为黄土丘陵沟壑区、土石山区和河谷川台区三个类型区。

黄土丘陵区：面积约22 312km^2，分布在流域的中部、西部和北部。其特点是黄土深厚，土质松软，丘陵起伏，沟壑纵横，谷坡陡缓，植被稀少，暴雨集中，洪水陡涨陡落，水土流失严重，多年平均侵蚀模数7 000t/km^2，流域南部藉河支流吕二沟实测最大侵蚀模数达24 500t/km^2，在左岸支流散渡河、葫芦河、秦祁河的局部最大侵蚀模数达30 000t/km^2。本类型区土壤侵蚀的方式主要为水蚀，其侵蚀形态主要有水力侵蚀和重力侵蚀两种，重力侵蚀在局部地方极为发育，成为固体物质的主要来源。在水力侵蚀中以漫流、细沟、切沟、冲沟侵蚀形态为主。坡面侵蚀量，据吕二沟资料推算沟壑多年平均侵蚀量占流域多年平均侵蚀量的82%。

土石山区：面积约为8 349km^2，分布在流域分水岭地带，一般宽10～20km，多为稀疏梢林，岩石多露头、高寒阴湿、雨水较多，年侵蚀模数在500～3 000t/km^2，平均约1 500t/km^2。

此外，河谷川台区面积约为流域面积的6%，一般侵蚀轻微。

流域内支流很多，500km^2以上的一级支流有9条，呈非对称分布，左岸是：秦祁河、咸河、散渡河、葫芦河、牛头河、通关河；右岸是：榜沙河、南河、藉河。左岸支流多且大，水少沙多；右岸支流少且小，水多沙少。除秦祁河、咸河无显著峡谷外，其余7条均是川峡相间，平均比降在1/100～1/200，流域有关参数见表1。

本项研究系水利部第二期黄河水沙变化研究基金项目。

1.2 气象及水文特征

(1)降水:渭河中上游地处秦岭北部、黄土高原西南部,冬季受蒙古高压控制,夏季为大陆低压控制,属大陆性气候。流域东、南、西三面为六盘山、关山、陇山、秦岭、鸟鼠山等山脉环抱,山坡大部都处在暖湿气流的背风面,不宜形成气流越坡造雨效应,因而降水少,气候较干燥。多年平均降水量为553mm,且在时空分布上很不均匀。大体是由东南向西北逐渐减少。该流域的降水量集中在汛期,汛期(5~10月)平均降水量占多年平均降水量的84.4%,其中6~9月降水量占多年平均降水量的66.1%。

表1 渭河中上游干、支流特征参数统计

项目		渭河	渭河	渭河	散渡河	葫芦河	藉河	牛头河
控制站		林家村	南河川	武 山	甘 谷	秦 安	天 水	社 棠
主河长(km)		406	267	167	128	297	80	90
平均比降		1/260	1/300	1/230	1/157	1/330	1/100	1/97
形状参数	长(km)	292.5	138	106	73.5	144	55.5	75
	宽(km)	104.8	13.79	6.92	0.74	4.40	1.01	2.51
年均径流(亿 m^3)		23.1	13.79	6.92	0.74	4.40	1.01	2.51
年均径流模数(m^3/km^2)		75 340	58 969	85 644	29 683	44 875	49 411	135 969
泥沙参数	含沙量(kg/m^3)	67.1	83.7	39.2	286.5	142.9	44.0	34.4
	中数粒径(mm)	0.021 1	0.022 2	0.022 4	0.021 6	0.022 5	0.021 5	0.022 0
侵蚀模数(t/km^2)		5 006	5 302	3 284	8 857	5 313	3 594	2 858
流域面积(km^2)		30 661	23 385	3 080	2 482	9 805	1 019	1 846

渭河中上游除了降水量在时空分布上不均匀外还存在暴雨较多的特点,汛期洪水大多由暴雨产生的。

(2)径流:渭河中上游地区年径流量与年降水量相关关系较好,经分析干流各站及主要支流水文站所控制流域年降水量与径流的相关系数都在0.7以上。径流量年内分配与降水量年内分配有相似之处,如7~10月径流量占全年的61%,但径流量的年内分配较降水量均匀。渭河中上游径流的年际变化较大,变差系数 $C_v=0.49$,根据1959~1983年25年的系列统计,年径流量最多时高达48.8亿 m^3(1964年),最少时仅有7.08亿 m^3(1972年),相差7倍左右。

(3)泥沙:渭河中上游黄土丘陵沟壑区面积占流域面积的68%,该区泥沙占流域输沙量的90%以上,是河流泥沙的主要源区。全流域年均输沙量为1.56亿t,从各水文站资料分析,泥沙产区分布是武山站以上年均输沙量为0.274 9亿t,占全流域输沙量的17.6%;散渡河甘谷站以上年输沙量为0.223 9亿t,占14.4%;葫芦河秦安站年输沙量为0.8亿t,占51.3%;干流武山至南河川区间年输沙量为0.131亿t,占8.4%;藉河天水站年输沙量为0.035 6亿t,占2.3%;牛头河社棠站年输沙量为0.072亿t,占4.6%;南河川至林家村区间来沙量为0.022亿t,占1.4%。渭河中上游河流泥沙年内分配很不均匀,6~9月占输沙量的80%以上,7~8月约占全年的67.2%。

泥沙的年际变化较径流大,林家村水文站1959~1983年输沙量系列变差系数 C_v = 0.60,年输沙量最多达2.96亿t(1966年),最少时仅0.355亿t(1974年),相差8倍。

1.3 土地利用及水土保持现状

截至1985年底,全流域农用土地111.62万 hm^2,占总土地面积的37%;林地51.28万 hm^2,占17%;草地45.25万 hm^2,占15%;水域10.55万 hm^2,约占3.5%;牧荒地48.27万 hm^2,约占16%;非生产用地34.7万 hm^2,约占11.5%。

渭河中上游地区水土保持工作是从20世纪50年代初起步的,经历几起几落,1953~1960年为初期治理阶段,1960~1962年为停顿破坏阶段,1963~1979年农田建设较快,但林木破坏严重,1979~1985年农田建设较少,但林草发展较快。总之,经过三十多年的流域综合治理,各种水土保持措施已初具规模。截至1985年底,全流域共新修梯田25.76万 hm^2,造林19.17万 hm^2,种草2.46万 hm^2,淤积坝地833.3 hm^2,修建中小型水库135座,塘坝527座,沟头防护工程6 566处,谷坊27 213座,涝池4 714个、水窖46 931眼。

2 各项措施拦沙量计算

水土保持措施归纳起来大致可分为坡面措施和沟壑措施两大类。坡面措施主要包括梯田、造林、种草等;沟壑措施主要包括水库、渠道、塘坝、坝地等。其拦沙量分别计算如下。

2.1 坡面措施拦沙量计算

由于各类型区坡面侵蚀程度不同,故相同的措施在各区所拦泥沙的多少也必然有差异。所以采取分类型区拦沙量相加即得全流域坡面措施的拦沙量。计算公式为:

$$W_{坡} = M_{坡} F_i \eta_i$$

式中, $W_{坡}$ 为坡面措施拦沙量,万t; $M_{坡}$ 为坡面产沙模数,t/km²; F_i 为坡面某种单项措施分布面积; η_i 为坡面某种单项措施的拦沙效益。

$M_{坡}$ 的确定:首先要求得坡面产沙量、沟谷产沙量、坡面面积、沟谷面积四个参数。采用在渭河中上游有代表性的藉河支流罗玉沟流域的实测资料,该流域1987年总输沙量为70.22万t,其中坡面产沙32.5万t,沟道产沙29.2万t,重力侵蚀产沙8.5万t,后两项之和即为沟谷产沙量37.7万t。从1/10 000的地形图上量得坡地面积为53.13 km^2,沟谷地面积为19.66 km^2,全流域面积72.79 km^2。由此求得,坡地侵蚀模数 $M_{坡}$ 为6 120 t/km²,沟谷侵蚀模数 $M_{沟}$ 为19 180 t/km²,沟谷地与坡地侵蚀模数之比为1:3.13。

为了求得渭河中上游地区坡地与沟谷地的面积比,在1/50 000航测地形图上选取了65个图块,每块面积为20.25 km^2。逐一量算坡地与沟谷地面积,然后统计两者之比,65块小图的总面积为1 316.25 km^2,占流域面积30 661 km^2 的4.3%,比例适中,且在选点时已考虑到各类型区合理布局,因此65个样点基本可以代表全流域的情况。经统计计算该流域坡地与沟谷地面积之比为0.73:0.27,平均侵蚀模数 M 为:

$$M_{沟}/M_{坡} = 3.13$$

$$0.73M_{坡} + 0.27M_{沟} = M$$

联解方程得 $M_{坡}=\frac{M}{1.58}$。

流域平均产沙模数 M 的确定：根据渭河中上游各侵蚀类型区内水文站历年观测资料，采用面积加权法分别求出，计算结果是土石山区平均产沙模数为 1 500t/km^2，黄土丘陵沟壑区为 7 200t/km^2。

各单项措施面积 F_i 的确定：为使水土保持措施减沙效益计算结果更接近实际，对措施面积统计数据采取了抽样调查的方法，在全流域共选择有代表性的 17 个村逐一进行实地调查，对各村年报中的梯田、造林、种草面积都进行了踏勘量算、核实，求出各村梯田、造林、种草三项措施实际面积占统计面积百分数，然后将 17 个村的数据平均即得代表全流域三项措施实际面积占统计面积的百分比。结果表明梯田实际面积仅为统计面积的 68.3%，造林面积仅为 53.8%，种草实际面积仅为 42.7%，根据比例将渭河中上游梯田、造林、种草三种主要坡面水土保持措施的统计数据进行折算修正，修正后的数据将更接近实际情况，这在一定程度上提高了水土保持减沙效益成果的可信度。

坡面措施拦沙效益系数 η_i 的确定：根据天水、西峰、绥德三个水土保持试验站 20 世纪 50 年代小区试验资料，种草拦沙效益为 73.5%，但由于小区条件与大面积自然条件相比优越得多，若将小区成果推广到大面积减沙效益中其计算成果将偏大，对此也必须进行修正，渭河中上游地区的人工种草均作为饲料用途，因此每年都要进行刈割，刈割后的草地拦沙效益极小。该流域产生坡面径流的时期为 4～10 月，在这 7 个月中有一个月时间因刈割破坏草地植被，因而将小区拦沙效益推广到大面积计算时，用 6/7 折减，折减后的拦沙效益 $\eta_{常}=63\%$。

林地的拦沙效益：小区试验造林拦沙效益为 83.6%，据了解各地造林标准不同，因管理不善低标准造林多，许多林下无枯枝落叶层，因而其拦沙效益较小区林地拦沙效益差别较大。从调查的情况看，林地的拦沙效益小于草地。据《甘肃省水土保持区划工作细则》，林地拦沙效益为草地拦沙效益的 86%，由此推得大面积林地的拦沙效益为 54%。

梯田的拦沙效益：据小区试验，梯田的拦沙效益高达 96%。渭河中上游地区所修梯田大部分达不到小区标准。在调查中看到相当一部分梯田以上有部分汇流面积，有些梯田管理差，地埂破碎，冲口严重，大大降低了其拦沙效益，遇到大雨或暴雨时，就会引起较大的径流和土壤流失。如 1988 年 7 月 4 日天水市降雨 35mm 时就有一部分田面不平整、地埂管护差的梯田出现冲口，雨后在石马坪村调查了 20 块梯田，其中有 13 块梯田的地埂有新冲开的缺口，缺口数达 29 个，由此可见大面积梯田的拦沙效益较小区低。据《甘肃省水土保持区划工作细则》，梯田的拦沙效益是草地拦沙效益的 1.25 倍，由此推算出大面积梯田的拦沙效益为 79%。

由于坡面措施实施后将持续发挥其拦沙作用，因而须逐年计算其拦沙量。其修正后的各项措施面积及其他参数代入坡面措施拦沙量，计算结果为 1970～1985 年间黄土丘陵沟壑区坡面措施拦沙量为 12 291 万 t，其中梯田拦沙 8 524 万 t，占 69.4%，造林拦沙 2 888 万 t，占 23.5%，种草拦沙 879 万 t，占 7.1%。1971～1983 年拦沙总量为 9 844 万 t。

2.2 沟壑措施拦沙量计算

(1)中小型水库拦沙量计算：据调查，渭河中上游地区共有中小型水库 135 座，其中无泥沙淤积资料的均为小型水库有31座。由计算得知有淤积资料的104座水库总库容为34 739.84万m^3,总淤积量为12 985.15万m^3。其中8座中型水库总容积20 050.59万m^3,总淤积量为8 750.67万m^3,占总库容的43.6%;44座小(一)型水库总容积为11 884.29万m^3,总淤积量为3 566.34万m^3,占总容积的30%;小(二)型水库52座,总容积为2 804.96万m^3,总淤积量为667.99万m^3,占总库容的23.8%;无淤积资料的小(一)型水库5座,总库容为3 693.8万m^3,按有资料的小(一)型水库淤积率推算,总淤积为1 108.1万m^3;无资料的小(二)型水库26座,总库容为2 207.34万m^3,按有资料的小(二)型水库淤积率推算,总淤积量为525.35万m^3。将以上几项相加得渭河中上游中小型水库淤积总量为14 618.64万m^3,泥沙容重取1.5t/m^3,则总淤积量为21 928万t。为了更清楚地了解流域历年水库淤积量增长情况,用各水库年均淤积量还原计算出渭河中上游水库历年淤积量可以看出,50年代末和70年代水库发展比较快,60年代发展较慢,80年代停滞不前。

(2)塘坝拦沙量计算:据调查,全流域共有塘坝527座,其中100座有泥沙淤积资料,总淤积量为557.82万m^3,占总库容的62.1%,平均每座塘坝淤积5.58万m^3,按有淤积资料的塘坝推算,427座无淤积资料的塘坝淤积量为2 382.66万m^3。因此,推算527座塘坝的淤积总量为2 940.48万m^3。

(3)淤地坝拦沙量计算:渭河中上游地区淤地坝工程数量少,大部分为70年代所修建。据调查,现有的统计面积都偏大。天水市两区五县70年代统计有坝地253.3hm^2,而据1983年调查仅140hm^2,实际坝地面积仅为统计面积的55%。全流域现有统计坝地面积0.15万hm^2,经折算后为833hm^2。据黄河水利委员会水科所调查资料,甘肃省坝地拦沙指标取30 000t/hm^2,渭河中上游大部在甘肃境内,因此取30 000t/hm^2来估算淤地坝的拦沙量,计算淤地坝的拦沙量为2 500万t。

(4)灌溉引沙量的计算:渭河中上游地区以引水灌溉为主。该区渠道除陕西宝鸡峡渠有泥沙观测资料外,其余均没有。灌溉引沙分析计算借用邻近水文站资料,计算结果是从1959~1970年灌溉引沙0.011亿t;1971~1983年引沙1.283亿t。

3 减沙效益计算

为计算水土保持减沙效益,用各干支流水文站资料,点绘降水径流泥沙双累计曲线图,分析各控制断面径流泥沙变化趋势。以林家村占降水径流泥沙累计曲线图为例,可以看出泥沙累计曲线在1965年和1970年发生转折,这说明1965~1970年间泥沙有增加的趋势,但不明显;70年代以后时段有明显减少的趋势。径流累计曲线明显的转折点为1970年,这说明70年代初开始的兴修水利工程,农田基本建设和水土保持工作的开展对河流径流泥沙变化产生了一定的影响。为此将1959~1983年水文系列分为1959~1970年、1971~1983年前后两个时段,前时段代表治理程度低,基本无减沙效益的情况,后时段代表通过流域治理后有明显减沙效益情况,前后两时段比较即得出径流泥沙减少总量,然后计算水土保持各项措施拦沙量在其中所占比例即为减沙效益。渭河中上游各主要控制站前后时段径流泥沙变化情况见表2,各项措施拦沙量见表3。

从表2、表3可以看出,林家村以上整个渭河中上游地区1971~1983年时段较1959~

1970年时段共减少泥沙11.518亿t,平均每年减沙0.886亿t,减沙比例为43.8%,同期水利水保措施拦沙总量为4.629亿t。增加了水利水保措施拦沙量后,可用下式计算减沙效益:

表2　**渭河中上游流域减沙量计算成果**

河名站名	流域面积 km^2	计算时段(年)	平均年降水量(mm)	平均年径流量(亿 m^3)	平均年输沙量(亿t)	年平均增减量			增减比例 $\frac{I-II}{I}$(%)			减沙量(亿t)
						降水 I－II (mm)	径流 I－II (亿 m^3)	输沙量 I－II (亿t)	降水	径流	输沙	
渭河武山	8 080	1959～1970(I) 1971～1983(II)	523 501	7.57 6.32	0.298 0.25	22	1.25	0.043	－4.2	－16.5	－16.1	0.624
散渡河甘谷	2 484	1959～1970(I) 1971～1983(II)	461 432	0.939 0.56	0.289 0.163	35	0.379	0.126	－7.5	－40.4	－43	1.638
葫芦河秦安	9 805	1959～1970(I) 1971～1983(II)	538 482	5.577 3.314	1.122 0.531	56	2.263	0.591	－10.4	－40.5	－52	7.68
渭河南河川	23 385	1959～1970(I) 1971～1983(II)	526 466	17.83 12.39	1.793 1.097	60	5.44	0.696	－11.4	－30.5	－39	9.046
牛头河社棠	1 846	1959～1970(I) 1971～1983(II)	591 581	2.414 1.470	0.063 5 0.049 3	10	0.924	0.014 2	－1.7	－38	－22	0.185
藉河天水	1 019	1959～1970(I) 1971～1983(II)	590 571	1.323 0.647	0.049 0.024	19	0.676	0.029	－3.2	－51	－51	0.325
渭河林家村	30 661	1959～1970(I) 1971～1983(II)	596 509	30.82 15.99	2.025 1.139	87	14.83	0.388	－14.6	－48	－43.8	11.518

表3　**渭河中上游各项措施1971～1983年拦沙量汇总**　(单位:万t)

措施名称	梯田	造林	种草	水库	塘坝	淤坝	渠道	合计
拦沙量	6 966	2 169	709	16 700	4 411	2 500	12 830	46 285

$$\eta=\frac{f\Delta W_s}{W_{s前}}\times 100\%$$

式中,η 为减沙效益,%;f 为河道泥沙输移比,渭河中上游等于0.95;ΔW_s 为水利水保措施拦沙总量;$W_{s前}$ 为治理前产沙量,$W_{s前}=\Delta W_s+W_s/f$;W_s 为出口输沙量。

将表2林家村站有关数据及 ΔW_s、f 代入公式,计算得出渭河中上游水利水保措施减沙效益为 $\eta=22\%$。

4 结果分析

渭河中上游地区通过林家村水文站治理时段与非治理时段对比分析得出减沙比例为43.8%,而该区水利水土保持措施总减沙效益为22%,这说明河流泥沙变化是一个极其复杂的问题,其影响因素很多,降水因子就是其中之一。从表2可以看出,1971~1983年时段较1959~1970年时段平均降水量减少了14.6%,暴雨次数也有所减少,1959~1983年25年中,使林家村水文站日均流量达500m³/s的大雨或暴雨共43次,其中1971年前的12年中发生26次,平均每年2.2次;而后13年只有17次,平均每年1.3次,后时段较前时段大暴雨概率减少40%左右,由于该区以水蚀为主,所以降水减少特别是暴雨减少就会减轻水力侵蚀,从而使流域的产沙量减少。因此,渭河中上游地区除水利水保措施的拦沙作用外,降水也是流域减沙的一个主要因素。因此,对该流域较大幅度的泥沙减少趋势不能盲目乐观,应采取相应的对策加强现有水利水保工程的管护,坚持综合治理,确保治理成果。

吕二沟流域水土保持措施对径流泥沙影响的初步分析

华绍祖

摘　要　本文对黄土丘陵沟壑区第三副区的典型代表吕二沟流域综合治理后各项水土保持措施对径流泥沙的影响进行了分析。结果表明，自1953年以来，径流泥沙均有递减趋势，1957年和1954年在雨量相差23.3%的情况下，径流量减少了27.4%，泥沙减少了33%；1955年、1957年和1954年相比较，泥沙量分别减少了47.4%、13.1%。

1　流域概况

1.1　自然概况

吕二沟位于天水市南郊，是渭河水系藉河南岸的一条小溪沟，属于黄土丘陵沟壑区，流域面积12.01km^2(其中沟壑面积占25%，梁峁坡面积占75%)，共有大小支沟51条，沟壑密度为3.8km/km^2，相对高差524m。其地质构造在石门以上为白垩纪的红色砂砾岩，石门以下渐现甘肃系红土层及局部漂白层，岩石多为红色砂岩、砂砾岩及花岗岩，岩性松软，易风化，上部覆盖着厚薄不同的土层，表土多系黄土，下层为红、黑、青等色土，植被上游较下游好，覆盖度一般为0.5～0.9。

1.2　水文情况

流域纵向狭长，状似舟形树叶，比降大，山洪来猛去速，一般洪峰历时10h左右，5～10月水文特征值如下：

平均雨量为507.7mm，河水干枯日数3～75天，有水日数109～181天，洪峰出现次数(1.0m^3/s以上)5～12次，最大流量为29.1m^3/s，最大含沙量为1 175kg/m^3，最大输沙率为21 114kg/s，汛期平均流量为0.03～0.05m^3/s，平均含沙量为93.2～248kg/m^3。

1.3　治理情况

吕二沟自1953年被作为黄土丘陵沟壑区第三副区的典型代表进行综合治理后，于1954年在流域内布设了雨量站4处，沟口设立了水土流失测验站1处。按照“集中治理，连续治理，综合治理，坡沟兼治，治坡为主”的原则，采取生物措施与工程措施同时进行，截至1958年底，各年治理情况见表1。

2　治理后径流泥沙的变化情况

(1)根据吕二沟沟口站实测资料，1954～1958年各汛期径流泥沙总量变化情况见表2，各年份降水、径流、输沙量百分率见图1。

表 1　　吕二沟流域 1953 ~ 1958 年治理情况

项目	单位	年份					
		1953 ~ 1954	1955	1956	1957	1958	合计
水平梯田	hm^2					10.13	10.13
地埂	hm^2	41.67	41.0	20.93	39.13	55.13	197.86
软埝	hm^2				29.53	0.4	29.93
造林	hm^2	70.46	64.2	11.13	16.4	80.73	242.92
人工种草	hm^2	46.73					46.73
涝池	个	75	200	100	49	50	474
土谷坊	个		50	5	23	200	278
柳谷坊	个	4	100	56	8	215	383
小型淤地坝	个		1				1

表 2　　吕二沟 1954 ~ 1958 年径流输沙量

年份	降水量		径流量		输沙总量	
	数量(mm)	%	数量(m^3)	%	数量(m^3)	%
1954	537.6	100	709 000	100	38 200	100
1955	489.1	91	538 000	75.9	18 200	47.7
1956	605	112.5	816 000	115.1	52 000	136.1
1957	412.5	76.7	515 000	72.6	25 600	67.0
1958	494.4	92	679 000	95.8	44 300	116.0

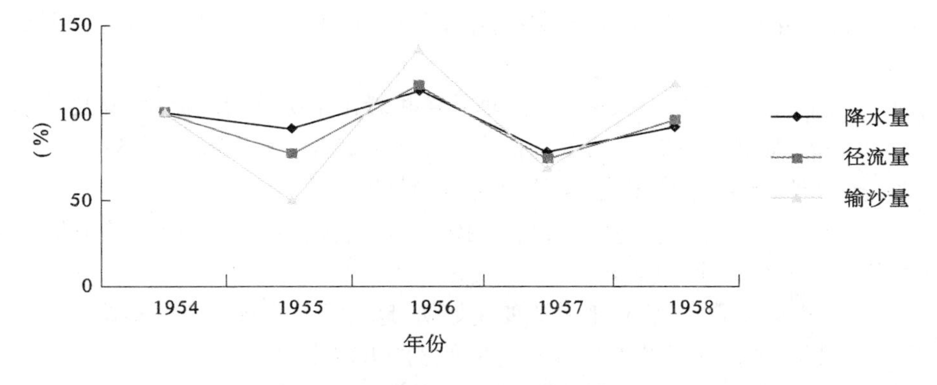

图 1　吕二沟 1954 ~ 1958 年降水、径流、输沙百分率(以 1958 年为准)

由表 2、图 1 中可以看出,几年中各项数值的变化过程大体上均成“W”字形,1956 年居谷顶,1955 年及 1957 年则分别居谷底,除 1956 年外各年数值均有递减趋势。1957 年和 1954 年相比则在雨量相差 23.3%的情况下,径流量减少了 27.4%,泥沙减少了 33%;1958

年和 1954 年相比较来看，在雨量相差 8% 的情况下，径流量减少了 4.2%，泥沙量却增加了 16%，据分析这是由于在当年几次暴雨中大量的沟壑工程遭受严重破坏所致。

(2)根据观测吕二沟流域不同年份径流深及径流系数均呈递减趋势，径流系数减少 5.4%～26.7%，见表 3。

表 3　各年的径流深度及径流系数统计

年度	降水量（mm）	径流深度（mm）	径流系数	
			数值（%）	比值（%）
1954	537.6	59.1	10.99	100
1955	489.1	44.8	9.16	83.3
1956	605	68.0	11.24	102.3
1957	412.5	(42.9)	10.4	94.6
1958	494.4	39.9	8.06	73.3

2.1　综合治理措施对降水量、降雨历时、径流深的影响

首先设想在 1958 年流域如不进行综合治理，净水径流的可能变化情况。由于 1953 年、1954 年治理措施多为生物措施，当年未能发挥显著的蓄水保土作用，所以以 1954 年代表治理前的状况和 1958 年进行比较，推求 1958 年在不治理情况下的可能径流深，假定如下：

(1)对于流域一次平均降雨强度远远超过 2mm/h 者，则认为径流深没有变化，这一部分径流所占总量比例为 34.5%。

(2)对于流域一次平均降雨强度小于 2mm/h 时，可知 1958 年未治理前的径流深占 51.9%。

(3)对于一次降雨量小于 10mm 者，则将其原径流深总值除以折减系数(0.25)占 3.4%。

(4)以 1954 年枯水径流量作为 1958 年治理前的枯水径流量，枯水径流量占年径流量的 10.1%。

根据以上假定分别求出 1958 年在治理前各种暴雨情况下的径流深，其总的净水径流量为 701.517m^3，而 1958 年的实测净水径流量为 434.290m^3，相对减少了 38.1%。

2.2　综合治理措施对降雨量和径流深的影响

以 1954 年各次洪峰资料为基础，再以 1958 年各次洪峰的降雨量加前期影响雨量降雨历时，得出相应径流深，见表 4。

由以上分析结果看，不管降雨量的变化如何，地面径流随着水土保持综合治理工作的深入开展、控制面积的逐渐增加在逐年朝着递减的方向变化。

2.3　年冲刷深度的变化情况

从综合治理前后泥沙的变化情况可以了解水土保持综合措施对泥沙的影响。在推求治理前的冲刷深度时，如前所述，以 1954 年为治理前情况，根据冲刷量与降水量成正比例关系进行比较，即按各年降水量与1954年降水量的比例，分别乘1954年冲刷量加以比

表 4　　吕二沟 1958 年实测径流深与治理前相应径流深比值

日期（月·日）	降雨量（mm）	前期影响雨量（mm）	历时（h）	径流深（mm）		(5)/(6)（%）
				实测值	治理前	
(1)	(2)	(3)	(4)	(5)	(6)	(7)
5.9	22.4	0	16.3	0.26	0.68	38.2
8.1	34.1	11.3	17.0	1.94	2.10	92.4
8.13	13.9	32.4	15.5	0.58	1.70	34.1
8.18 ~ 8.20	50.6	38.8	62.0	7.26	8.90	81.6
9.3	11.7	23.0	13.8	0.48	0.77	62.3
9.17	14.9	14.8	10.5	0.31	0.74	41.9
9.26	24.3	7.0	12.1	1.01	1.20	84.2
10.11 ~ 10.12	38.4	11.1	24.7	5.47	6.90	79.3
10.15	13.2	27.6	17.1	1.13	1.90	59.5

注：①降雨量和前期影响雨量均为流域一次平均值；②各项径流深度数值均为净水径流深。

较，其计算关系如下：

$$R_x = \frac{R_{54} \times P_t}{P_{54}}$$

式中，R_x 为所求年之泥沙量；R_{54}为 1954 年的实测泥沙量；P_{54}为 1954 年的实测降水量；P_t为所求年的实测降水量。

根据上式求得的各年治理前冲刷度如表 5 所示。

表 5　　1954 ~ 1958 年降水量与冲刷深度

年度	降水量（mm）	输沙量（m^3）	比值	推得冲刷深度（mm）	实测冲刷深度（mm）	(6)/(5)（%）
(1)	(2)	(3)	(4)	(5)	(6)	(7)
1954	537.6	38 200	1.00	3.18	3.18	100
1955	489.1	18 200	0.91	2.89	1.52	52.6
1956	605.0	52 000	1.12	3.56	4.33	122
1957	412.5	25 600	0.77	2.45	2.12	86.9
1958	494.4	44 300	0.92	2.93	3.69	126

把表 5 中(5)、(6)两项加以比较，从第(7)栏中可以看出除 1956 年外，1955、1957 年和 1954 年相比较，分别减少了 47.4%、13.1%。

2.4　综合治理后对一次洪峰泥沙变化的影响

水土保持综合治理工作的开展，对泥沙产生一定的影响，在年总冲刷量方面如上所述，在单独几次洪水中的泥沙情况以1954年各次降雨量强度、降雨量以及所引起的冲刷深度作参数，以1958年的3次降雨量强度及治理前的冲刷深度与其相应的实测冲刷深进行分析比较(见表6)，结果表明治理后较治理前泥沙削减最少的是9月26日，减少了8.1%，最多的是5月9日，相对减少了81.3%。

表6　　降雨强度与冲刷深度

日期 (年·月·日)	降雨量 (mm)	平均降雨强度 (mm/h)	治理前冲刷深度 (mm)	实测冲刷深度 (mm)	比值(%)
1958.5.9	22.4	3.1	0.075	0.014	18.7
1958.9.13	14.9	3.1	0.044	0.017	38.6
1958.9.26	21.3	2.6	0.062	0.057	91.9

3　结语

几年来，吕二沟流域通过综合治理，径流及泥沙都呈逐渐减少的变化趋势，尤其是径流更为显著。泥沙虽然有所减少，但并不十分显著，有时还会出现反常现象。经调查坡面泥沙大为减少，但坡面工程较少，且目前由于上游地区地质物理因素的影响，滑塌、崩塌、风蚀、水蚀等水土流失现象还很严重，另外干沟沟床的下切亦有影响，这些都是泥沙的主要来源。因此，今后除了围绕农业生产继续扩大和巩固坡面上的水土保持工程外，还应适当加大干、支沟及滑塌、崩塌等现象严重地区的治理力度，以便从根本上解决水土流失问题，使水土资源最大限度地为农业生产服务。

吕二沟流域 1954 ~ 1960 年水文特征及综合治理效益分析

黄河水利委员会天水水土保持科学试验站

摘　要　吕二沟流域自 1953 年开始治理以来，截至 1960 年共新修水平梯田 13.5hm²，小型土坝 2 座，植树造林 269.76hm²，柳、土谷坊 195 座，控制面积达到 4.96km²，治理度达 41.3%。根据观测资料计算分析，吕二沟流域丰水年径流削减系数 1.7% ~ 32.4%，平水年削减系数 16.9% ~ 27.0%，枯水年削减系数 57% ~ 69.3%。1954 ~ 1960 年洪水泥沙总量占汛期总量分别为 78.7%、81.7%、63.0%、64.2%、89.2%、89.0%、17.0%。

吕二沟是渭河水系藉河南岸的一条小溪沟，位于天水市南岸的中部位置，流域面积 12.01km²。由于严重的水土流失，在沟口形成了 42hm² 的扇形沙滩，并逐年向藉河推移，威胁天水市区安全。坡面水土流失使农业产量低而不稳，造成流域内人民生活极端贫困。从 1953 年开始，遵循"全面规划、综合治理、坡沟兼治、治坡为主"的方针，相继经过三次治理，对流域 80%以上面积实施了水土保持综合治理措施，使治理度达到 41.3%，有效地减轻了水土流失，提高了农业单位面积产量。

1　流域概况

吕二沟流域纵向狭长，状似叶舟，面积 12.01km²，干沟长 6 800m，流域平均宽 1 830m，海拔 1 175 ~ 1 707m，相对高差 532m，在侵蚀类型上可作为黄土丘陵沟壑区第三副区的典型代表。区内丘陵起伏，沟壑纵横，有大小沟壑 51 条，沟壑密度 3.8km/km²，平均比降 7.24%，大部沟壑为底部切沟，溯源侵蚀严重。

在地质构造上属陇西盆地东边缘地带，上游系白垩纪红色砂砾层，下游显现甘肃系红层及局部漂白层，岩石多为红色砂砾岩，岩性松软，易风化剥落。分水梁峁为黄土覆盖，低山坡脚为青土与红土露头，土层厚薄不等，色调不一，类型复杂，所有这些都是造成严重水土流失的潜在因素。

流域植被情况可分两部分，上游即石门以上区域植被良好，覆盖度达 70% ~ 90%，草本植物多为白草、杂蒿、苜蓿等，木本植物以酸刺、刺槐、花椒、杨柳、核桃为主。中下游即从石门以下，植被较差，大部为农耕地，荒坡只占该区面积的 30%。

吕二沟流域自 1953 年治理以来，截至 1960 年底共新修水平梯田 13.5hm²，小型土坝 2 座，柳、土谷坊 195 座，植树造林 269.76hm²，控制面积达到 4.96km²，实际治理度达 41.3%。

2　流域降水特征

2.1　汛、月总量分析

吕二沟年平均降水量 508.8mm，丰水年最大为 605.0mm，平水年一般 500mm 左右，枯水年最小 412.5mm。最大月降水量：丰水的 5、6 月达到 251.1mm，占汛期雨量的 41.4%，变差 14.9%;丰水的 1959 年 8 月 186.8mm,占汛期雨量的 31.3%,变差 18.9%;枯水的 1957 年 5 月 119.9mm,占汛期雨量 28.1%,变差 37.9%;1960 年 8 月 150.2mm,占汛期雨量的 33.7%,变差 39.6%;平水的 1958 年 8 月 181.7mm,占汛期雨量的 36.7%,变差 16.6%。连续 4 个月最大降水量:丰水的 1956 年 6～9 月 521.3mm,占汛期雨量的 86.3%,变差 10.1%;1959 年 6～9 月 509.4mm,占汛期雨量的 88.3%,变差 17.3%;平水的 1958 年 7～10 月 405.1mm,占汛期雨量的 82.0%,变差 10.4%;枯水的 1957 年 5～8 月 321.5mm,占汛期雨量的 78.0%,变差 53.2%,1960 年 7～10 月 358.4mm,占汛期雨量的 80.4%,变差 34.2%。

从以上汛期雨量与连续 4 个月最大降雨量及其变差来看,吕二沟的汛、月雨量分布很不均匀,且变差很大,这说明河川与梁峁降雨分布不均。从月雨量分布来看,降雨多集中在 7、8、9 月,季节上的不均以丰水年表现最为突出,月最大值占汛期雨量的 41.4%,连续 4 个月最大值占汛期雨量的 86.3%。位置、地形上的分配不均以枯水年表现最为明显,月变差最大值达 59.6%,连续 4 个月最大变差达 53.2%,汛期变差最大 38.4%。

2.2 暴雨分析

从几年来的暴雨雨量、分布、强度可以看出,吕二沟流域暴雨受地形、季节与暴雨成因等因素的影响。

2.2.1 暴雨特性随暴雨成因不同而变化

受大气候影响而产生的暴雨(季节影响):雨量大(25～70mm),强度中等(平均强度 1～3.0mm/h),暴雨中心位置不明显,多是均匀降雨。例如,1954 年 9 月 16 日暴雨,流域平均雨量 29.3mm,平均强度 1.1mm/h,最大雨量 34.0mm;1956 年 6 月 20 日暴雨,平均雨量 73.2mm,平均强度 1.0mm/h,最大雨量 77.0mm;1959 年 8 月 11 日暴雨,平均雨量 50.5mm,平均强度 2.0mm/h,最大雨量 54.3mm。

受气候影响而产生的暴雨:雨量不大(10～25mm),强度大(4.0～22.0mm/h),历时短,暴雨中心位于上游或中游(常以石家堡与新窑两站为中心),且常有雷电发生。例如 1959 年 8 月 14 日最大雨量 23.5mm,平均雨量 17.3mm,平均强度 19.3mm/h,最大强度 29.5mm/h,暴雨中心在石家堡、半坡寨两处;1959 年 8 月 29 日最大雨量 20.5mm,平均雨量 11.0mm,平均强度 9.0mm/h,暴雨中心在上游石家堡。

2.2.2 暴雨特性随季节不同而变化

吕二沟流域汛期 5～10 月的暴雨一般是雨量大、强度小或中等,暴雨中心不明显。1954～1960 年,5～10 月中发生的 30 次暴雨中,9 次暴雨雨量在 25.0mm 以下,2 次暴雨中心位置在上游,1 次在中游,21 次不明显(全流域均匀降雨),有 4 次平均强度超过 4.0mm/h,26 次在 4.0mm/h 以下。

吕二沟流域 8 月份暴雨中心较为明显,且多在上游或中游,平均降雨强度大或中等。1954～1960 年 13 次大暴雨中,暴雨中心在上游 4 次,中游 2 次,下游 1 次,均匀降雨 6 次。平均强度 4.0mm 以上 6 次,雨量 25mm 以下 5 次,25～30mm 的 2 次,30～40mm 的 3 次,50mm 以上 3 次。

2.2.3 暴雨特性随降水年的不同而不同

丰水年暴雨次数多、量大、强度大。1959 年汛期雨量 576.5mm,12 次暴雨总量 329.4mm,占汛期总量的 57.3%,强度最大达 22.8mm/h。

平水年暴雨次数、雨量、强度均属中等。1958 年汛期雨量 494.4mm，5 次暴雨总量 185.8mm，占汛期总量的 37.5%，最大强度 13.5mm/h。

枯水年暴雨次数少、雨量小、强度中等。1960 年汛期雨量 446.2mm，1 次暴雨总量 16.9mm，占汛期雨量的 3.8%，最大强度 4.8mm/h；1957 年汛期雨量 412.5mm，6 次暴雨总量 168.0mm，占汛期总量的 40.8%，最大降雨强度 3.0mm/h。

3 径流分析

1954～1960 年吕二沟流域经历了 2 个丰水年（1956、1959 年，汛期降水 576.5～605.0mm），2 个枯水年（1957、1960 年，汛期降水 412.5～446.2mm），3 个平水年（1954、1955、1958 年汛期降水为 489.1～537.6mm）。1960 年汛期雨量 446.2mm，较丰水年减少 22.6%，较平水年（未治理）减少 17.0%。

3.1 汛期总量

根据资料计算出了吕二沟历年径流削减系数，详见表 1。由表 1 知，丰水年削减是负值，削减系数 -1.7%～-32.4%；平水年削减中等，削减系数 16.9%～27.0%；枯水年削减最大，削减系数 57%～69.3%。历年（汛期）径流系数、平均流量的变化也是如此，见表 2。

表 1　　吕二沟流域历年径流削减系数计算结果

年　份	降水年	降水量（汛期）（mm）	径流量		
			汛期（m^3/km^2）	改正值（m^3/km^2）	削减系数（%）
1954	平	537.6	59 400	59 400	0
1955	平	489.1	45 000	54 100	16.9
1956	丰	605.0	68 100	67 000	-1.7
1957	枯	412.5	42 900	45 500	5.7
1958	平	494.4	39 900	54 600	27.0
1959	丰	576.5	84 200	63 700	-32.4
1960	枯	446.2	15 400	49 300	69.3

注：表中改正值系指治理前的单位面积径流量。根据雨量与径流量成正比例关系，按各年雨量与 1954 年雨量的比例数乘以 1954 年径流量，即得各年的径流量。

表 2　　吕二沟流域历年径流系数及平均流量

年　份	1954	1955	1956	1957	1958	1959	1960
径流系数（%）	11.0	9.2	11.2	10.4	8.1	14.6	3.45
平均流量（m^3/s）	0.045	0.034	0.051	0.032	0.030	0.063	0.012

从表 1、表 2 可以得出以下结论。

（1）丰水年：雨量大，暴雨多，径流多，洪峰大，质量差的工程破坏多。因为降雨多，土壤水分的含量高，故汛期流失总量大。以丰水的 1959 年来看，洪峰发生次数达 12 次之多

(流量 1.0m^3/s 以上),最大峰量 84.9m^3/s,12 次洪峰总量达 626 500m^3,占汛期总量的 62%。由此可见,洪峰流量对年、汛期总量的影响很大,1959 年的雨量集中在 8、9 月,总量达 329.1mm,占汛期的 57.2%;径流量 844 500m^3,占汛期总量的 83.7%。

(2)平水年:雨量中等,径流、洪峰、流量居中,水土保持效益显著。如 1958 年汛期雨量 494.4mm,径流量 39 900m^3,径流系数 8.1%,削减系数 27.0%。

(3)枯水年:雨量小,暴雨少,且强度不大,加之土壤作物缺水,故汛期径流总量小,洪峰次数少,且洪量、峰量不大,因而水土保持效益特别显著。削减系数比较大,如 1960 年汛期降雨量 446.2mm,径流量 15 400m^3/km^2,径流系数 3.45%,削减系数达 69.3%。但同是枯水年,其削减系数仍不相同,如 1957 年降水量 412.5mm,径流量 42 900m^3/km^2,径流系数 10.4%,削减系数只有 5.7%。原因是:第一,1957 年虽降水总量少,但暴雨多,洪峰达 6 次,而 1960 年只有 1 次洪峰,且最大流量仅 1.08m^3/s。第二,1956 年工程破坏严重,且治理水平也较 1960 年低,又多以植树造林为主,林地幼苗短期效益差。

径流量在月分配上表现同降水一致,很不均匀(见表 3)。1954 ~ 1960 年最大月径流量占汛期总量的百分数有 5 年大于 50%,其他两年分别为 49.8% 和 33.7%,连续最大 3 个月径流量占汛期总量的百分数均在 90% 以上。由此可见,降雨、径流关系密切,径流的分配受降水控制。

表 3 吕二沟历年最大月降水量与径流冲刷深关系

项目	年·月							
	1954.09	1955.07	1956.06	1957.05	1958.08	1959.09	1959.08	1960.08
月总降水量 (mm)	116.1	114.8	251.1	119.9	181.7	142.3	186.8	150.2
月总径流量 (m^3)	240 000	280 500	474 000	262 000	260 200	503 000	341 500	104 100
月径流深 (mm)	20.0	23.3	39.5	21.8	21.7	41.9	28.4	8.68
月径流系数 (%)	17.23	20.05	15.75	18.62	12.0	29.4	15.4	17.8
月总输沙量 (t)	21 450	36 900	96 900	34 400	55 600	136 300	118 400	10 600
月冲刷深 (mm)	1.19	2.05	5.38	1.91	3.09	7.58	6.58	0.59
月冲刷指数	0.060	0.088	0.136	0.088	0.142	0.181	0.232	0.068
月冲深/汛冲深	0.212	0.708	0.721	0.508	0.544	0.499	0.432	0.768
月径深/汛径深	0.337	0.518	0.580	0.508	0.544	0.498	0.179	0.564

3.2 洪峰流量

由 1954 年合轴相关图(略)得吕二沟流域各年洪量的改正值、削减系数:1955 ~ 1960 年分别为 18.0% ~ 52.8%、-155% ~ 42.6%、-204% ~ -48.5%、1.6% ~ 6.1%、2.8% ~ -182%、32.7%。从以上数值可以看出,1955、1958、1960 年 3 年的洪量较 1954 年有不同程度的削减,削减系数 1.6% ~ 52.8%,1956、1957、1959 年 3 年的洪量较 1954 年都有不同程度的增加,削减系数 42.6% ~ -2.8% ~ -204%不等。结合降水、治理情况分析其径流增加的原因,1956、1959 年是丰水年,雨量大、暴雨多,工程冲毁破坏多,增加了径流量,故较 1954 年增加。1957 年是枯水年,因 1956 年工程冲毁未能及时修复,且雨量少但暴雨多,故洪量也较1954年有所增加,详见表4。

洪峰流量对年、汛期总量的增减起着很大的作用,从表5可以看出,1954年9次洪量占汛期总量的30.1%,1955年4次洪量占汛期总量的47.0%,1956年6次洪量占汛期总量的62.6%,1957年6次洪量占汛期总量的46.6%,1958年5次洪量占汛期总量的68.4%,1959年10次洪量占汛期总量的62.0%,1960年1次洪量占汛期总量的2.7%。洪峰雨量占汛期雨量的百分数:1954~1959年为36.0%~57.1%,1960年为3.8%。

表4　　吕二沟历年洪水总量削减系数计算值

年·月·日	前期影响雨量(mm)	雨量(mm)	历时(h)	洪水总量		削减系数(%)
				实测值(m^3/km^2)	改正值(m^3/km^2)	
1955. 7. 2	16.2	51.4	15.8	3 080	6 000	48.6
9. 6	10.6	33.2	13.9	1 200	2 550	52.8
9. 10	24.2	47.2	40.7	6 080	7 420	18.0
1956. 5. 22	1.0	22.9	5.6	1 080	1 000	-8.0
6. 21	7.8	73.2	72.4	12 750	5 000	-155
8. 20	18.6	66.3	16.5	6 080	10 600	42.6
1957. 5. 20	23.0	32.0	37.7	6 080	3 700	-64.5
5. 24	23.4	16.4	6.3	4 250	1 400	-204
6. 11	3.0	34.4	11.6	1 930	1 300	-48.5
1958. 8. 1	11.3	35.0	16.8	2 270	2 350	3.4
8. 11	32.4	53.9	13.3	9 950	10 600	6.1
8. 19	38.8	26.8	29.2	5 111	5 200	1.6
1959. 8. 14	29.6	17.3	0.9	6 300	2 600	-143
8. 18	50.4	32.3	16.7	8 430	8 200	-2.8
9. 13	34.2	11.2	1.5	5 350	1 900	-182
1960. 8. 7	9.1	16.9	4.0	410	610	32.7

注:改正值系指从1954年资料所作合轴相关图上,查出径流深来计算单位面积的洪水量,为该次洪水的总量。以改正值与实测值的比值计算削减系数。

4　泥沙分析

泥沙是水土保持试验研究的一个主要内容。泥沙是靠径流来搬运的,径流又受降雨的控制,泥沙与降雨、径流关系非常密切,同时又被大面积、高标准的水土保持集中治理、连续治理等人为因素制约。

4.1　汛期总量分析

汛期泥沙量的变化情况,1956、1958、1959年的泥沙削减量是负值,削减系数分别为-22.8%、-10.5%、-151.7%,1955、1957、1960年3年泥沙削减量很大,削减系数分别为43.4%、11.8%、83.5%。由此可以得出以下结论:

(1)丰水年:雨多、洪多、峰大,冲刷加强,对工程、治理水平要求高。1956年是丰水

表 5　吕二沟历年汛期洪水要素与汛期总量关系

项目	年份						
	1954	1955	1956	1957	1958	1959	1960
洪水次数(次)	9	4	6	6	5	12	1
洪水总量(m^3)	215 000	254 000	512 000	240 000	327 000	627 000	5 000
汛期水量(m^3)	714 000	540 000	817 000	515 000	478 000	1 010 000	185 000
占汛期水量(%)	30.1	47.0	62.6	46.6	68.4	62.0	2.7
几次暴雨量(mm)	198.3	716.0	257.8	168.4	186.4	329.4	16.9
汛期雨量(mm)	537.6	489.1	605.0	412.5	494.4	576.5	446.2
占汛期雨量(%)	36.8	36.0	42.6	40.8	37.8	57.1	3.8
洪水总泥量(t)	79 300	42 700	87 900	43 826	91 296	243 270	2 364
汛期泥量(t)	100 700	52 100	139 500	68 224	102 200	273 500	13 800
占汛期泥量(%)	78.7	81.7	63.0	64.2	89.2	89.0	17.0

注:洪峰标准 $Q \geqslant 1.0 m^3/s$。

年,因工程质量差,治理措施以沟道川台化多,田间工程少,且以林草措施为主,但林草又难以在短期见效,故遇大洪水沟壑新修工程破坏严重,相应地加大了泥沙流失量;1958年,沟壑滑塌、崩坍、泻溜特别严重,据调查流失土方量达 31.5 万 m^3,使沟壑疏松泥沙大量堆积,加之暴雨多,洪水大,挟沙能力增强,泥沙流失量较前大量增加。

(2)枯水年:削减最大,1957 年 11.8%,1960 年 83.5%(见表6)。这主要是由于各项水保措施的拦截作用,但是干旱枯水年的特性使土壤、作物需水量增大,吸水率增强,蒸发量增大,径流、泥沙相应地减少。尤其是 1960 年,灌溉用水量加大,致使河干日数达 105 天,这也是泥沙减少的一个重要因素。

(3)平水年:泥沙增减不定,1955 年减少 43.4%,1958 年增加 10.5%(见表 6),这主要是由于吕二沟缺乏控制性沟壑工程。根据吕二沟自然面貌的特点,其泥沙来源一方面是坡面泻溜,一方面是沟蚀冲刷,沟壑工程数量是造成泥沙不稳定的主要原因,也是丰水年泥沙流失增加的一个主要原因。

4.2　洪水泥沙分析

以 1954 年径流深、冲刷深、降雨强度作为参数,反推出各年各次的洪水泥沙削减系数(见表 7)。

各年洪水泥沙总量对汛期泥沙总量的影响和降雨、径流是一致的,洪水泥沙总量大,汛期泥沙总量就大,反之则小。从表 5 可知,1954 ~ 1960 年洪水泥沙总量占汛期总量分别为 78.7%、81.7%、63.0%、64.2%、89.2%、89.0%、17.0%,其中 1960 年最少。1957 年和 1960 年同是枯水年,前者汛期出现了 6 次洪峰,后者仅 1 次洪峰,从比值上看前者是后者的 2.8 倍,与其他丰水、平水年相近,所以说洪水泥沙总量的大小为几次暴雨洪峰所控制,与丰水、枯水年份关系不大。

根据以上分析,吕二沟泥沙流失仍相当严重,故今后应注意田间工程养护,有计划、有步骤地在上游荒坡护林造林,加强中、下游沟壑工程,特别是作为控制泥沙主要措施的干沟控制性工程。

表 6　　吕二沟历年泥沙削减系数计算值

年份	降水年	降水量(mm)	沙量(m^3/km^2)		削减系数(%)
			实测值	改正值	
1954	平	537.6	5 600	5 600	43.4
1955	平	489.1	2 890	5 100	-22.8
1956	丰	605.0	7 740	6 300	11.8
1957	枯	412.5	3 780	4 290	-10.5
1958	平	494.4	5 680	5 140	-153.3
1959	丰	576.5	15 200	6 000	83.5
1960	枯	446.2	767	4 640	

表 7　　吕二沟流域各次洪水泥沙削减系数计算值

年·月·日	冲刷深(mm)	改正值(mm)	削减系数(%)
1955.7.2	0.39	1.06	63.2
1956.5.22	0.39	0.27	-44.5
1957.6.11	0.13	0.45	71.2
1958.8.1	0.57	0.46	-24.0
1959.7.14	0.09	0.11	18.2
1960.8.7	0.13	0.10	-30.0

注:改正值从图查得,大峰因 1954 年的值小,故查不出。

5　经济效益

吕二沟流域从 1954 年开始实施综合治理以来,不仅有效地减轻了水土流失,使总拦泥量达到 243 000m^3,见表 8(其中支沟 16 000m^3,坡面田间工程 71 520m^3,生物措施 145 280m^3),且经济效益十分显著。将农、林、牧、园等各项效益以经济指标计算,则全流域自治理以来,总计增加收入 20 万元(按当时商品价格),人均增加收入 283.93 元。

表 8　　吕二沟流域 1954～1960 年水土保持措施拦泥量统计

年份	沟壑工程拦泥量(m^3)				坡面措施拦泥量(m^3)			合计(m^3)
	主沟	支沟	毛沟	小计	田间工程	生物措施	小计	
1953～1954			58	58	1 870	16 990	18 860	18 920
1955			248	248	2 350	9 200	11 550	11 800
1956		6 230	1 070	7 300	7 830	27 910	35 740	43 040
1957		4 070	575	4 640	6 100	13 910	20 010	24 650
1958		1 700	2 340	4 040	14 280	23 130	37 410	41 450
1959			5 570	5 570	37 090	51 780	88 870	94 440
1960		4 000	296	4 300	2 000	2 360	4 360	8 660
单项总计		16 000	10 160	26 160	71 520	145 280	216 800	243 000

就单项来看,7 年来吕二沟流域田间工程已使 83.6%农耕地坡度减缓 1°~4°。根据典型调查田间工程培肥地埂实际增产 11.3%,并且在 6 年内使原坡地减缓 6°左右,这充分说明田间工程不仅可以拦泥增产,而且能使基本农田得到逐步改造。

5.1 牧草效益

草木樨是吕二沟流域的主要草种,不仅可作为饲料和燃料,而且能使后茬显著增产。据调查每公顷可产青草 13 650kg,干柴 5 505kg,籽种 690kg,后茬肥效可达 2~3 年。

5.2 林地效益

吕二沟的林地以刺槐为主,占林地总面积的 60%以上。据调查推算,林地总产值达 11.4 万元,占水土保持总收益的 57.5%。林地不仅增加了群众收益,解决了群众燃料问题,而且增加了植被,拦蓄了大量泥沙。

6 讨论

6.1 关于泥沙来源

历经 7 年治理,吕二沟流域泥沙流失仍很严重,据沟口实测(见表 9),1958~1960 年

表 9　吕二沟流域 1954~1960 年汛期水文要素统计

项目	年份							历年平均
	1954	1955	1956	1957	1958	1959	1960	
降雨总量(mm)	537.6	489.1	605.0	412.5	494.4	576.5	446.2	508.8
径流总量(m^3)	714 000	540 000	817 000	515 000	478 000	1 010 000	185 000	608 000
输沙总量(t)	100 700	521 00	139 500	68 200	102 200	273 500	13 800	107 000
平均流量(m^3/s)	0.045	0.034	0.051	0.032	0.030	0.063	0.012	0.038
平均含沙量(kg/m^3)	141	96.4	171	134	214	273	74.3	177
平均输沙率(kg/s)	6.33	3.28	8.76	4.29	6.43	17.2	0.862	6.74
最大流量(m^3/s)	12.9	20.4	29.1	8.78	22.3	84.9	1.08	
日期(月/日)	5/30	7/13	6/1	8/15	7/3	9/13	8/7	
最大含沙量(kg/m^3)	1 200	1 108	554	1 100	865	1 275	801	
最大输沙率(kg/s)	12 200	21 100	12 800	9 660	19 100	925 00	848	
径流深(mm)	59.4	45.0	68.1	42.9	39.9	84.2	15.4	50.7
冲刷深(mm)	5.60	2.89	7.70	3.78	5.68	15.2	0.767	5.95
径流系数(%)	11.0	9.29	11.2	10.4	8.10	14.6	3.45	9.95
冲刷指数	0.094	0.064	0.114	0.088	0.143	0.181	0.050	0.105
单位面积流失水量(m^3/km^2)	59 400	45 000	68 100	42 900	39 900	84 200	15 400	50 700
单位面积流失泥量(t/km^2)	8 380	4 340	11 600	5 680	8 510	22 800	1 150	8 910
洪峰发生次数(次)	3	6	6	6	5	12	1	5.57
河中有水日数(d)	184	115	172	135	106	130	79	132
河干日数(d)	0	69	12	49	78	54	105	52

注:自然土干容重 $1.5t/m^3$,洪峰标准 $Q_{max} \geqslant 1.0m^3/s$。

平均泥沙悬移质总量为13.67万t,大量的泥沙流失,在1959年坡面治理度已达43.6%的情况下,泥沙主要来源于干、支、毛沟。吕二沟流域有大小支毛沟50条,沟壁均为极度风化的砂砾石组成,而上游暴雨中心区域多为优良的天然牧坡,净水流量加大了挟沙能力,因而一遇降水各支毛沟均以泥流下泄,形成了严重的沟道溯源侵蚀与沟壁崩塌。就全流域总的发展趋势来看,1954年(治理前)降雨537.6mm,年总径流量714 000m^3,年总输沙量100 700t,到了治理后的1958~1960年,坡面控制系数平均达到42.3%,而其3年平均雨量591.8mm,与1954年降雨状况相似,但3年平均年总径流量为648 000m^3,年总输沙量136 700t,二者相比,治理后较治理前洪水总量减少9.2%,泥沙总量增加35.8%,这说明经过7年治理,吕二沟的泥沙未能得到有效控制。因此,吕二沟在今后实施综合治理的过程中,应对中下游干支流泥库进行重点治理。

6.2 关于治理方向及发展速度

吕二沟流域治理侧重于坡面治理和林牧措施,从沟口的测验结果看,流域平均泥沙流失量达8 900t/km^2(悬移质),泥沙的减少趋势并不明显。因此,今后在进行坡面治理的同时,应加大干沟及支沟淤地坝的建设,以拦蓄泥沙与增产增收为目的,有计划地改造坡式梯田,发展水地,保证高产稳产。

渭河流域水土保持措施减水减沙作用分析

王　宏　秦百顺　马　勇　赵俊侠

摘　要　截至1996年底,渭河流域累计修梯田52.85万hm^2,造林75.66万hm^2,种草20.54万hm^2,淤成坝地0.32万hm^2,建成100万m^3以上水库151座。经水保法分析计算,1970~1996年年均减水量25.50亿m^3,其中减洪水量8.23亿m^3;年均减沙量4 765万t,其中减洪沙量3 964万t。经水文法分析计算,1970~1996年流域综合治理年均减水量21.85亿m^3,其中减洪水量11.37亿m^3;年均减沙量6 400万t,其中减洪沙量占91.2%。

渭河是黄河最大的一级支流,流域面积(不包括泾河张家山站以上流域面积)63 282km^2,河流全长818km,主河道平均比降为2.23‰。流域多年(1954~1996年)平均降水量613.4mm,径流量59 .93亿m^3,输沙量1.339亿t。

渭河流域地貌类型大致可划分为黄土丘陵沟壑区、黄土阶地区、河谷冲积平原区和土石山区。该流域水土流失面积47 461km^2,占流域面积的75%以上。其中以黄土丘陵沟壑区为主要侵蚀类型区,主要分布在流域的上游,约占流域总面积的50%,为泥沙的集中产区,年均土壤侵蚀模数为5 000~15 000t/km^2,局部地区高达30 000t/km^2以上。

新中国成立以来,经过近半个世纪的水土流失治理,水土保持工作取得了巨大的成就。截至1996年底,全流域累计修水平梯田52.85万hm^2,造林75.66万hm^2,人工种草20.54万hm^2,修筑淤地坝2 336座,淤成坝地0.32万hm^2,建成100万m^3以上水库151座,库容达15.39亿m^3,“万亩”以上灌区99处、总有效灌溉面积59万hm^2。梯、林、草三项措施累计面积达149.05万hm^2,占流域水土流失面积的31.4%。

1　基本资料的获取与整理

分析计算流域水土保持措施的减水减沙效益,都是以流域观测的水文泥沙资料和水保措施为依据,其可靠与否直接影响分析结果的精度。本次研究在深入调查和广泛收集资料的基础上,对水文资料进行了插补展延,对水保措施的数量、质量进行了调查分析和核实。

1.1　水文资料的处理

1954~1996年,该流域先后设立雨量站250余处,观测系列35年以上的116处、20年以上的114处。干流上布设水文站7处,支流上布设32处。从资料情况看,径流泥沙系列比较完整,而降雨资料存在问题较多,主要是20世纪50、60年代雨量站点偏少,且分布不均。为完整资料系列和提高其代表性,对50、60年代雨量站较少或只有一个雨量站的支流,都逐一进行雨量资料的插补展延,即按照$y = kx + b$型的关系式,用长系列同期观测的多站与少站的流域平均降水量,通过回归分析确定系数k和常数b,当关系式高度相关时,对少数站或缺测年份的降水量要素进行插补。

1.2 水保措施资料的调查与核实

1.2.1 水保措施的典型调查及保存率分析

本次研究以1990年的土地详查成果和1996年进行的土地变更调查成果为依据,以典型调查资料为佐证,与相应的统计年报数据比较分析求得各项水保措施的保存率分别为:水平梯田71.38% ,人工林地63.55%,人工草地49.48%,坝地93.60%。

1.2.2 水保措施保存面积的核实与质量状况分析

(1)水保措施保存面积的核实。鉴于研究区域面积大、下垫面结构比较复杂,用平均保存率很难代表各地的实际情况。据此,以行政县为单元,分别求得各县(市、区)水保措施面积保存率,再乘以经过系列化处理后历年的统计年报,即得到各县(市、区)历年治理的实际保存面积。

(2)水保措施质量状况分析。通过对渭河流域水土保持措施的调查,结合遥感技术对航片的判读,确定出梯、林、草的质量分级标准和面积组成。梯田的质量分为3类:Ⅰ类符合设计标准,田面纵横水平或成反坡田坎,田埂坚实完整,田面宽在5m以上,在设计暴雨下不发生毁坏和水土流失;Ⅱ类田面坡度小于2°,田面宽小于5m,无边埂但田坎完好,蓄水拦沙能力明显降低;Ⅲ类田面宽度在4m以下,田面坡度2°~5°,田坎、田埂破坏严重,蓄水拦沙能力极差。林地质量同样分为3类:Ⅰ类郁闭度大于0.7,枯枝落叶覆盖全部地面,有工程整地措施,具有较强滞洪能力;Ⅱ类郁闭度在0.5~0.7之间,枯枝落叶覆盖在70%以上,有工程整地和一定的滞洪能力;Ⅲ类郁闭度在0.3~0.5之间,无整地工程,只有零星的枯枝落叶,基本无滞洪能力。草地质量以盖度为主要划分指标,也可分为3类:Ⅰ类盖度在70%以上,具有较强的滞洪拦沙能力;Ⅱ类盖度在45%~70%之间;Ⅲ类盖度小于45%,基本无滞洪拦沙能力。据调查,渭河流域Ⅰ、Ⅱ、Ⅲ类梯田分别占25%~35%、50%和15%~25%;Ⅰ、Ⅱ、Ⅲ类林地分别占20%、50%和30%;Ⅰ、Ⅱ、Ⅲ类草地分别占20%、45%和35%。

2 水保法分析与计算

2.1 坡面措施减水减沙作用分析

坡面措施主要指水平梯田、人工造林、人工种草三项。在坡面措施的减沙效益计算中,采用“以洪算沙”的分析计算方法。

2.1.1 坡面水土保持措施减洪指标体系的建立

在坡面措施减洪指标体系建立中,首先对小区资料进行整理分析,代表小区选择黄委天水和西峰两个水土保持科学试验站的径流小区,措施区与对照区系列采用梯田与农耕地、人工林地与荒草地、人工草地与宜牧坡耕地。

对确定的措施区与对照区的径流系列分别计算其频率,并点绘经验频率曲线,高水部分依据P-Ⅲ型理论频率曲线外延。依据各系列措施区与对照区洪水径流量的经验频率曲线,以同频率值相比较,即可得出某一频率下的减洪指标,即

$$\Delta R = R_1 - R_2 \tag{1}$$

式中,ΔR为绝对减洪指标;R_1、R_2分别代表同频率下经验频率曲线上量读的对照区和措

施区的洪水径流量。

相对减洪指标为绝对减洪指标除以对照区洪水径流量。式(1)为代表小区坡面措施的减洪指标,流域坡面措施减洪指标体系以代表小区减洪指标体系为依据,在分析大区面平均雨量频率的基础上,通过消除时段、点面、地区等主要差异后按下式计算:

$$\Delta R' = \Delta R\alpha\chi \tag{2}$$

式中,$\Delta R'$为流域减洪指标;α 为点面修正系数;χ 为地区水平修正系数。

2.1.2 坡面措施减洪减沙量计算

坡面措施减洪量用核实后的坡面措施面积乘以减洪指标求得。坡面措施的减沙量计算,首先是以流域出口处实测的洪水径流量和洪水输沙量建立洪水输沙数学模型;其次将流域综合治理的减洪总量代入数学模型中,按照逐步逼近法计算出流域综合治理的减沙总量,从中扣除水库、淤地坝、灌溉的减沙量及人为增沙量等,可求得坡面措施的年减沙总量;然后用单项措施减洪量的比例对洪沙量进行分摊,求出梯、林、草单项措施的减沙量。

2.2 淤地坝的减水减沙作用分析

淤地坝减水量计算分拦洪时期的减水量和淤满坝地的减水量;减沙量主要计算拦泥量和减蚀量。

2.2.1 淤地坝的减沙量计算

(1)拦泥量。淤地坝的拦泥量用坝地平均拦泥定额乘以坝地面积求得,然后扣除推移质和人工回填量。经调查,渭河流域推移质和人工回填量分别占拦泥总量的15%和10%。

(2)减蚀量。淤地坝的减蚀量按下式计算:

$$\Delta V = K_1 K_2 M_s F_b \tag{3}$$

式中,ΔV 为淤地坝的减蚀量;M_s 为流域平均侵蚀模数;F_b 为计算效益年份坝地面积;K_1 为沟谷侵蚀模数与流域平均侵蚀模数之比,参照山西离石王家沟流域多年平均观测资料,取 $K_1 = 1.75$;K_2 为坝地以上沟谷侵蚀的影响系数,在本次分析计算中暂不考虑。

2.2.2 淤地坝的减水量计算

(1)拦洪时期淤地坝的减水量。拦洪时期淤地坝的减水量计算,可根据淤地坝的蓄洪减沙机理,用淤地坝的拦泥量反推其减水量,计算式如下:

$$\Delta W_1 = \beta \Delta V_1 / \gamma \tag{4}$$

式中,ΔW_1 为拦洪时期淤地坝的减洪量;ΔV_1 为淤地坝的拦泥量;γ 为淤积体容重;β 为洪沙关系系数,根据小流域观测资料、洪水调查资料及流域洪沙关系综合分析确定,本次研究渭河中上游地区取 $\beta = 2.0$,下游取 $\beta = 1.5$。

(2)淤满坝地的减水量。淤地坝淤满作为坝地使用后,相当于有埂水平梯田的减洪作用,即按下式计算:

$$\Delta W_2 = \eta M_H F_b \tag{5}$$

式中,ΔW_2 淤地坝的减洪量;η 为减洪指标,根据径流小区观测资料分析,有埂水平梯田的 η 值接近 1.0;M_H 为径流模数,根据水量平衡原理按迭代逼近法求得。

2.3 水利工程措施减水减沙作用分析

渭河流域对河川径流、泥沙影响较明显的水利工程措施主要是水库拦蓄和引水灌溉。

2.3.1 水库的减水减沙作用分析

水库的拦泥量是指淤积在水库的悬移质泥沙。渭河流域 100 万 m^3 以上水库大多数有不同年份的库容淤积测验资料，其拦泥量按实测资料计算；对于部分无实测资料的小型水库拦泥量按下式计算：

$$\Delta V_s = \alpha \sum V_i \tag{6}$$

式中，ΔV_s 为水库淤积库容；$\sum V_i$ 为无实测资料的总库容；α 为淤积比，由有淤积测验资料的小型水库资料分析确定。计算中推移质按 15% 扣除。

水库的减水量计算包括灌溉、城镇工业生活用水量、蓄水变量以及蒸发量。

2.3.2 灌溉引水引沙量计算

对于渠首有实测资料的灌区，扣除退水量后直接按实测资料计算引水量和沙量；对于无实测资料的小型灌区，灌溉引水量按下式计算：

$$\Delta W_g = (1 - \xi) F_g G_m / \varphi \tag{7}$$

式中，ΔW_g 为灌区灌溉引水量；φ 为灌溉水有效利用系数；ξ 为灌溉水回归系数；F_g 为实灌面积；G_m 为灌溉定额。

计算中取 $\varphi = 0.5 \sim 0.76$，$\xi = 0.113$，灌溉定额中上游按 2 900m^3/hm^2、下游按 3 495m^3/hm^2 取值。

引沙量由毛灌溉引水量乘以渠道平均含沙量即得。

2.4 河道冲淤量计算

河道冲淤量计算采用“断面法”。对于干流河道的冲淤量直接用控制站的实测大断面成果资料计算(咸阳至临潼区间的冲淤量直接应用陕西三门峡库区管理局逐年实测成果)。对于在出口处只设立一处水文站的各支流，冲淤河段的计算长度一般取河道长度的 1/2。

2.5 城镇生活及工业用水量计算

对于有年报资料的地区通过对年报资料调查核实后直接计算用水量，无年报资料时生活用水量按照城镇人口乘以人均年用水量(用水定额)求得，工业用水量根据工业产值与年产值的用水定额计算。生活及工业用水定额根据调查资料及年报综合分析确定。

2.6 人类活动增洪增沙量计算

人类活动对于水土流失的影响范围广泛、项目繁多。本次主要对较突出的开荒、修路、城镇庄院建设、开矿、挖药材、铲草皮等主要影响项目进行分析计算。通过调查其弃土弃石(渣)量及破坏植被面积，结合小区观测资料，确定流失量及计算指标，再以年报资料为依据计算其人类活动新增水土流失量。通过上述计算，得出渭河流域水保法计算结果(表 1)。

3 水文法分析计算

流域产流产沙主要取决于流域气象因素及下垫面条件。气象因素主要是降雨，而降雨随时间和空间分布也有不同。下垫面条件是制约水量运动的重要因素，影响下垫面变化的条件一是自然因素，二是人类活动。对于一个固定流域，自然因素在短时期内变化不大，因此影响水沙变化的主要是人类活动。由于人类活动只能改变下垫面的状况，而不能显著影响降雨，因此可把整个实测的水沙过程分为不受人类活动影响和受人类活动影响

表 1　　　　滑河流域水保法减水减沙作用计算结果

时段	项目	坡面措施减少	淤地坝减少	水利工程减少	人为增量	河道冲淤	工业生活用水	减少总量	实测值	计算值	效益(%)
1954 ~ 1969	水量	1 309	137	85 025	– 17		7 260	93 710	772 500	866 209	10.8
	沙量	207	146	1 162	– 335	868		1 180	19 890	21 070	5.6
1970 ~ 1979	水量	4 941	848	222 262	– 50		9 417	237 438	463 103	700 541	33.9
	沙量	813	866	4 332	– 955	2 490		5 056	15 760	20 816	24.3
1980 ~ 1989	水量	13 111	528	227 024	– 30		11 102	251 735	673 100	924 835	27.2
	沙量	1 744	556	2 836	– 567	1 928		4 568	12 544	17 112	26.7
1990 ~ 1996	水量	13 943	304	256 822	– 59		13 756	284 766	311 900	596 666	47.7
	沙量	2 443	298	2 582	– 693	3 166		4 630	8 292	12 922	35.8
1970 ~ 1996	水量	10 309	588	232 986	– 45		11 166	255 003	501 679	756 682	33.7
	沙量	580	604	3 324	– 743	2 015		4 765	12 633	17 397	27.4

注:①表中数值为时段均值;②河道冲淤栏中“ – ”为冲,“ + ”为淤;③水量和沙量的单位分别为万 m^3 和万 t。

两个系列。水文分析法就是根据此原理,利用治理前实测的水文资料建立降雨产流产沙数学模型,将治理期的降雨资料代入公式中,求得在未治理状况下流域可能产生的水量和沙量(即天然产水产沙量),把计算值与同期实测值相比较,其差值为流域综合治理的减少量。若以不受人类活动影响的系列作为对比的基准期,则计算的受人类活动影响时期的水量和沙量与基准期的差值,即为该时期降雨变化所引起的水沙变化量。据此,用水文分析法计算的渭河流域综合治理的减水减沙效益结果见表 2。

4　结语

(1)渭河流域水沙变化的基本趋势是:70、80、90 年代与 50 ~ 60 年代比较,年径流量分别减少了 40.1%、15.7%、58.1%,年输沙量分别减少了 25.9%、43.2%、70.8%。可见,从 70 年代开始,水沙明显减少,这说明流域各项水土保持措施发挥了作用。

(2)本次研究采用“水保法”和“水文法”两种计算方法,以水保法研究为重点。从分析结果看,水文法较水保法偏大,这是因为水文法是以流域出口处实测的水文泥沙资料为依据,运用统计学原理进行分析计算的,其结果反映的是流域综合因素影响的变化量,因此分析结果比较合理。

(3)本次水保法分析结果与以往研究结果相比减水量偏大,这是因为:①以往的研究对工业、生活用水未作计算,本次作了详细的分析计算;②以往的研究对淤地坝的减水量只作拦泥量中含水量的计算,本次分正在拦洪时期淤地坝的减洪量和淤满坝地的减洪量两部分计算;③本次计算灌溉引水量时,灌溉面积采用的 1996 年土地变更调查的面积较统计面积偏大,导致了计算引水量也偏大。

表 2 **渭河流域水沙变化的水文分析计算结果**

项目	时段	实测值	计算值	减少总量	降雨影响减少	人类活动影响	
						减少量	效益(%)
水量(亿 m^3)	1970~1979	46.31	73.70	36.00	8.61	27.39	37.2
	1980~1989	65.11	77.98	17.20	4.33	12.87	16.5
	1990~1996	32.39	58.10	49.92	24.21	25.71	44.3
	1970~1996	49.66	71.24	32.65	11.07	21.58	30.3
沙量(亿 t)	1970~1979	1.37	1.69	0.57	0.25	0.32	18.8
	1980~1989	1.05	1.90	0.89	0.04	0.85	44.7
	1990~1996	0.54	1.34	1.40	0.60	0.80	59.7
	1970~1996	1.04	1.68	0.90	0.26	0.64	38.2

(4)本次研究虽然对水保措施的数量、质量等作了全面深入的调查研究,但因流域面积大、下垫面情况复杂,难免还掺杂人为因素的干扰,所以很难做到准确无误。对人类活动负效应的问题,虽然作了一些探讨研究,但仍因资料所限,准确估算尚嫌不足。因此,应继续加强对该区水沙变化原因的分析研究,为这一地区的流域规划、治理、水资源开发利用等提供决策依据。

(本文发表于《人民黄河》2001 年第 2 期)

田家庄大沟流域1959年7月14日暴雨洪水及水土保持效益调查

汪凤瑞[1]　裴金兰

摘　要　1959年7月14日，田家庄大沟流域骤降80年一遇特大暴雨，其强度之大，历时之长，均为百年来所罕见。在此次暴雨洪水的冲击下，历年来完成的水土保持工程及其他措施部分遭到破坏，田间道路与坡面形成了严重的冲刷。

1　流域概况

田家庄位于渭河水系藉河南岸，属黄土丘陵沟壑区第三副区，水土保持已经达到初步治理的标准。大沟是田家庄主要沟壑之一，流域面积 1.895km^2，干沟长 1 500m，有 3 条支沟，共长 1 820m。沟壑上游布设有谷坊、涝池，在两条支毛沟内基本实现了川台化；干沟中游沟壑纵横，沟底比降较大，平均为 15%，沟底有刺槐 4hm^2。流域内有坡耕地 100hm^2，地埂由于养护不善，多数已失去拦蓄作用，田间道路由于未经治理，此次冲刷最为严重。农作物以玉米、谷子、小麦、洋芋等为主，在流域上部较陡耕地上有苜蓿和草木樨约 6hm^2，蓄水塘 2 个。

2　暴雨特征分析

2.1　降雨量

7月14日20时，大沟流域突降大雨，降雨持续约 2h 后，强度渐小，时断时续，延至次日。这说明绝大部分的降雨集中在前 2 个小时，雨量在 120 ~ 130mm。

据调查资料，此次大沟流域降水郭家坪为暴雨中心，其降雨量为 130mm，上下游两部位稍有减弱，降雨量为 120mm，全流域的暴雨历时均为 2h。

2.2　降雨强度

本次暴雨历时为 2h，有 80% 以上的降水为此时段所降，由此可推算出最大暴雨强度为 0.84mm/min。

2.3　暴雨频率

本次暴雨频率根据下式计算：

$$i = 10.2P^{0.477}/(t+10)^{0.956}$$

式中，i 为降水强度，mm/min；t 为历时，min；P 为暴雨频率，a。

求得此次暴雨频率 $P = 79.8$。从计算结果可以看出，本次暴雨重现期为 80 年一遇。

---

[1]汪凤瑞，男，高级工程师，从事水土保持科研与管理工作。

3 径流泥沙

本次暴雨,导致流域下游发生特大洪水,冲毁川台地 4.7hm²,根据洪峰痕迹调查估算值,推算流域径流系数与径流模数。

3.1 基本资料

经对大沟沟口过水断面处较为明显的洪水痕迹调查整理后得出过水断面资料,见表1。

表1 大沟流域沟口过水断面数据

断面	平均水深(m)	断面面积(m²)	湿周(m)	水力半径(m)	断面间距(m)	水面比降
1	2.22	14.9	11.4	1.3	45	0.012 8
2	1.65	14.82	10.35	1.43		

由表1可知,沟口平均断面面积为 $\omega = 14.86\text{m}^2$,平均水力半径为 $R = 1.3$。

3.2 洪峰流量

据调查,以上断面间河道为一矩形棱柱体泥石河槽,天然河道糙率查表得 $n = 0.08$。根据天然河道流量公式 $Q = \omega C(Ri)^{1/2}$推算洪峰流量,式中 $C = \frac{1}{n}R^y$。

当 $R > 1.0$ 时,近似计算 $y = 1.3 \times n^{1/2} = 0.37$,计算得 $C = 15.0$,其洪峰流量 Q_{max}为 $28.9\text{m}^3/\text{s}$。洪水历时根据公式 $T = T_{雨} + L/0.4V$ 近似推算,式中 L 为河道总长,V 为断面平均流速,由公式 $V = Q_{max}/\omega$ 计算得 $V = 1.95\text{m/s}$,推得洪水历时 T 为 9 200s。洪水总量按三角形面积近似估算,为 132 940m³,径流系数为洪水总量与降水总量的比值,经计算为 0.57,径流模数为洪水总量与流域面积的比值,经计算为 70 000m³/km²。

4 土壤侵蚀调查

此次暴雨,在大沟流域范围内的坡面、道路及沟道上均发生了不同程度的严重冲刷,其中道路的破坏与沟道扩张尤为明显。

4.1 农地

大沟流域中下游农耕地,坡度在 8°~20°,上游部分农耕地,坡度在 25°~30°。其不同情况下坡面细沟侵蚀见表2~表5。

表2 大沟流域上部洋芋地细沟侵蚀情况

坡度	坡长(m)	量取断面(m²)	上断面侵蚀细沟			中断面侵蚀细沟			下断面侵蚀细沟		
			条数(条)	平均宽(m)	平均长(m)	条数(条)	平均宽(m)	平均长(m)	条数(条)	平均宽(m)	平均长(m)
12°	30	1×5	5	0.12	0.059	6	0.13	0.077	7	0.16	0.10
侵蚀土体(m³)			0.035			0.06			0.11		
单位面积侵蚀量(m³/m²)			0.007			0.012			0.022		

注:该地块上下均培有地埂,坡向西北,可作为流域内具有代表性洋芋垄作地。

表 3　　大沟流域上部休闲地冲刷情况

作物	坡度	坡长(m)	量取断面(m^2)	上断面侵蚀细沟			下断面侵蚀细沟		
				条数(条)	平均宽(m)	平均长(m)	条数(条)	平均宽(m)	平均长(m)
前茬为小麦	19°	24	1×5	11	0.12	0.10	14	0.13	0.08
侵蚀土体(m^3)				0.132			0.14		
单位面积侵蚀量(m^3/m^2)				0.026			0.028		
平均侵蚀量(m^3/hm^2)				270					

注:地块上下均有地埂,已被淤积,并有水洞破坏。

表 4　　大沟流域中下部玉米地冲蚀情况

作物	坡度	坡长(m)	量取断面(m^2)	上断面侵蚀细沟			中断面侵蚀细沟			下断面侵蚀细沟		
				条数(条)	平均宽(m)	平均深(m)	条数(条)	平均宽(m)	平均深(m)	条数(条)	平均宽(m)	平均深(m)
玉米黄豆	纵 8° 横 5°	14	1×5	7	0.12	0.06	6	0.28	0.087	7	0.29	0.01
侵蚀土体(m^3)				0.05			0.029			0.075		
单位面积侵蚀量(m^3/m^2)				0.01			0.029			0.015		
平均冲刷量(m^3/hm^2)				180								

注:串堆子耕作,坡度较缓,但纵横均有坡度。

表 5　　大沟流域中下部休闲地冲刷情况

作物	坡度	坡长(m)	量取断面(m^2)	上断面侵蚀细沟			中断面侵蚀细沟			下断面侵蚀细沟		
				条数(条)	平均宽(m)	平均深(m)	条数(条)	平均宽(m)	平均深(m)	条数(条)	平均宽(m)	平均深(m)
前为麦茬	23°	16	1×5	19	0.1	0.04	17	0.13	0.05	16	0.12	0.045
侵蚀土体(m^3)				0.076			0.11			0.086		
单位面积冲刷量(m^3/m^2)				0.015			0.022			0.017		
平均冲刷量(m^3/hm^2)				180.0								

注:中间有两道水平犁沟。

从表 2 ~ 表 5 中可以看出,大沟流域坡面冲刷是极其严重的,仅沟蚀(不包括片蚀)就达 $150m^3/hm^2$ 以上。若以坡面冲刷 $150m^3/hm^2$ 计,则大沟流域在此次暴雨冲击下,仅农耕地流失表土 15 000m^3。

4.2　林地

大沟流域坡面造林 4.0hm^2,均系 7 龄刺槐,株行距各为 1.5m,其郁闭度已达到 80%。地面坡度为 25°左右,地下水位较高,土壤湿润,林中杂草丛生,植物覆盖良好,故林地在此次暴雨冲击下未发生冲刷。

4.3 牧草地

流域内共有紫花苜蓿 4.0hm^2，植被覆盖度 70%，本次暴雨仅在个别地块内产生了少量的冲刷，见表 6。

表 6　紫花苜蓿地侵蚀情况

坡度(°)	被覆(%)	上断面侵蚀细沟				中断面侵蚀细沟				下断面侵蚀细沟			
		条数(条)	长(m)	宽(m)	深(m)	条数(条)	长(m)	宽(m)	深(m)	条数(条)	长(m)	宽(m)	深(m)
30	70	11	0.25	0.048	0.02	11	0.29	0.04	0.02	18	0.2	0.056	0.023
侵蚀土体(m^3)		0.002 64				0.002 5				0.004 6			
单位面积侵蚀土体(m^3/m^2)		0.001 3				0.001 3				0.002 3			
侵蚀量(m^3/hm^2)		16.3											

4.4 沟道

在此次暴雨冲击下，大量的坡面径流集中于干支沟内，使沟头急剧前进，沟岸迅速扩张。由于各段地质、地形条件的不同，又表现了不同的侵蚀方式，大致可分为三段：

(1)由沟口到陡崖跌水处：该段长约 350m，其土壤多为坚硬的风化砂岩组成，主要侵蚀方式是弯道底部淘刷，个别严重段有少量的沟壁塌方，比降较缓(约 2%)，底部冲淤基本平衡。

(2)由悬崖跌水处至郭家坪：该段长约 700m，土壤由疏松的黄土、红土与青色钙质土组成，遇水稳定性极差，虽然该段有 4.0hm^2 刺槐护坡林，但其沟壑扩充极为严重，主要侵蚀方式为滑坡、泻溜，比降大，下切严重，平均下切深度为 0.5m 左右。

(3)由郭家坪到沟头：该段干沟长 450m，其间包括两条支沟，工程措施较多，标准也相当高，大沟流域沟壑工程绝大部分设在此段，两条支沟均已实现川台化。但经此次暴雨，大部分工程被毁，沟头前进 0.5～1.0m，沟底下切 0.5m 左右，沟壁扩充极为明显。主要侵蚀方式为塌方，见表 7～表 9。

表 7　郭家坪以上干沟工程拦蓄及破坏情况

工程名称	数 量	蓄水量(m^3)	拦泥量(m^3)	破坏数量	破坏情况
小土坝	2	0	311.65	1	冲开缺口
谷 坊	15	106	213.3	7	开口和穿洞
涝 池	7	11.3	5.8	2	缺 口
水 塘	2	950	445.6	0	完 整

表 8　　郭家坪以上川台地破坏情况

条数	台阶数	川台地（hm^2）	冲沟长（m）	平均冲沟宽（m）	平均冲沟深（m）	受水面积（hm^2）	冲刷土体（m^3）
2	29	0.47	210	1.20	0.9	16.7	227

注：支毛沟呈一溪线延至分水岭，下部修成川台，上部均为坡式梯田，受水面积约 16.7hm^2。

表 9　　郭家坪以下干支沟道扩充情况

崩塌					滑坡				
处数	最大一处土方量（m^3）	最小一处土方量（m^3）	平均一处土方量（m^3）	崩塌总量（m^3）	处数	最大一处土方量（m^3）	最小一处土方量（m^3）	平均一处土方量（m^3）	滑塌总量（m^3）
9	5 400	30	3 000	27 000	4	23	4	18	72

泻溜		淘刷		下切					
处数	泻溜总量（m^3）	处数	淘刷总量（m^3）	最大深度（m^3）	最小深度（m^3）	平均深度（m^3）	下切土方总量（m^3）	总侵蚀量（m^3）	
5	340	2	37.5	1.2	0.05	0.5	7 500	34 949.5	

4.5　道路

大沟流域主要道路共有 7 条，平均每条长约 1 000m，坡度在 15°～25°之间，大部分没有工程布设，此次暴雨引起道路严重冲刷，典型调查结果见表 10。

表 10　　道路冲刷量计算

道路长（m）	坡度范围	平均宽（m）	冲沟宽（m）	冲沟深（m）	细沟长度（m）
452	15°～25°	2.6	0.6	0.36	320
冲刷土体（m^3）		69.12			
单位长度冲刷土体（m^3/m）		0.152			

由表 10 可以看出，该流域道路冲刷相当严重。另外调查还发现，一条由坡面水与道路水集中冲刷，而使道路变沟壑的典型段，该段路长约 150m，坡度为 30°，平均冲刷宽 3.2m，最深达 4.1m，平均宽约 1.5m，冲刷长达 80m，流失土体达 360m^3。

5　结论

（1）在此次暴雨中，耕地、道路及其他各项措施冲刷严重，从客观上说暴雨为其主要因素，另一方面也说明大沟流域尚需加大治理力度，特别是面上的治理，更有极其现实的意义。

（2）在有作物生长的农地上，配合农业技术措施，对减少冲刷有着显著的效果。

（3）川台地的破坏，其主要原因是大量的坡面集水所致。因此，必须对上游集流区进行综合规划，修筑支毛沟的川台时必须相应修筑蓄水、拦水或导水工程，以防止大量的洪水冲击，保证川台地的安全。

桥子沟流域1987年4月19日暴雨洪水及土壤侵蚀调查分析

王 宏 康学林

摘 要 桥子沟流域属黄土丘陵沟壑区第三副区。1987年4月19日，该流域突降暴雨，造成了严重的水土流失。此次暴雨降雨集中、历时短、强度大，所形成的洪水历时短、峰值大。土壤侵蚀调查分析结果表明，本次暴雨造成该流域坡面总侵蚀量20 190t，平均侵蚀模数为8 738t/km²；沟道总侵蚀量7 087t，侵蚀模数为50 860t/km²；坡面和沟道侵蚀量所占比例分别为74%和26%。效益计算结果表明，与坡耕地相比，人工草地、人工林地和水平梯田分别减蚀43.0%、34.4%和100%，梯田的拦蓄效益非常显著。

对典型暴雨造成的流域土壤侵蚀进行调查分析，是目前补充和完善径流站、场、小区观测资料的一种有效途径。通过现场查勘，可以查明土壤在不同暴雨情况下的侵蚀状况和水土保持措施的减蚀作用，为流域综合治理提供依据。

1987年4月19日下午17时许，罗玉沟流域突降暴雨，并伴有冰雹，至23时许结束。流域平均降雨量53.6mm，暴雨中心最大点雨量84.1mm，最大1h降雨量58.1mm。雨后对这次暴雨造成的桥子沟流域坡面及沟道冲蚀情况进行了现场调查。

1 流域概况

桥子沟流域位于天水市秦城区北郊，系渭河水系藉河北岸罗玉沟下游左侧一小沟谷，属黄土丘陵沟壑区第三副区。流域地表主要由杂色土覆盖。流域面积2.45km²，按地形可分为桥子东、西两条独立的支毛沟。桥子东沟流域呈半扇形，面积1.36km²，干沟长2.04km，沟道平均比降16.6%，下游段切沟深度为5m左右，中游段为10～30m，上中游间有高达15m的跌水。桥子西沟流域呈羽毛状，面积1.09km²，干沟长2.12km，沟道平均比降为16.7%，中游段切深20～35m，上、下游段切深均为10～15m，中游段右岸为高差达30～40m、坡度大于60°的红土立壁。

桥子东、西沟从梁顶到沟谷边缘基本构成了滑坡体，形成了陡崖、沟掌地和台阶地。在重力、水力侵蚀和地下水潜蚀的长期作用下，沟道切割发育强烈，地面支离破碎，坡度陡峭，极易遭暴雨冲蚀。

1985年，东、西沟分别被设立为对比试验的治理和非治理流域。两沟土地利用现状见表1。

表1 土地利用现状(1987年初) (单位：hm²)

流域名称	坡耕地	水平梯田	人工林地	人工草地	村庄道路	沟壑	
						沟床	沟壁
东沟	76.20	23.60	8.07	16.93	7.07	0.60	3.53
西沟	74.13	0	5.80	12.20	7.07	0.53	9.27

由表 1 知，截至 1987 年初，桥子东沟坡面措施治理面积已达 48.6hm^2，治理度为 35.7%。西沟有一些零星林草地，总面积 18.0hm^2。

2 暴雨洪水特性

2.1 暴雨特性

据分析，此次暴雨由西北方向进入罗玉沟流域。桥子沟流域位于暴雨中心分布带上，据流域内营房梁、试验场两处雨量观测资料统计，降雨量分别为 52.8mm 和 49.1mm，流域平均降雨量为 51.0mm，平均每小时最大降雨量为 31.3mm。距该沟沟口约 8km 的何家湾雨量站（流域外，暴雨中心）1h 最大降雨量 58.1mm。此次暴雨发生在春季，历时短、强度大、覆盖范围小，为该区历史上所罕见。

2.2 洪水特性

根据桥子东、西沟出口处的洪水痕迹，可推算出桥子东、西沟洪峰流量（表 2）。本次暴雨径流系数偏高，所形成的洪水历时短（据调查约 1.5h）、峰值大，主要原因是流域表层大部分土壤属红黄土，黏性大，渗透性小，降雨易产生径流。

表 2 洪水特征值调查统计

流域名称	集水面积（km^2）	洪峰流量（m^3/s）	总径流量（万 m^3）	径流模数（m^3/km^2）	径流系数
东沟	1.36	15.2	4.104	30 180	0.615
西沟	1.09	12.2	3.294	30 220	0.615

3 土壤侵蚀特点

3.1 坡面侵蚀

坡面以细沟和浅沟冲蚀为主，细沟侵蚀几乎在所有坡面部位都有发生，而浅沟侵蚀一般发生在坡面汇水槽和坡脚处，流域内所有梯田基本完整无损。因此，在流域内选择 20 余处坡耕地、林草地块，只对细沟和浅沟进行了详细测量、调查，结果见表 3。本次暴雨造成的坡面侵蚀有如下特点：①坡面侵蚀量随坡度变陡而增大。坡耕地，10°～20°较 10°以下坡度的侵蚀量增加 61.4%，20°～30°较 10°以下侵蚀量增加 78.3%，20°～30°较 10°～20°的侵蚀量增加 43.7%；人工草地，20°～30°较 10°～20°坡度的侵蚀量增加 53.1%。②坡面侵蚀量随坡面植被和水保措施不同而变化。人工林地比农耕地的侵蚀量平均减少 34.4%；人工草地比农耕地的侵蚀量平均减少 43.0%；梯田减蚀作用基本达到 100%。生长有农作物的坡耕地（如麦地）较裸露地和春播地侵蚀轻微。

计算表明，本次暴雨造成的桥子沟流域坡面总侵蚀量 20 190t，平均侵蚀模数 8 738 t/km^2，其中东、西沟侵蚀量分别为 12 550t 和 7 640t，平均侵蚀模数分别为 9 517t/km^2 和

7 702t/km²。桥子东沟流域坡面侵蚀模数较西沟大，其主要原因是东沟流域内坡耕地春播面积较大，约是西沟的 1.3 倍，暴雨正好发生在春播后不久，表层土壤干燥、疏松。

表 3　桥子沟流域坡面侵蚀调查

<table>
<tr><th>类型</th><th>级别</th><th>坡度</th><th>坡长
(m)</th><th>土质</th><th>作物
措施</th><th>单位面积
侵蚀量
(t/hm²)</th><th>平均
侵蚀量
(t/hm²)</th><th>作物生长及侵蚀状况</th></tr>
<tr><td rowspan="10">农耕地</td><td rowspan="2">10°以下</td><td>8°</td><td>22</td><td>黄土</td><td>胡麻</td><td>46.2</td><td rowspan="2">43.5</td><td>胡麻刚出苗</td></tr>
<tr><td>10°</td><td>19</td><td>杂土</td><td>麦地</td><td>40.9</td><td>小麦青苗高 10cm 左右</td></tr>
<tr><td rowspan="5">10° ~ 20°</td><td>12°</td><td>10</td><td>黄土</td><td>麦地</td><td>57.1</td><td rowspan="5">112.9</td><td rowspan="5">包括上面坡地的汇水</td></tr>
<tr><td>14°</td><td>20</td><td>黄土</td><td>玉米</td><td>62.8</td></tr>
<tr><td>17°</td><td>50</td><td>杂土</td><td>麦地</td><td>205.5</td></tr>
<tr><td>18°</td><td>17</td><td>黄土</td><td>玉米</td><td>106.1</td></tr>
<tr><td>20°</td><td>21</td><td>黄土</td><td>麦地</td><td>132.8</td></tr>
<tr><td rowspan="3">20° ~ 30°</td><td>22°</td><td>24</td><td>黄土</td><td>春播地</td><td>228.0</td><td rowspan="3">200.5</td><td rowspan="3"></td></tr>
<tr><td>27°</td><td>17</td><td>黄板土</td><td>裸露地</td><td>178.5</td></tr>
<tr><td>28°</td><td>15</td><td>杂土</td><td>麦地</td><td>195.0</td></tr>
<tr><td rowspan="4">草地</td><td rowspan="2">10° ~ 20°</td><td>12°</td><td>21</td><td>黄土</td><td>小冠花</td><td>86.7</td><td rowspan="2">43.3</td><td>小冠花覆盖率 40% ~ 50%，侵蚀成片状紊流，细沟不明显</td></tr>
<tr><td>15°</td><td></td><td>红黄土</td><td>红豆草</td><td>0</td><td>红豆草覆盖率 70%，无侵蚀迹象</td></tr>
<tr><td rowspan="2">20° ~ 30°</td><td>20°</td><td>14</td><td>杂土</td><td>野牛草</td><td>53.4</td><td rowspan="2">92.4</td><td>野牛草覆盖率 70%，草皮未返青，成紊流侵蚀状</td></tr>
<tr><td>23°</td><td>10</td><td>黄土</td><td>小冠花</td><td>131.4</td><td>小冠花覆盖率 30% 左右</td></tr>
<tr><td rowspan="4">林地</td><td rowspan="3">20° ~ 30°</td><td>20°</td><td>15</td><td>杂土</td><td>刺槐更新林地</td><td>0</td><td rowspan="3">0</td><td>有鱼鳞坑，无侵蚀迹象</td></tr>
<tr><td>28°</td><td>19</td><td>杂土</td><td>3 龄刺槐</td><td>0</td><td>坡面撂荒，有鱼鳞坑</td></tr>
<tr><td>30°</td><td>16</td><td>杂土</td><td>5 龄紫穗槐</td><td>0</td><td>天然草坡，已开始返青</td></tr>
<tr><td>30°以上</td><td>45°</td><td>15</td><td>杂土</td><td>7 龄林地</td><td>156.0</td><td>156.0</td><td>林草刚出芽</td></tr>
</table>

注：30°以上农耕地极少，未作调查。

3.2　沟道侵蚀

据调查，沟蚀以重力侵蚀为主，沟壁发生严重崩塌、滑塌和泻溜现象，沟床下切侵蚀轻微，因此，只对重力侵蚀作了调查、测量。

据调查，全流域共有泻溜面积 61 500m²，分布 40 余片。这次暴雨中，新崩塌 20 处，计土方量 588.1m³；滑塌 5 处，计土方量 3 214m³。桥子东、西沟流域沟道重力侵蚀调查结果见表4。

表4　桥子沟流域重力侵蚀调查

流域名称	泻溜			崩塌		滑塌		侵蚀总量(t)	沟道侵蚀模数(t/km^2)
	面积(m^2)	侵蚀深度(m)	侵蚀量(m^3)	处数(处)	侵蚀量(m^3)	处数(处)	侵蚀量(m^3)		
东沟	23 500	0.015	352.5	13	286.6	2	144	1 174	28 410
西沟	38 000	0.015	570.0	7	301.5	3	3 070	5 913	60 340
全流域	61 500	0.015	922.5	20	588.1	5	3 214	7 087	50 860

注:泥沙密度按 $1.50t/m^3$ 计算。

由表4分析知,该流域沟道重力侵蚀总量为7 087t,其中,东、西沟分别为1 174t和5 913t,沟道侵蚀模数为50 860t/km^2。在重力侵蚀中,泻溜、崩塌、滑塌之比为1:0.6:3.5,说明以滑塌最为严重。西沟沟道侵蚀模数与东沟侵蚀模数之比约是2:1,说明西沟沟蚀强度大于东沟。据调查,距西沟沟口以上约200m处左岸滑塌最多,总土方量为12 600m^3(包括雨前滑塌),此次暴雨中,被洪水冲走,移出流域外约3 070m^3,占全流域重力侵蚀总量的65%。洪水挟带大量黏土块,小的体积一般为0.5m×0.5m×0.4m(占总流失体积的60%~70%),大的为1.0m×1.0m×0.7m,成泥球状顺流而下,造成沟口约2hm^2农田受灾。

3.3　流域泥沙来源

综上分析,这次暴雨造成该流域土壤总侵蚀量(即流域产沙量)2.728万t,其中东、西沟流域分别为1.373万t和1.355万t;坡面和沟道侵蚀量所占比例为74.0%和26.0%,其中东、西沟流域分别为91.5%和8.5%、56.4%和43.6%;土壤侵蚀模数为11 130t/km^2,其中东、西沟分别为10 090t/km^2和12 430t/km^2。

据调查,这次暴雨侵蚀所提供的固体物质基本被洪水输移出流域,泥沙输移比近似等于1.0,因此此次暴雨洪水输沙量为2.728万t,输沙模数为11 130万t/km^2。上述输沙量包括悬移质和推移质。

4　水土保持措施减蚀作用分析及效益计算

从表3可知,人工草地比坡耕地平均减蚀43.0%,每公顷减少泥沙51.12t;人工林地比坡耕地平均每公顷减少泥沙41.0t,减沙作用为34.4%;水平梯田比坡耕地平均每公顷减沙119.0t。水土保持措施减沙效益分析计算结果见表5。

表 5　减沙效益计算

流域名称	梯田 面积 (hm^2)	梯田 减沙指标 (t/hm^2)	梯田 减沙量 (t)	人工草地 面积 (hm^2)	人工草地 减沙指标 (t/hm^2)	人工草地 减沙量 (t)	人工林地 面积 (hm^2)	人工林地 减沙指标 (t/hm^2)	人工林地 减沙量 (t)	减沙效益 减沙量 (t)	减沙效益 效益 (%)
东沟	23.60	119.0	2 808	16.93	51.12	865.5	8.067	41.00	330.7	4 004	22.6
西沟	0	119.0	0	12.20	51.12	623.7	5.800	41.00	237.8	861.5	6.0
全流域	23.60	119.0	2 808	29.13	51.12	1489	13.87	41.00	568.5	4 866	15.1

注:减沙效益(%)=措施减沙量/(实测土壤侵蚀量+措施减沙量)×100%。

由表 5 可知,坡面水土保持各项措施在这次暴雨中起到了一定的减蚀作用。桥子沟流域水保措施共拦沙 4 866t,减沙效益为 15.1%,其中东、西沟流域分别拦沙 4 004t 和 861.5t,减沙效益分别为 22.6%和 6.0%。

5　结语

(1)这次暴雨并不大,由于发生在春播后不久,所以造成了较严重的水土流失。

(2)沟道侵蚀相当严重,其侵蚀模数与坡面侵蚀模数之比为 6:1。因此,在小流域治理中,需坡、沟兼治,尤其要加强沟道及沟头防护工程。

(3)水土保持措施在这次暴雨中起到了一定的减蚀作用,尤其梯田的拦蓄效益非常显著。但总的减沙效益小于流域治理度,说明目前的坡面水土保持措施仍存在着不足。

(4)坡面侵蚀模数低于沟道侵蚀模数,但坡面侵蚀量则远大于沟道侵蚀量,因此必须加强坡耕地治理,提高坡面措施质量和抗洪能力。

(发表于《人民黄河》1995 年第 10 期)

罗玉沟流域1988年8月7日暴雨径流侵蚀调查

赵有恩[1]

摘　要　1988年8月7日,罗玉沟流域突降240年一遇的特大暴雨,本次暴雨来势较猛,总历时24h,洪峰流量596m^3/s,平均含沙量347kg/m^3。造成157m河堤倾塌,给下游人民生命财产带来了严重威胁。据调查,暴雨在流域坡面、道路及沟道上均发生了不同程度的严重冲刷,其中坡面土壤侵蚀最为严重,是洪水泥沙的主要来源。

1　流域概况

罗玉沟流域属渭河上游丘陵中傍山区与深谷区的过渡地带,是渭河一级支流藉河的一条支沟,发源于凤凰山南麓,主沟长21.81km。流域面积72.79km^2,形为柳叶,呈狭长形,沟系分布羽毛状。年均降水量531.1mm,年侵蚀模数7 500t/km^2,可划分为三个自然类型区,即黄土区、杂色土区、土石山区。

2　雨情调查及分析

1988年8月7日,流域突降大暴雨,据调查分析,此次暴雨分两个方向进入流域,一股自流域东北方向进入流域后,转入正西逆流而上,在师家湾附近滞留,形成暴雨中心;一股自流域正西方向进入流域后,顺流而下,在廖家陷附近滞留,为又一暴雨中心。罗玉沟流域19个雨量站的观测资料表明,降雨于8月7日20时开始,历时25h,降雨量81.5~116.1mm。

2.1　暴雨时程分布特性

罗玉沟流域师家湾,是本次降雨的暴雨中心,暴雨的集中程度高,在1h内降水占总量的60.3%,而最大30min雨量又是最大1h雨量的85.5%。

2.2　暴雨的空间分布情况

本次暴雨在空间上分布较均匀,在流域上、下游各有一暴雨中心,上游在廖家陷附近,降雨历时16.3h,雨量116.4mm,下游在师家湾附近,历时18.3h,雨量为116.6mm,由算术平均法及泰森多边形法求得流域平均雨量为98.6mm。

2.3　暴雨重现期

暴雨重现期按铁道科学研究院公式计算,即

$$i=(19.23+33.29\lg N)/(t+26.7)$$

式中,i为平均降水强度,mm/min,t为历时,min,N为重现期,a。

---

[1]赵有恩,男,甘肃会宁人,高级工程师,主要从事水土保持科学研究工作。

此次师家湾30min的降水暴雨重现期为680年一遇,流域平均重现期为240年一遇。

3 洪水特征值分析调查

据沟口站实测资料,此次洪水涨水历时为1.3h,落水历时为22.6h,洪水总历时24h,洪峰历时占总历时的8.3%,洪水总量为5 022 000m^3,洪峰流量596m^3/s,平均含沙量为347kg/m^3,最大水深为3.46m,冲刷深度为0.56m。

据计算比较,此次暴雨的降水总量及洪水总量均比1965年7月7日的降水及洪水总量大,但降水历时长,强度相对较小,此外由于罗玉沟流域呈狭长形,暴雨走向及降水的时间分配,对洪水过程的影响很大。1965年7月7日的暴雨走向顺流而下,造成了洪水来势猛、峰量大、陡涨陡落的洪水过程。而此次暴雨洪水分上、下游两个方向进入流域,下游逆流而上,上游顺流而下,形成了复式峰,主峰呈瘦尖形,次峰呈胖宽形,从总的洪水过程看,起涨历时和落水历时相差甚大,造成洪水总历时较长。

4 坡面土壤侵蚀调查

此次暴雨,在罗玉沟范围内的坡面、道路及沟道上均发生了不同程度的严重冲刷,而坡面的土壤侵蚀尤为严重,此次调查主要对流域内坡面土壤侵蚀进行了调查分析。

4.1 不同区域坡面侵蚀状况调查

罗玉沟流域可划分为黄土区、杂色土区及土石山区三个区域,调查本着"山区多点,以点带面"的原则,对各区内不同植物覆盖状况林地、草地、大秋作物地(高粱、玉米、马铃薯等)、休闲地、裸土(岩)地分别进行了调查。

(1)黄土区:面积为15.81km^2,占流域面积的21.7%,平均坡度12.7°,代表区为芦家湾,坡面土壤侵蚀量为11.60万t,占全流域坡面侵蚀总量的21%。

(2)杂色土区:面积为26.84km^2,占流域面积的37%,平均坡度为17°,代表区为桥子沟,坡面侵蚀量为20.34万t,占全流域坡面侵蚀总量的37%。

(3)土石山区:分布于烟铺、营房、凤凰、席家寨及罗玉沟中游左侧,面积30.4km^2,占流域面积的41.4%,平均坡度为25°,代表区为赵家河,坡面侵蚀量为23.07万t,占全流域坡面侵蚀总量的42%。

4.2 不同植被覆盖下的坡面侵蚀状况

(1)休闲地:通过对三区的调查,黄土区的休闲地侵蚀量最为严重,浅沟侵蚀达33.15m^3/hm^2,细沟侵蚀达117.81m^3/hm^2,黄土区休闲地土壤侵蚀量为35 775.34m^3,占全区侵蚀总量的35.5%。

(2)大秋作物地(玉米、高粱、马铃薯等):土石山区的作物地侵蚀量最为严重,玉米地浅沟侵蚀可达42.45m^3/hm^2,细沟侵蚀达111.6m^3/hm^2,坡面侵蚀量为49 809.5m^3,占全区侵蚀总量的24.8%。

(3)梯田:流域内水平梯田经过本次240年一遇的暴雨考验,水保效益十分明显,除少数地块(质地差及鼠洞等)受到冲刷外,其他均无明显的细沟和浅沟侵蚀。

(4)林地:流域内林地由于其本身具有截流、拦蓄的作用,对溅蚀冲刷有较强的抵抗能力,土壤侵蚀轻微。

(5)草地:小区观测资料表明,此次暴雨对草地侵蚀轻微,平均侵蚀量为1.39m³/hm²,仅占全流域坡面侵蚀总量的0.2%左右,这是由于草地增加了地面的糙度,根系固结土壤,对径流具有减缓流速、阻止土壤侵蚀的作用。

在此次暴雨中,由于暴雨发生在夏收结束,秋苗又未完全覆盖地面,休闲地及大秋作物地植被覆盖度很差的季节,导致了坡面土壤的严重侵蚀。据调查,罗玉沟流域坡面土壤侵蚀量占全沙总量的64%左右,占悬移质输沙总量的76%左右。由此看出,此次暴雨水土流失主要发生在坡面上,坡面坡度的大小、坡长、坡形、分水岭与沟底相对高差等因素对水土流失有很大影响,且坡度越长,坡面越陡,土壤冲刷越严重。

5 结语

通过本次调查,对今后更好地开展流域治理,搞好水土保持工作有如下认识:

(1)增加地面植被覆盖度。水土流失的形成,是自然因素和社会因素综合作用的结果,二者之中又以人为因素为主导。在本次调查中发现,由于罗玉沟流域人口密度大,人多地少,人为的大量开垦荒地以及乱伐灌木林、乱铲草皮等现象十分严重,是一个极为令人担忧的问题,要增加植被覆盖度,从长远观点看,应制止乱开荒地,积极引导群众种树种草,充分利用荒坡、沟岔营造薪炭林及防护林,弃耕地上种植牧草,发展牧业;从近期观点看,充分考虑土地的自身条件,合理利用土地,在耕作措施上下工夫,实行合理的轮作措施,加强土地水分循环,逐步形成良好的生态环境。

(2)工程措施和生物措施并举。结合退耕还林还草工程,在村庄、沟头、路旁因地制宜地修建谷坊、涝池、水窖,坡耕地上修建梯田,支毛沟内修筑淤地坝,防止沟底下切,沟岸扩张。

(3)完善下游防洪工程。经过此次暴雨可以看出,下游河道堤防工程防洪能力较弱,应对现有的堤防工程进行加固维修,提高抗洪能力。

桥子东沟、西沟流域1988年8月7日暴雨土壤侵蚀现状调查

高小平　刘桂林

摘　要　1988年8月7日晚20时，桥子东、西沟流域突降特大暴雨，一次降水量为98.0mm，其中最大1h降水量达到56.8mm，其降雨强度和降雨量均为近十几年来所罕见，这次暴雨使流域坡面和沟道土壤流失严重。通过调查和泥沙来源分析可知，休闲地和沟道是流域侵蚀的主要区域。

1　流域概况

桥子东、西沟流域位于天水市秦城区北郊，是藉河左岸支沟罗玉沟内的一对相邻支毛沟，属黄土丘陵沟壑区第三副区，流域地表主要由杂色土覆盖，是天水站1985年设立的对比试验小流域。桥子东沟流域呈半扇形，面积1.36km^2，干沟长2.04km，平均比降16.6%；桥子西沟流域呈羽毛形，面积1.09km，干沟长2.12km，平均比降16.7%。

本次暴雨过后，在1/10 000地块图现场调绘了流域土地利用现状，见表1。

表1　**桥子东、西沟流域土地利用现状**　（单位：hm^2）

流域名称	坡耕地		梯田	林草地	道路村庄	沟壑	
	休闲地	大秋作物地				沟床	沟壁
桥子东沟	723.4	420	354	375	106.1	9.0	52.5
桥子西沟	739.7	372	0	270	106.3	7.5	139.5

2　雨情

1988年8月7日晚20时，暴雨由北向南进入流域，顺流而下。最大雨强出现在20时至21时，此后逐渐减弱，次日13时降雨结束，降雨量随流域高程的降低呈递减趋势。

本次暴雨来势迅猛，强度大，降雨量集中，点雨量由梁顶、沟道、沟口顺次递减，营房站降雨量101.4mm，最大1h降雨量56.8mm，占总降水量的56%，流域各雨量站不同历时降雨量见表2。各雨量站点暴雨频率根据铁道科学研究公式计算结果为：点暴雨重现期最高达390年一遇（庞家楞干站），流域平均重现期为260年一遇。

表 2　　桥子沟流域 1988 年 8 月 7 日暴雨历时降雨量统计　　（单位:mm）

站 名	不同历时的最大雨量									
	10min	30min	45min	1h	1.5h	2h	3h	6h	12h	24h
沟 口	19.5	34.0	47.0	50.2	55.6	59.6	65.7	66.4	75.0	92.2
营 房	17.0	39.4	50.7	56.8	61.1	65.0	70.0	70.9	84.2	101.4
马 兰	17.1	26.4	41.0	44.4	50.5	55.4	63.3	64.3	73.5	94.4
庞家楞干	18.8	30.3	46.3	52.2	57.1	61.0	66.0	66.8	85.8	103.9
流域平均	18.1	32.5	46.3	50.9	56.1	60.3	66.3	67.1	79.6	98.0

3 洪水

这次暴雨除降雨强度和降雨量较大外,暴雨走向还与流域汇流方向一致,加之流域沟道比降大,使汇流源短流急,在沟口站测流断面形成了峰形尖瘦的洪水过程。另外,暴雨最大雨强出现在降雨开始,流域坡面和沟道的疏松表土及堆积物在雨水和汇集水流的作用下,随洪水冲泻而下,在沟口站测流断面形成尖瘦沙峰。

桥子东沟沟口站 8 月 7 日 20:05 来水(降雨开始后 5min),20:46 达最大洪峰,流量为 32.9m³/s;21:45 洪水量明显减少,洪峰历时 1.5h;8 月 9 日 8:00 暴雨汇水全部退尽。洪水总历时 35.9h,其中涨水历时仅 45min,退水历时 35.1h,含沙量过程线随雨强变化呈锯齿形急剧变化,最大沙峰出现在 20:25(降雨开始后 25min),其含沙量为 790kg/m³。

桥子西沟沟口站在 8 月 7 日 14:00 至 16:00 降雨 19mm,由于是强阵雨,沟口站 15:30 时来水,流量较小,含沙量大,形成泥浆流。20:00 时又降暴雨,10min 后开始涨水,30min 后达到最大峰值(流量 18m³/s),其后洪水明显回落,洪峰历时 1h,8 月 9 日 8:00 洪水全部退尽。洪水总历时 40.4h,涨水历时 30min,含沙量过程变幅比东沟大,最大含沙量 883kg/m³。

4 坡面侵蚀

本次暴雨坡面侵蚀主要是细沟和浅沟侵蚀。细沟侵蚀几乎在坡面所有部位发生,是坡面侵蚀的主要形式。浅沟侵蚀在坡脚发生,其侵蚀量仅次于细沟侵蚀。坡面溅蚀与细沟、浅沟侵蚀相比,其侵蚀量较小,因此,调查中主要采用细沟和浅沟侵蚀量来推算坡面侵蚀量。

4.1 休闲地

休闲地占坡面总面积的 40%左右。由于休闲地地表疏松、裸露,是土壤侵蚀的主要区域,浅沟最大深度 0.2m,最大宽度 0.25m;平均深 0.15m,宽 0.19m,侵蚀量达 20.01m³/hm²;细沟最大深度 0.12m,平均深 0.10m,宽 0.08m,细沟侵蚀量 110.05m³/hm²。休闲地浅沟和细沟侵蚀总量为 130.06m³/hm²,其中细沟侵蚀占 85%,浅沟侵蚀占 15%。

4.2 大秋作物地

大秋作物主要是玉米、马铃薯和荞麦,面积较小。玉米地在暴雨前壅土培垄不久,地表疏松,暴雨侵蚀十分严重。浅沟最大深度 0.12m,最大宽度 0.20m,平均深 0.09m,宽

0.14m,浅沟侵蚀量 12.51m^3/hm^2;细沟最大深度 0.10m,最大宽度 0.12m,平均深度 0.07m,平均宽 0.08m,细沟侵蚀量 70.03m^3/hm^2。侵蚀总量为 82.54m^3/hm^2,其中,细沟侵蚀占 85%,浅沟侵蚀占 15%。

4.3 林草地

本次暴雨正值林草生长茂盛、郁闭度较好时期,故减小了对地表的冲刷,林草地侵蚀轻微,其侵蚀量用流域内苜蓿小区实测资料计算,得苜蓿地土壤流失量为 1.35m^3/hm^2。林草地虽然侵蚀量小,但汇集水流对下游坡面和沟道的冲刷仍较严重。另外,据调查道路村庄侵蚀量为 106.3m^3/hm^2。

4.4 坡面产沙量计算

由于本次坡面侵蚀土体(主要是冲泻质)主要是由汇水冲入沟道,由沟道洪水输移出流域。因此,可用坡面侵蚀量直接推算坡面产沙量。其计算结果为:桥子东沟流域坡面总产沙量 10 780t,其中休闲地占 66.9%,大秋作物地占 24.7%,道路村庄占 8%,林草地占 0.4%。桥子西沟流域坡面总产沙量 10 920t,其中休闲地占 70.3%,大秋作物地占 21.6%,道路村庄占 7.9%,林草地占 0.2%。由计算结果可以看出,本次暴雨的坡面产沙量主要来自休闲地和大秋作物地。

5 沟道侵蚀

沟道是流域水沙输送通道,它不仅输移坡面冲泻下来的泥沙,还是流域产沙的主要地域,也是推移质泥沙的主要产地。调查发现,桥子东、西沟流域下部沟道多处发生滑塌和崩塌,沟头前进、沟床下切严重,泻溜侵蚀明显。利用泻溜小区试验资料对沟床下切断面进行测量和计算,结果为:桥子东沟沟床下切侵蚀量 9 018t,其中一级沟道占 51%,二级沟道占 19%,三级沟道占 20%,四级沟道占 10%,泻溜侵蚀量 1 241t;桥子西沟沟床下切侵蚀总量 5 417t,其中一级沟道占 66%,二级沟道占 18%,三级沟道占 9%,四级沟道占 7%,泻溜侵蚀量 3 226t。

另外,调查发现洪水使流域各级沟道的沟床下切 1m 左右,使沟壁下支点明显降低,洪水后桥子西沟下部、东沟中下部发生十余处滑塌和崩塌,其下滑和崩塌土体填塞了沟床。

本次暴雨洪水具有量大、历时短、输沙能力强的特点,除洪水后发生的滑塌和崩塌侵蚀土体未被输移外,流域其他侵蚀土体基本被输移出流域。因此,沟道产沙量只计入沟床下切和泻溜侵蚀量,由计算得出:桥子东沟流域沟道产沙总量 10 230t,其中沟床下切占 88.2%,泻溜 11.8%;桥子西沟流域沟道产沙总量 8 643t,其中沟床下切占 62.7%,泻溜占 37.3%。

6 流域泥沙来源分析

本次暴雨属 260 年一遇,流域坡面和各级沟道汇水量大且集中,使坡面和沟道的侵蚀土体绝大部分输移出流域,流域产沙量近似于输沙量,即流域的泥沙输移比近似等于 1。根据调查结果与沟口实测资料推移求流域泥沙来源,分析结果为:桥子东沟流域总输沙量 23 440t,其中坡面占 46%,沟道占 43.6%,人类活动增沙占 10.4%,沟口实测悬移质输沙量 17 330t,占流域总输沙量的73.9%,推移质输沙量6 100t,占流域总输沙量的26.1%;桥子西沟流域总输沙量19 560t,其中坡面占55.8%,沟道占44.2%,沟口实测悬移质输沙量13 340t,占流域总输沙量的68.2%,推移质输沙量6 220t,占流域总输沙量的31.8%。

7 结语

(1)桥子东、西沟流域是平行对比流域,西沟流域未经治理,东沟流域治理度35.7%,按调查结果推算,西沟输沙模数17 940t/km^2(未计入人类活动增沙);东沟综合措施减沙效益为13.8%,如果计入人类活动增沙量,东沟输沙模数17 240t/km^2,其减沙效益为3.9%。由此可见,在大暴雨情况下,因受不合理的开发与治理的影响,水保措施减沙效益明显减小,这个问题在今后的流域治理中应予高度重视。

(2)通过调查和泥沙来源分析可知,休闲地和沟道是流域侵蚀的主要区域。因此,要减少流域土壤侵蚀,应在坡面植树种草,修建水平梯田,沟道合理布设治沟工程,此外,还应采用水土保持耕作措施,增强抗蚀能力,稳定沟床,减少重力侵蚀。

(3)桥子东沟流域的水平梯田在此次暴雨中几乎没有发生土壤侵蚀,其蓄水保土作用非常明显。从长远来看,在缓坡上兴修高标准的水平梯田,不仅可以防止水土流失,还可以提高粮食产量。

(4)本次暴雨林草地的土壤侵蚀量较小,在流域三、四级沟道和沟头,防止沟床下切和沟头扩展作用十分明显。可见,在今后的流域治理中,林草措施应布设在陡坡地、集流槽、沟头及三、四级沟道等地方,并与工程措施相结合,可有效地减少土壤侵蚀。

罗玉沟流域1999年8月17日特大暴雨调查报告

郭保文[1]　康学林　徐　峰　王建军

摘　要　根据对1999年8月17日发生在罗玉沟流域的历史罕见特大暴雨进行调查分析，本次降雨共产生洪水177.40万m^3，输沙38.19万m^3。全流域的泥沙来源分布状况因降雨量及降雨强度的不同而随机分布，暴雨产沙状况为：坡面侵蚀占48.9%，沟道侵蚀占36.6%，重力侵蚀及人类活动影响占14.5%。

1　流域概况

罗玉沟流域位于天水市近郊，属渭河上游丘陵区中傍山区向深谷区的过渡地带，是一条狭长的羽状沟道。流域面积72.79km^2，平均宽度3.37km，全流域有大小支沟138条，沟壑密度3.54km/km^2。黄河水利委员会天水水土保持科学试验站于1986年在该流域内布设自记雨量站13个，对流域降水、径流、泥沙进行观测。

2　降雨

1999年8月17日19时，罗玉沟流域中上游地区突降特大暴雨，其中以中游降雨量最大。暴雨在流域的西北方向生成，向东南方向延伸至流域内，产生少量降雨后，又返回西北方向，最后又由西北方向向东南延伸至流域内形成降雨，暴雨中心处于流域的中心位置，刘家河雨量点于19时30分开始降雨，23时12分结束，历时3.7h，降雨149.7mm，流域平均降雨量59.3mm，属历史罕见。罗玉沟流域各雨量站1999年8月17日降雨量情况见表1。

根据铁道科学研究院公式计算暴雨重现期：

$$i=(19.23+33.29\lg N)/(t+26.7)$$

式中，i为平均降水强度，mm/min；t为历时，min；N为重现期，a。

计算出流域内各点的重现期，点暴雨最大重现期在千年以上，通过调查，本次降雨的历时、强度都超过了1965年7月7日的降雨，点暴雨重现期见表2。

3　径流、泥沙

根据罗玉沟流域下游左岸对比观测小流域和主沟道沟口的径流、泥沙观测站降雨量的走势分析，降雨主要集中在流域上游地区，下游部分地区未降雨，对比沟未产流。据沟

---

[1] 郭保文，男，陕西富平人，工程师，主要从事水土流失规律研究、治沟骨干工程设计与施工工作。

口站观测资料，本次降雨的洪水最大水深 3.5m，最大流速为 7.14m/s，最大流量 296.0 m^3/s，共产生洪水 177.40 万 m^3，输沙 38.19 万 m^3(悬移质)，侵蚀模数 7 871t/km^2。

表 1　罗玉沟流域各雨量站 1999 年 8 月 17 日降雨量

<table>
<tr><th>雨量站名</th><th colspan="2">降雨量(mm)</th><th>历时(时:分)</th></tr>
<tr><td>石山下</td><td colspan="2">103.0</td><td>4:13</td></tr>
<tr><td rowspan="2">马家山</td><td rowspan="2">62.3</td><td>0.3</td><td>0:10</td></tr>
<tr><td>62.0</td><td>3:42</td></tr>
<tr><td rowspan="2">刘家河</td><td rowspan="2">151.0</td><td>1.3</td><td>0:20</td></tr>
<tr><td>149.7</td><td>3:42</td></tr>
<tr><td>廖家陷</td><td colspan="2">68.2</td><td>4:00</td></tr>
<tr><td rowspan="2">营房</td><td rowspan="2">3.2</td><td>1.9</td><td>0:05</td></tr>
<tr><td>1.3</td><td>0:15</td></tr>
<tr><td>桥子沟口</td><td colspan="2">11.6</td><td>0:37</td></tr>
<tr><td>罗玉沟试验场</td><td colspan="2">1.9</td><td>0:13</td></tr>
<tr><td rowspan="2">赵家湾</td><td rowspan="2">44.6</td><td>1.1</td><td>1:05</td></tr>
<tr><td>43.5</td><td>3:52</td></tr>
<tr><td>马兰</td><td colspan="2">0</td><td>0</td></tr>
<tr><td rowspan="2">师家湾</td><td rowspan="2">103.5</td><td>0.9</td><td>0:03</td></tr>
<tr><td>102.6</td><td>3:40</td></tr>
<tr><td rowspan="2">马周</td><td rowspan="2">83.8</td><td>0.6</td><td>0:20</td></tr>
<tr><td>83.2</td><td>3:45</td></tr>
<tr><td rowspan="2">吊沟门</td><td rowspan="2">136.4</td><td>0.6</td><td>0:45</td></tr>
<tr><td>135.8</td><td>3:55</td></tr>
<tr><td>罗玉沟口</td><td colspan="2">0.8</td><td>0:10</td></tr>
</table>

表 2　罗玉沟流域 1999 年 8 月 17 日降雨频率计算结果

雨量站名	10min 最大降雨量(mm)	频率(a)	30min 最大降雨量(mm)	频率(a)	60min 最大降雨量(mm)	频率(a)	120min 最大降雨量(mm)	频率(a)
吊沟门	9.8	3	51.7	227	78.4	669	125.0	1 000 以上
师家湾	23.0	91	47.4	129	81.0	867	92.0	632
马周	20.4	47	40.0	49	69.4	272	83.2	300
廖家陷	8.5	2	20.7	4	31.0	6	43.3	10
马家山	10.0	3	25.2	7	38.1	12	42.4	10
赵家湾	4.5	1	10.0	1	20.8	2	27.2	3
刘家河	22.7	84	56.0	399	85.0	1 000 以上	119.7	1 000 以上
石山下	10.9	4	30.5	14	37.5	11	59.0	39

4 暴雨调查

据降雨及径流量资料分析,本次暴雨属特大暴雨。雨后对流域上游红土沟(平均降雨量70mm)、邢家沟(平均降雨量75mm),中下游师家湾沟(平均降雨量90mm)、赵家河沟(平均降雨量70mm)和流域暴雨中心马槽沟(平均降雨量115mm)的土地利用状况及土壤侵蚀状况进行了典型调查,结果如下。

4.1 土地利用状况

罗玉沟流域根据地形及土壤条件,可划分为3个副区,即黄土区(占流域面积的21.7%)、杂土区(占37.0 %)、土石山区(占41.3%)。其中,师家湾、马槽沟处在黄土区,红土沟处在杂土区,邢家沟、赵家河沟处在土石山区,通过对以上各点土地利用现状外业调绘、整理分析,推算出三个副区的土地利用现状,经进一步推算,得出全流域土地利用现状为坡耕地占流域面积的49.7%,其中大秋作物占18.2 %,休闲地占31.5%;梯田占流域总面积的26.8%,其中大秋作物占梯田的8.6%,休闲地占梯田的18.2%;果园、林地及荒草地占流域总面积的21.8%;其他利用占流域总面积的1.6%。

4.2 土壤侵蚀状况

4.2.1 坡面侵蚀状况

在降雨量最大的马槽沟支沟,沟头右岸刺槐林覆盖度达95%,坡长27m,坡度15°;山杏林地,覆盖度70%左右,坡长24m,坡度30°,坡面上均无明显的侵蚀痕迹。沟道中部右岸荒地,覆盖度50%,坡长30m,坡度41°,坡面上部有侵蚀痕迹,但无明显的侵蚀沟,坡面中部在1m×1m样方中有1条1m×0.07m×0.05m的侵蚀沟,下部面蚀为1m×1m×0.05m;沟道水平台园地,覆盖度60%,坡长28m,坡度9°,在1m×1m样方调查中,上部侵蚀沟1条为1m×0.08m×0.01m;中部1条1m×0.06m×0.01m,下部2条1m×0.10m×(0.08~0.05)m。

在赵家河支沟中,对新修水平梯田及已有梯田进行了调查,在所调查的6块梯田中,2块已有梯田保水效益较好,未产生侵蚀,而4块新修梯田中,由于其标准较低,田坎未夯实,被冲毁70%以上。

通过对坡面侵蚀的调查可以看出,由于本次降雨历时长、强度大,在休闲坡耕地及大部分大秋作物地均发生了浅、细沟蚀,且以休闲坡耕地最为明显。大秋作物中浅沟侵蚀的发生率较低,一般都以细沟侵蚀为主,只有植被覆盖度较高的荒坡草地、果园、林地未发生沟蚀现象。通过调查推算全流域坡面产沙26.44万m^3,罗玉沟流域坡面侵蚀调查结果见表3。

表3 罗玉沟流域坡面侵蚀调查结果

类型区	休闲坡耕地(m^3/hm^2)	大秋作物(m^3/hm^2)
黄土区	114.9	65.4
杂土区	129.9	57.75
土石山区	93.3	57.6
全流域	338.1	180.75

4.2.2 沟道侵蚀状况

由于坡面产流后，集中于支沟汇入干流，因此沟道侵蚀是本次调查的重点，每 100m 沟长沟道冲淤变化见表 4。

表 4　　沟道冲淤变化情况

沟道	上游		中游		下游	
	冲刷(m^3)	淤积(m^3)	冲刷(m^3)	淤积(m^3)	冲刷(m^3)	淤积(m^3)
红土沟	11.0		20.0		30.0	
赵家河沟	70.0		15.0	14.0	11.3	133.5
师家湾沟	5.8		14.3	24.0	27.0	
邢家沟	2.6		11.0		13.0	
马槽沟	50.0		130.0		144.0	

从表 4 可以看出，沟道的冲淤变化与沟道的发育状况、土质及利用现状密切相关，沟道处在发育期时其侵蚀严重，处在稳定期时，其既有冲刷又有淤积。通过对沟道侵蚀的调查分析，沟道侵蚀量约为 19.76 万 m^3。

4.2.3 道路侵蚀状况

本次共对 5 处道路侵蚀进行了调查，由于上部及中部的侵蚀不明显，仅冲刷了道路的覆土，道路原基础未损坏，故调查的部位多在道路的下部，下部的侵蚀多为沟状侵蚀，长度不等，随地形变化而变化。据调查推算，每 100m 长的农机道路其侵蚀量约在 1～7.8m^3 之间，由此推算道路侵蚀造成的水土流失为 0.5 万～1.5 万 m^3。

4.2.4 人为因素造成的水土流失

暴雨发生时，正值 316 国道罗玉沟流域段施工期，由于唐家风台隧道施工中大量弃渣堆积，未采取相应的水土保持措施或相应的水土保持措施还未发挥作用，致使大量弃渣被冲刷和搬运。通过现场调查，垫方坡面由于集中水流的影响，造成 40m × 35m 和 40m × 40m 的坡面冲刷，深度在 0.1～0.4m 之间不等。

弃渣岩石由于沟道集中水流的冲刷，造成约 1 000m^3 弃渣的搬运，其中有 400～500m^3 搬运达 400m 之远，冲刷还造成 1 处约为 20m × 20m × (1～2)m 的塌方。

与以上两种情况形成明显对比的是在邻近的荒草坡地上，水土流失并不十分严重。人类活动造成的水土流失约为 1.5 万 m^3。

4.2.5 重力侵蚀状况

暴雨发生时也是重力侵蚀发展较快的时期，同时由于杂色土区有较多的支沟正处于发育时期，因此杂色土区是重力侵蚀的多发地区，其他两区也有零星分布，在对 5 条支沟的调查过程中，共发现重力侵蚀滑塌 16 处，共计 1 960.5m^3，其中有 1 746.8m^3 已被洪水冲走。据调查推算，重力侵蚀造成 5.41 万 m^3 泥沙发生位移，其中约有 4.82 万 m^3 泥沙流失。

5 结论

(1)根据调查结果分析，全流域的泥沙来源分布状况因降雨量及降雨强度的不同而随机分布，本次暴雨产沙状况为坡面侵蚀占 48.9%，沟道侵蚀约占 36.6%，重力侵蚀及人类活动影响约占 14.5%。

(2)根据以往的暴雨调查结果分析，坡面侵蚀量与沟道侵蚀量相差不大。究其原因，本次暴雨发生时耕地多处在翻耕期，地表土疏松裸露，遇水易发生侵蚀所致。

(3)重力侵蚀、人类活动对水土流失的影响因调查范围有限，计算结果可能有误差。

(4)以上计算结果基本与沟口站观测结果相吻合，调查值占沟口悬移质的 141.5%。

罗玉沟流域2001年6月15日暴雨洪水调查

徐　峰[1]

摘　要　罗玉沟流域暴雨发生率高、变率大，对坡面冲刷严重，危害程度高。本文通过对罗玉沟流域2001年6月15日特大暴雨坡面、沟道土壤侵蚀情况的全面调查，总结、阐明这次特大暴雨对罗玉沟流域土壤的侵蚀情况，为今后小流域水土流失规律的研究提供参考。

由于受六盘山南麓、甘岷山区不稳定云团东移，地面热力条件及高层冷气平移的影响，罗玉沟流域于2001年6月15日凌晨6时至7时左右普降暴雨，最大降雨量（石山下雨量点）达68.6mm，形成河水瞬间暴涨，水流急，流量大，沟口洪水流量达582m^3/s。造成多处农田被冲毁，河堤冲垮，直接经济损失约200余万元。

1　流域概况

罗玉沟流域属黄土丘陵沟壑区第三副区，是渭河一级支流藉河的一条支沟，发源于凤凰山南麓，流向由西向东，在天水市秦城区东关注入藉河。流域面积为72.79km^2，呈羽状狭长形，主沟全长21.81km，平均宽度3.37km，沟壑密度2.34km/km^2，水土流失面积4 787 hm^2，年均侵蚀量7 500t/km^2。流域年均降水量657.2mm，降水在季节上分配不均，主要集中在7、8、9月，且多以大雨、暴雨出现。

2　雨情分析

从流域各雨量点降雨观测资料分析，本次暴雨走向是由西向东，中游刘家河、师家湾一带为暴雨中心。根据铁道科学研究院公式 $i = 19.23 + 33.29\lg N/(t + 26.7)$ 推算这次暴雨的重现期。通过计算求得暴雨中心最大10min降雨量重现期为250年，流域平均次降水为30年一遇，暴雨历时降水量见表1。

3　沟口洪水情况

由于暴雨强度大、历时短，洪水陡涨陡落，水位高，洪峰大，高水位持续达50min。此次洪水起涨时间为上午6:30，落水时间为8:30，洪水总历时约6h，沟口站实测流量582m^3/s，最大流速10m/s，最大水深3.2m，洪水总量498 000m^3，断面实测最大含沙量432.1kg/m^3，平均含沙量413.0kg/m^3，单位面积径流量6 840m^3/km^2。由于这次洪水来势迅猛，测流断面浪高达3m左右，造成下游东桥栏杆和人行通道板被冲毁，桥体出现裂缝；南桥两端与路基接壤处均出现10～15cm的裂缝，下游河堤冲毁达200m，导致交通瘫痪。

---

[1]徐峰，男，甘肃省天水人，技师，主要从事水土流失原型观测的测验工作。

根据洪水流量、含沙量过程线对照分析(图 1),此次洪水含沙量符合山溪性河流的特点,属暴涨暴落型,最大含沙量无对应的最大流量,最大含沙量在产生最大流量前发生。

表 1　罗玉沟流域 2001 年 6 月 15 日暴雨各观测站降雨量统计　(单位:mm)

站名	10min 最大	20min 最大	30min 最大	60min 最大
沟口	24.0	36.2	39.1	39.7
马兰	24.9	32.3	34.7	37.3
营房梁	23.5	33.5	37.5	45.8
师家湾	22.2	41.5	50.0	52.5
马家山	11.5	19.0	25.0	33.0
刘家河	27.5	40.0	52.0	63.3
马 周	11.1	17.0	19.8	24.9
吊沟门	21.0	30.0	45.2	59.3
廖家陷	10.9	18.6	24.1	34.6
石山下	23.0	40.0	50.5	68.8
赵家湾	4.7	6.7	7.4	7.5
流域平均	18.6	28.6	35.1	42.4

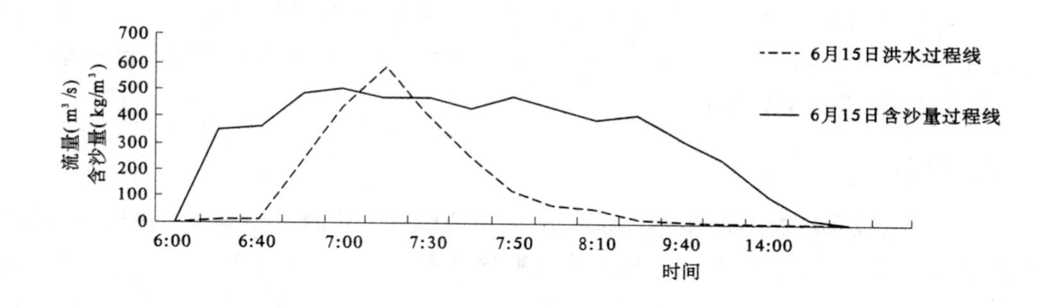

图 1　洪水流量、含沙量过程线

4　土地利用情况

流域总面积 72.79km²,农耕地 4 001.28hm²,其中梯田 2 045.39hm²,占农耕地的 52%;林果地 1 140.15hm²,占总面积的 15.7%;牧草地 466.04hm²,占总面积的 9.1%;未利用土地 1 249.67hm²,占 17.2%(见表 2)。

表2　　罗玉沟流域土地利用现状统计　　(单位:hm^2)

土地面积	耕地		果园	林地	草地	居民地	农路	水域	未利用土地
	山坡地	梯田							
7 279	1 955.89	2 045.39	489.99	650.16	466.04	279.78	87.95	54.13	1 249.67

5　坡面侵蚀

将流域大致划分为三个土壤类型区,即黄土区、杂色土区和土石山区,分别占流域面积的21.7%、37%、41.4%。调查本着"山区多点,以点代面"的原则,对各区内林地、草地、夏粮及大秋作物、休闲地、裸土(岩)等不同植物覆盖情况分别进行了调查。调查结果表明,不同类型区坡面侵蚀情况有所不同,一次暴雨在同样的坡度、土质条件下林地发生侵蚀量较坡耕地、草地轻微,侵蚀最严重的为坡耕地和休闲地。

黄土区:面积为15.81km^2,平均坡度17°,代表区南家湾沟和师家湾支沟,坡面土壤侵蚀量为130 593.8t。

杂色土区:面积为26.84km^2,平均坡度为17°,代表区为桥子东、西沟,坡面侵蚀量为134 986.5t。

土石山区:面积为30.4km^2,分布面积较广,平均坡度25°,代表区为石山下沟以及烟铺、赵家河沟,坡面侵蚀量为110 564.8t。

这次暴雨发生在各种夏粮作物生长成熟、秋粮作物刚出苗阶段。因此,休闲地和秋粮作物地的土壤侵蚀最严重,其次是新修梯田,据调查梯田泥沙来源主要是师家湾沟冲毁新修梯田地埂以及流域下游的陈家窑村、烟铺村附近沟道内堆积的城市建筑垃圾和生活垃圾。据调查,全流域泥沙流失量379 596.3t,与沟口站实测泥沙量相吻合。在此次暴雨中流域内大部分新修水平梯田遭到严重破坏,而3年以上梯田均无明显的细沟和浅沟侵蚀,且拦蓄了大量的降雨(见表3)。

6　沟道侵蚀

沟道是流域水沙输送通道,也是流域产沙和推移质泥沙的主要地域。沟道重力侵蚀主要为滑坡、崩塌、泻溜3种方式,罗玉沟沟壁坡度多大于25°,极不稳定,加之沟道弯曲,旁蚀严重,因而沟壁重力侵蚀特别发育。据对主沟道及支沟调查结果,主沟道滑塌7处,支沟17处,崩塌19处,沟道侵蚀量为4 485.8t。

7　结语

(1)通过对沟口实测资料调查分析,造成罗玉河东桥栏杆冲断、桥面冲毁、河堤崩塌的主要原因是沟口出口处河床由于多年淤积,造成流水不畅。据实测最大水深达3.2m,而桥面高度不足4m,加之水急浪大洪水翻越桥面,直接进入市区给人民的正常生活带来诸多不便。

(2)这次洪水造成的经济损失达数百万元,直接影响因素是城市的建筑和生活垃圾倾倒在河道中,堆积抬高河床,产生较大洪水时将这些垃圾全部带入主河道中,增加了泥沙来源，影响了河道行洪能力。

表 3　　2001 年 6 月 15 日暴雨侵蚀情况调查

类型区	利用方式	坡度(°)	坡长(m)	利用类型	单位面积侵蚀量(t/hm²)	侵蚀量(t/km²)
黄土区	农耕地	< 10	31.0	夏粮作物	194.6	38 002
		10 ~ 25	24.3	夏秋作物	231	
		> 25	23.0	夏秋作物、休闲	585	
	林地	10 ~ 25	27.5	果园	48	7 300
		> 25	20.0	刺槐	98	
	草地	10 ~ 25	33.40	荒草地	95	37 300
		> 25	25.10	荒草地	91.5	
土石山区	农耕地	< 10	20.80	夏粮作物	95.43	22 575
		10 ~ 25	27.20	夏秋作物	217.32	
		> 25	10.00	夏秋作物、休闲	312.5	
	林地	10 ~ 25	22.00	刺槐	44.8	7 605
		> 25	25.00	刺槐	107.3	
	草地	10 ~ 25	20.00	荒草地	41.3	6 190
		> 25		荒草地	82.5	
杂土区	农耕地	< 10	22.00	夏粮作物	169.65	32 690
		10 ~ 25	21.00	夏秋作物	296.9	
		> 25	18.00	夏秋作物、休闲	396.9	
	林地	10 ~ 25	40.00	刺槐	62.5	8 035
		> 25	35.00	刺槐	98.2	
	草地	10 ~ 25	15.00	沙打旺	85	1 006
		> 25	20.00	荒草地	116.2	

(3)在上游应加大坡面水保措施力度，在 25°以上的坡耕地上实施退耕还林(草)措施，在缓坡地上兴修高标准水平梯田，减少坡面水土流失；下游应加大防洪力度，加固河堤，清除河道堆积物疏浚河道，提高河道排洪能力。

(4)加强水土保持基础设施建设，尤其是在大中型道路建设中，严格按照“三同时”制度，确保基础设施建设中被破坏的植被得以恢复，弃土弃渣得到控制，减少人为水土流失。

(本文发表于《水土保持科技情报》2003 年第 5 期)

天水站水土流失原型观测历程及科技贡献

张琳玲[1]　张海强　张满良

摘　要　黄河水利委员会天水水土保持科学试验站是我国建立最早的水土保持科研机构之一。试验站开展的径流泥沙观测工作已走过了60年的发展历程。自1945年起,先后开展了多项水土流失小区观测、典型小流域径流泥沙观测和中小尺度流域径流泥沙观测试验。至今已积累了丰富的小区、典型小流域及中小尺度流域的降水、径流、泥沙实测系列资料,为黄土高原丘陵沟壑区第三副区水土流失规律的研究提供了重要依据,同时被广泛地应用于城市规划、道路、桥梁、防汛安全等实际工作中。天水水土保持科学试验站的"原型观测",将为"三条黄河"建设提供重要的技术资料支撑。

1　水土流失小区观测

20世纪40年代,在渭水之滨,人文始祖伏羲的故乡——天水,诞生了我国第一个水土保持试验研究机构——黄河水利委员会天水水土保持科学试验站(以下简称天水站)。从此,伴随着"水土保持"这个新生事物在这里的破土萌生,水土流失规律的研究观测也开始在这片黄土地上扎根成长。

1943年,天水站第一代水保人,在美国水土保持局局长罗德民博士及我国水土保持科学研究开创人之一的蒋德麒先生的指导下,布设了我国黄土高原第一个坡面径流小区——梁家坪坡地径流小区,从此拉开了天水站近60年径流泥沙观测的序幕。梁家坪径流小区于1945年开始进行观测试验记载,之后不断地充实扩大,一直持续到1957年。该项观测试验可以说是我国系统研究坡面水土流失规律开展最早、规模最大、持续时间最长的径流泥沙观测试验,它的开展填补了我国水土流失规律研究的空白。在试验观测过程中,先后涌现出了高继善、华绍祖、阎文光、贾绍禹等一批水土保持专家。

为了完善梁家坪径流小区试验观测资料,天水站还先后开展过罗玉沟、马家沟、杨家沟、杏沟及结合单项研究需要进行的多项径流小区试验。黄河水利委员会曾于1960年对天水站所取得的径流小区试验资料进行了系统整编。这些小区观测资料,不仅为新中国建立初期水土保持工作的宏观决策提供了重要依据,还被广泛地应用于水土保持规划、水土保持措施减水减沙效益分析、小流域泥沙来源分析等方面,并成为当地进行城市规划、道路、桥梁、防汛安全等工作的重要基础资料。

---

[1]张琳玲,女,甘肃天水人,助理工程师。

2　典型小流域径流泥沙观测

为进一步探索黄土丘陵沟壑区第三副区中、小流域径流泥沙来源及水土保持单项与综合治理措施的减水减沙效益，为本类型区全面开展流域综合治理提供科学数据，天水站从20世纪50年代初开始按照“前后对比”、“平行对比”以及“大流域套小流域、综合套单项”的指导思想，先后开展了大柳树沟、吕二沟、罗玉沟、清水河及桥子东西沟等不同类型区和不同尺度的小流域水土流失测验，取得了不同地类、地形、土壤、耕作方式等较为系统的降水、径流、泥沙资料，以及不同水土保持措施和标准小区相关的径流泥沙资料。其中大柳树沟、桥子东西沟径流泥沙观测是天水站早期开展的较具代表性的小流域径流泥沙观测试验。

这两条小流域观测积累的实测资料对于中小流域的工程设计、水土保持区划与规划极为有用，而且也可为其他有关的国民经济部门服务。21世纪初，水利部部长汪恕诚提出了实现黄河“堤防不决口，河道不断流，水质不超标，河床不抬高”的治黄新目标，而大面积水土保持措施的减水减沙效益则是解决河床不抬高、下游不淤积的关键措施，定量说明水土保持措施的减水减沙效益，更是黄河水沙变化研究的重要依据。所以，今后充分利用大柳树沟流域、桥子东西沟流域径流泥沙观测成果，不断地挖掘测验技术潜力，继续积累径流泥沙资料，对我国的经济建设，具有十分重要的指导作用。

3　中小尺度流域径流泥沙观测

天水市区南北两山的吕二沟和罗玉沟，因暴雨对地表产生强烈的冲刷，形成水土资源的严重流失，且是山洪暴发的集中地。长期以来，成为影响当地农业生产、威胁群众生命财产安全的心腹之患。因此，这两条流域自然成为了天水市的治理重点，同时也是天水站长期进行径流泥沙观测的重点区域。

吕二沟流域曾是20世纪50年代因治理成效显著而全国知名的一条明星流域，这条南高北低的羽状砂砾质洪积扇流域，因严重的水土流失，长期以来制约着当地的农业生产，并威胁着沟口大面积厂矿企业的安全。该流域自1953年开始进行选点调查，并确定为重点治理流域进行治理。天水站于1954年开始在此布设站网进行径流泥沙观测，起初只是在沟口设有1个水土流失测验站，流域内设有4个雨量站，在汛期（5～10月）进行雨量、水位、流量、含沙量观测。到1964年增至10个雨量站，并从1958年起改为全年观测。1964年底因历史原因，流域内的雨量站、沟口径流站均撤销。1975年下半年重新恢复了沟口径流站和流域内6个雨量站的观测，并一直坚持至今。已积累有39年的实测资料。1980年天水站曾对吕二沟流域1953年以来的径流泥沙效益进行了总结分析，鉴于“文革”期间曾中断过11年，插补了中间资料。26年观测资料与1954年相比，径流量减少72.2%，输沙量减少78.5%。显示吕二沟流域水土保持效益十分显著，并且治理时间越长，效益越显著。通过观测试验研究，还发现吕二沟泥沙来源主要以沟道重力侵蚀的粗沙质土为主。按照这一结论，从1980年起，天水站积极配合地方又加大了对吕二沟坡面、沟道综合治理的力度，以植物措施为主，挖鱼鳞坑、培地埂、建谷坊、修梯田，如今该流域的治理度已达62.3%。近年来的观测资料显示，该流域径流泥沙的年侵蚀模数由原来的

4 000t/km^{2}下降到现在的 2 000t/km^2,水土流失问题基本得到有效控制。

位于天水市北郊的罗玉沟是渭河支流藉河左岸的一级支沟,根据土壤特性可划分为黄土区、杂色土区、土石山区 3 个侵蚀类型区,在黄土丘陵沟壑区第三副区具有一定的代表性。研究罗玉沟流域水土流失变化,对研究黄土丘陵沟壑区第三副区的水土流失变化具有十分重要的意义。于是在 1985 年,天水站将罗玉沟定为科研基地,在该流域内布设站网,进行降水、径流、泥沙的观测,并着力进行重力侵蚀观测试验,开展典型暴雨、下垫面等影响因子对水土流失发生、发展规律的调查研究工作,同时进行重点治理。流域内共布设有 13 个雨量点,2 个沟口观测站和 2 个杂色土区对比沟观测站。位于沟口罗玉河畔的左家场径流泥沙观测站就是天水站目前规模最大、观测量最多的 1 个观测站。现已积累了 19 年的实测资料,有待于开发利用。

在 20 世纪 80 年代后,在充分应用径流小区和流域的观测资料基础上,又增加了重力侵蚀观测试验、暴雨调查及人工降雨试验等项目,并先后完成了罗玉沟典型小流域土壤侵蚀特征研究、渭河流域水土保持措施减水减沙效益分析及水沙变化趋势预测研究、小流域泥沙来源分析研究、重力侵蚀特征研究、泥石流成因分析及暴雨特征分析研究等一系列科研课题。这些实测资料及研究报告,已成为黄河水沙分析和当地政府规划、防汛等工作的基础资料。如今,随着水土保持生态环境建设步伐的加快及"三条黄河"新思路的形成,也必将成为水土保持研究领域极为重要的数据资源库,焕发出更为夺目的光彩。

径流泥沙观测是一项以时间为代价的枯燥而漫长的应用基础理论研究工作,它需要极为坚强的毅力和执着的信念才能持续下去。从 20 世纪 40 年代的径流小区观测试验到 50 年代大规模的小流域径流泥沙观测,直到近年来的重力侵蚀观测试验及典型暴雨的土壤侵蚀情况和下垫面基本情况调查,近 60 年的研究,不仅为天水站积累了丰富而珍贵的径流泥沙观测资料,天水站的原型观测,更为"模型黄土高原"建设提供了宝贵的技术资料。

如今,随着水土保持生态环境建设步伐的加快和"三条黄河"、"模型黄土高原"建设的实施,原型观测得到了前所未有的高度重视,而黄土丘陵区小流域径流泥沙观测作为水土保持效益分析的核心内容,其在"三条黄河"建设中发挥的重要作用也日益凸显,天水站的径流泥沙观测在经历了近 60 年的风雨后,再次迎来了发展的春天。

(本文发表于《水土保持科技情报》2003 年第 5 期)

天水站水土流失观测研究工作的主要问题与对策

岳新发[1]　高小平　郭保文

摘　要　天水水土保持科学试验站水土流失观测研究工作自开始至今，已积累了大量连续、翔实的小区观测资料和小流域降雨、径流、泥沙观测资料，在水土保持区划、流域治理、措施配置、水土流失规律研究和水土保持措施减水减沙效益分析及交通、城市建设等方面得到了广泛应用。但目前在水土流失观测和研究中存在着一些问题，本文针对这些问题提出了相应的对策。

1　水土流失观测研究概况

黄河水利委员会天水水土保持科学试验站（以下简称天水站）的水土流失观测研究工作始于1945年。20世纪50年代初，黄河水利委员会明确天水站以渭河中上游地区为重点，面向黄土丘陵沟壑区第三副区，开展水土流失规律观测研究、水土保持措施试验与示范推广工作。50多年来，天水站先后在黄土丘陵沟壑区第三副区的渭河中上游地区不同自然亚区、不同尺度的代表小流域与坡面布设了水土流失测验站网，进行了降水、径流、泥沙等项目的观测，取得了大量的观测资料。即：①不同地类、不同地形及不同土壤条件下不同耕作方式和不同水土保持措施标准小区降水、径流、泥沙资料434个区年，其中已刊印的有364个区年；②渭河中上游地区不同自然类型区和不同尺度中小流域径流、泥沙资料89个站年，降水资料516个站年，其中已刊印的有27个站年的径流、泥沙资料和142个站年的降水资料；③其余资料已由计算机整编并存入磁盘。以上资料在过去的水土保持区划、流域治理规划、单项措施布设与综合措施配置、水土流失规律与水土保持措施减水减沙效益分析研究，以及交通、城建等生产实践中得到了广泛的应用，对促进黄河流域经济的发展起到了积极作用。

20世纪80年代初以来，天水站提出了进一步深化水土流失规律研究的开题报告、总体设计及站网规划，完成了罗玉沟小流域土壤侵蚀特征研究、渭河流域水利水土保持措施减水减沙效益分析及水沙变化趋势预测研究，并在小流域径流泥沙来源分析研究、重力侵蚀特征等方面撰写了一批有较高学术水平的研究论文。在新技术应用方面，计算机在流域建模、统计分析、流域规划及资料整编与建库等方面得到了广泛应用；测试方法与技术改进工作在完善常规方法、提高观测精度及引进遥测雨量、自动测沙等方面做了许多有益的探索。在技术协作方面，先后与中国科学院、铁道科学研究院等有关研究院所（校）建立了业务联系，新理论和新技术应用已取得良好成效。以上工作，为黄土丘陵沟壑区第三副

---

[1]岳新发，男，甘肃榆中人，工程师，天水水土保持科学试验站工会主席。

区水土保持措施设计、小流域综合治理规划以及水土保持宏观效益分析研究提供了科学依据,也为进一步深化水土流失规律研究积累了经验。

2 现状及存在的主要问题

2.1 现状

近年来,受研究经费的制约和认识不一致等因素的影响,天水站水土流失观测研究工作处于低水平重复的徘徊状态。水土流失观测研究工作的现状是:吕二沟流域(面积 12.01km^2)布设一个沟口径流站、6 个自记雨量站;罗玉沟流域(面积 72.79km^2)布设一个沟口径流站,流域内的一对支毛沟桥子东沟和桥子西沟(总面积 2.45km^2)设有径流观测站,共设 13 个自记雨量站。除进行了正常的降水、径流、泥沙观测工作外,还开展了流域土地利用现状调绘和暴雨洪水侵蚀状况调查。现从事该项工作的共有 12 人,其中工程师 1 人、助工 2 人、测工 9 人。上级主管部门每年下拨测验工作经费 2 万元左右,由于种种原因,实际使用的经费不足 1 万元。

2.2 存在的主要问题

(1)对水土流失规律观测研究工作的重要性认识不足,重视不够。水土流失观测研究工作具有周期长、投资大(包括人财物)、涉及内容广综合难度大等特点,且在短期内很难出成果和效益,故一些人看不到积累长系列基础资料的重要性和深远意义,一旦经费紧张或认识不一,就会对观测站进行精简或撤销,造成站网多变、观测项目不全及资料时断时续的情况。

(2)由于测站观测人员常年忙于观测、调查及资料整编工作,造成积累资料多,应用分析研究少,实践经验多、理论提高少,加上缺乏高层次专家的指导,致使低水平重复研究多、解决重大实际问题少的现象普遍存在,一定程度上影响了工作人员搞好此项工作的决心与信心。

(3)近年来用于该项工作的经费严重短缺,导致观测站网和布设项目无法按照试验研究规范设计方案去充实完善,造成测验设施简单、测试手段落后,加上观测人员政策性野外岗位津贴不能兑现,测验人员不安心工作,测验工作只能处于低水平的维持状态,观测资料缺乏系统性、完整性与同步性。

3 建议与对策

(1)切实提高对水土流失规律研究工作必要性和重要性的认识。新中国建立以来,黄河中游地区开展了大规模的水土保持治理。大面积水土保持措施的减水减沙效益,关系到水土保持工作在黄河治理中的作用与地位,而不同的单项措施在水土保持减水减沙效益中的作用,又关系着水土保持综合措施的合理配置。为了弄清以上问题,各省(区)水保部门和有关单位,曾组织大量人力进行研究,但由于基础观测资料系列短而不全,对水沙变化规律的研究不够深入,致使所得结论存在很大差异,“水保法”和“水文法”两种计算方法都存在一定的局限性。多年的实践证明,水土保持是治理黄河的基础。在水土保持工作中,必须下决心深化对水土流失规律与水土保持措施减水减沙效益的分析研究。天水站已积累几十年的黄土丘陵沟壑区第三副区典型小流域径流泥沙观测资料,这些资料开发的潜力很大，在当前改革形势下，此项研究工作只能加强而不能削弱。希望上级主管部门能对此项工作给予必要的支持，使这项研究工作更好地为水土保持和治黄事业服务。

(2)根据水土保持科研发展需要，充分论证、统一规划、科学布设研究项目，逐步调整和充实研究内容，使之形成完整的试验研究体系。根据天水站现有人力、物力、财力等条件，经充分论证，我们于近期内制定了水土流失观测站网规划，进一步明确了站网观测研究的任务、内容、要求和目标。规划的主要内容有：①站网布设的指导思想，一是紧密结合当前水保科研和治理实际，开展水土流失规律与水保措施减水减沙效益分析研究；二是以现有观测站网为基础，进一步完善站网布设，充实观测内容，在重点开展试验小流域水土流失观测研究的同时，搞好渭河中上游地区水土流失的宏观分析研究；三是积极参与协作攻关，争取科研项目，拓宽经费来源，不断提高科研人员的业务素质和资料成果的质量水平。②研究的主要内容，一是小流域暴雨的时空分布及变化规律，产流、汇流、产沙、输沙成因特性和规律，年、汛期径流、泥沙来源，粗颗粒泥沙的产生方式及输移特性，沟床演变的力学特性，不同容重流体的流变特性等；二是人类活动对小流域径流泥沙影响方式、程度和指标研究，包括各种单项措施的设计、施工、拦蓄及破坏标准，不同降水条件下的小流域水保措施减水减沙效益计算方法和指标体系的研究，人类活动增沙对流域输沙量的影响等；三是小流域研究成果在大、中流域应用方法研究，包括大中流域自然特征分区，不同类型区指标体系和模型参数的验证与修正，小流域各种模型在大、中流域应用方法等。③预期成果，通过长期的观测研究，在积累长系列、全方位基础资料的同时，提交有价值的研究成果，如：小流域降水产流、产沙模型及泥沙来源计算方法研究，人类活动对小流域径流泥沙影响及指标体系研究，大中流域水保措施减水减沙效益分析及水沙变化趋势预测研究等。④站网布设方案，在充分考虑渭河中上游地区自然类型区代表性的前提下，按前后对比、平行对比及“大流域套小流域、综合套单项”的布设原则，以坡面、沟道、小流域及支流 4 个层次为观测研究对象，全方位收集流域不同部位降水、径流、泥沙过程与特征资料。因此，在现有站网基础上，经逐步调整充实后的观测内容主要有：能控制流域降水时空分布的雨量观测；各级沟道水沙过程观测；坡面主要水保措施及不同土地利用类型的浅沟级自然集水区套标准小区的降水、产流、产沙同步观测；各级沟道断面测量及重力侵蚀观测。此外，结合上述观测开展土壤入渗、泥沙颗粒分析、植物截留、流变特性及 ^{137}Cs 观测，进行流域下垫面条件变化调查和暴雨洪水侵蚀状况调查。

测验方法和测试技术以常规为主，在水位自记、泥沙颗粒分析及土壤入渗等方面尽可能引进仪器设备，在资料整编和下垫面条件分析方面应用计算机建立基本资料数据库(DBF)和地理信息系统(GIS)，以提高观测精度和分析水平。

(3)深化水土保持科研体制改革，遵循市场经济发展规律，转变观念，多渠道筹措经费，加大对水土流失规律研究工作的资金投入。根据目前水保科研经费紧张的实际情况，研究工作所需经费的筹措，主要采取以下措施：一是争取国家对该项研究工作的投入加大，确保此项工作的正常开展；二是在今后的站网建设中，根据水土保持科研、治理及有关部门的实际需要，改变传统的建站观念，逐步实现观测站网的多功能化，以提高资料成果的开发应用水平和经济效益；三是加强与有关科研院所和高等院校的技术合作，积极争取基金课题、攻关课题及横向协作课题，面向社会开展技术咨询和技术有偿服务，畅通经费来源渠道,提高科研人员业务素质和资料成果水平;四是实行课题承包责任制,加强测站管理,明确岗位职责,在经费使用上精打细算,注重站、室、课题组内部的节支挖潜,以提高科研经费的使用效率。

(4)稳定专业队伍,积极创收,不断改善职工工作条件和生活条件。在目前经费十分紧缺的情况下,为使测验工作不受影响并能稳定住这支测验队伍,在保证完成本职工作的前提下,结合自身优势和工作特点,开展技术服务、技术咨询等,增加职工收入,改善职工工作和生活条件。

(5)重视人才培养,不断提高科技人员的业务素质。为深入持久地开展水土流失规律研究工作,要注重科技人员的知识更新和理论水平的提高,特别要提高课题带头人的理论研究水平和实际工作的能力。目前可采取自学、选送脱产深造、吸收高学历的研究人员等形式来提高科技人员的整体业务素质。

(本文发表于《中国水土保持》1996年第11期)

黄土高原丘陵沟壑第三副区典型小流域原型观测实施方案

张满良　张海强

为"维持黄河健康生命",加快"三条黄河"建设步伐,深入研究黄土丘陵沟壑区第三副区(以下简称丘三区)水土流失规律和水土保持措施减水减沙效益,充分利用天水站几十年来的径流、泥沙观测成果,借助现有罗玉沟、吕二沟、桥子东西对比沟的观测网站,按照水土流失原型观测的要求和观测站网布设原则,补充完善现有的观测站点,建立完善的原型观测体系,形成较为完整的观测平台,并与藉河干流上的黄河水利委员会天水水文测验站并网,与渭河、黄河水文网络体系相衔接,使之成为"原型黄河"测验体系和"模型黄河"建设的重要组成部分,为黄河治理开发和管理服务。同时,结合黄土高原小流域综合治理,应用计算机、3S技术建立"数字流域"和"数字水土保持",以适应新时期水土保持事业发展的要求。

本实施方案设计完全按照水土流失原型观测和"数字黄河"的要求,全部采用目前先进的仪器设备,基本实现测验手段、观测资料传输的现代化,并增加蒸发、下渗、下垫面调查等内容,建立测验网络平台、计算机数据库,为水土保持科研和黄河综合治理工作提供准确、可靠的基础资料。

1　水土流失原型观测基本情况

原型观测是建立"三条黄河"不可缺少的重要组成部分。1943年以来的61年间,天水站先后在丘三区的大柳树沟、吕二沟、罗玉沟、清水河以及桥子东西沟等不同类型区和不同尺度小流域进行了水土流失观测,取得了不同地类、地形、土壤、耕作方式等较为系统的降水、径流、泥沙资料以及不同水保措施和标准小区相关径流泥沙的资料,其中标准小区径流泥沙资料434个区年,小流域径流泥沙资料89个站年,雨量资料516个站年。尽管因历史等原因测验工作曾经有所间断,但目前,作为国内成立最早的水土保持科研单位,仍在继续进行着丘三区典型小流域水土流失测验研究,在吕二沟流域沟口布设了1个径流泥沙观测站,流域内布设了6个自记雨量站,罗玉沟流域沟口布设1个径流泥沙观测站,流域内除了布设13个雨量站外,并在两条支沟——桥子东沟(治理沟)、桥子西沟(未治理沟)进行对比观测试验。天水站小流域原型观测站网布设基本情况见表1。

表1中所确定的观测站的布设在20世纪50年代和80年代均进行过多方面的论证,具有较强的代表性。目前,有15人从事这项工作,其中高级工程师1人,工程师1人,助工3人,技术工人10人。两条流域内的径流泥沙观测站和雨量站除进行正常的降水、径流、泥沙测验外,还定期进行水土保持措施、暴雨侵蚀调查等方面的工作,所取得的观测资料已为丘三区水土流失规律研究和水沙分析提供了基础资料。但由于存在着一些主客观

原因，使得测验工作在测试手段、仪器设备、人员素质等方面难以得到改善和提高。

表1　小流域原型观测站网布设基本情况

流域名称	流域面积 (km^2)	观测项目	观测年限	径流泥沙站数	雨量站数	测流方法	备注
吕二沟	12.01	降水、径流、泥沙	1954～1964年，1975年至今	1	6	浮标法	1954～1957年汛期观测，1958年后全年观测
罗玉沟	72.79	降水、径流、泥沙	1985年至今	3	9	浮标法	1987年后流域内布设桥子东、西沟平行对比站
桥子东沟	1.09	降水、径流、泥沙	1958年，1987年至今	1	2	量水堰	重点治理观测沟
桥子西沟	1.36	降水、径流、泥沙	1958年，1987年至今	1	2	量水堰	对比沟

自50年代开始，天水站一直开展的吕二沟、罗玉沟和桥子沟东西沟的观测资料只有典型性而缺乏广泛性，加之测验设备设施落后，经费短缺，观测人员培训少、运用新技术能力差，从而在很大程度上了限制了测验工作进一步的提高和发展，致使观测资料与黄委会、水文局的观测系统和地方相关部门观测系统相衔接还存在着缺陷，无法实现资源共享，从而影响资料的使用价值。为此，补充完善吕二沟、罗玉沟和桥子东西沟流域降雨、径流、泥沙网站布设，更新测验设施仪器，改进测试方法，形成天水站在丘三区小流域径流泥沙观测网络体系，使观测资料更科学、准确、系统。同时与渭河干流水文观测站相并网，形成点面相结合的原型观测系统，为"三条黄河"建设和水土流失规律研究提供准确、可靠的基础资料。

2　水土流失原型观测建设的指导思想与建设目标

2.1　指导思想

(1)以建立"三条黄河"思想为指导，继续完善提高已布设的观测网站，增加布设典型流域的观测网站，建立水土保持径流泥沙测验体系。

(2)立足于实际观测，为宏观观测提供准确可靠的基础资料。

(3)紧密结合当前水土保持科研、治理的需要，把径流泥沙观测与水土流失规律、水保措施减水减沙效益研究相结合。

(4)充分利用观测资料，借助遥感技术，对流域水土保持措施的保水、保土效益进行宏观分析。

(5)实际观测与指导实践相结合，建立雨情、汛情、流失等预报、预测系统，为当地的经济建设与生产服务。

(6)以解决水土流失规律中的前沿问题为目标，将小区和小流域径流泥沙观测资料，通过分析整理，建立丘三区小流域不同类型区的水土流失预测模型，验证流失方程。

(7)借助“地理信息”系统,建立小流域侵蚀特征模型,指导区域综合治理。运用 GPS 技术,对沟道重力侵蚀、滑坡等侵蚀类型进行定位观测。

(8)积极参与协作攻关,扩展研究领域,提高研究水平,培养技术人才。

2.2 建设目标

本实施方案设计的主要目标如下:

(1)完善吕二沟、罗玉沟和桥子东西沟流域降雨、径流、泥沙网站布设,更新仪器设备,改进测试方法,形成径流泥沙观测网络体系,使观测资料更科学、准确、系统,建立水土流失数据库,为全面掌握黄土高原丘陵沟壑区水土流失规律以及“三条黄河”和“模型黄土高原”的建设提供可靠的数据资料。

(2)通过本设计的实施,逐步建立包括雨量站、径流小区、气象园、对比流域和全流域径流泥沙的罗玉沟水土流失原型观测网络体系;在吕二沟建立以雨量、径流泥沙、植被变化为主体的水土流失观测网络体系。

3 水土流失原型观测总体布局

3.1 原型观测小流域的选择

3.1.1 选择条件

能基本代表类型区,准确反映区域水沙变化态势的小流域;尽量选择观测基础和条件好、观测系列长的小流域,能充分利用其原有观测分析成果;本着必要和可能的原则,最大限度地降低观测成本,提高观测效率和成果质量;通讯、交通方便。

3.1.2 观测站网(雨量、径流泥沙测站)布设原则

雨量站布设严格按照水文测验规范要求。

3.2 水土流失原型观测小流域站网布局

3.2.1 径流泥沙测站

目前,天水站现有水土流失观测站网 4 个,即罗玉沟流域、吕二沟流域和桥子东西沟流域观测站,为了能使这些观测站网的径流泥沙观测资料很好地适应“三条黄河”建设的需要,拟对以上站网进行补充完善。在罗玉沟流域沟口和吕二沟流域沟口改建径流泥沙测站各一处;对现有的桥子东西沟流域测站进行维修改造。

(1)水位观测。全年进行水位观测,利用水位 - 流量关系推求流量过程。平水期用人工观测,控制水位变化过程,洪水用自记水位计观测水位变化过程,满足日平均水位计算及资料整编的要求。

(2)流量测验。全年进行流量测验,测次分布以满足水位 - 流量关系定线要求为原则。可采用流速仪法、浮标法、容积法等方法测算流量。

(3)泥沙测验。全年进行泥沙测验,洪水期增加测次,控制含沙量变化过程,满足计算输沙量和泥沙颗粒级配的要求。全年适当布置若干次推移质测次,以满足计算全沙的要求。采用悬沙测沙仪横式采样器或器皿测取水样,采用焙干法和置换法处理水样,电子天平称重。

(4)泥沙颗粒分析。在进行悬移质测验的同时,选择单样水样进行泥沙颗粒分析,选取的水样应能控制含沙量的转折变化。选取的颗粒水样应加测水温。

(5)下渗规律分析。在各个小流域内,建设下渗观测设施,研究在各种情况下的下渗规律,确定下渗参数,为建立不同降雨条件下的下渗数学模型提供依据。

(6)水情报汛。小流域洪水暴涨暴落,往往对工农业生产和城市建设造成很大的灾害,建成后的测站应能提供水情服务,以满足防汛的需要。

(7)下垫面变化情况的调查。根据径流泥沙观测的需要,下垫面变化调查是必不可少的内容。计划在每年汛前(5 月份前)对各测流域的下垫面进行变更调查,建立数据库。

3.2.2 雨量站

罗玉沟流域面积 72.79km^2,现有 13 个雨量站,平均 0.18 个/km^2;雨量站点偏少,不能满足小流域降雨、径流泥沙及暴雨发生情况的需要。为此,按照每个雨量站控制面积约 3km^2,罗玉沟流域新增设雨量站 11 个。吕二沟流域面积 12.01km^2,现有 6 个雨量站,平均 2 个/km^2,已能够满足观测要求,只需对仪器设备进行更新。

(1)降水观测。按照小流域雨量站布设原则,在罗玉沟布置 24 个雨量站,在吕二沟流域内 6 个雨量站,进行全年观测,非汛期用人工观测,汛期采用固态存储技术记录完整的降水过程,研究降水的时空分布,推算流域面雨量。

(2)蒸发观测、植物截留观测。每一测站建立观测场全年进行观测。每个观测流域分别布设 5 ~ 8 个植物截留观测点,以取得不同植物类型对降雨的截留程度。

3.3 径流场观测布局

标准径流小区布设于罗玉沟流域天水站试验场,该区域均属黄土丘陵沟壑区第三副区,在丘三区具有较强的代表性,因此径流小区的试验成果,能够为丘三区乃至整个黄土高原的水土流失治理提供支持和服务。在罗玉沟试验场上按不同坡度、不同措施再新修因子径流小区 17 个;标准径流小区 2 个,每个小区面积 5m × 20m。

(1)坡度对径流泥沙的影响试验。选择地表覆物较为一致。坡面大致相同的荒坡,按坡度分级布设径流小区。分别为 5° ~ 10°、10° ~ 15°、15° ~ 20°、20° ~ 25°,25°,每级坡度上 1 个重复,共 5 个径流小区。

(2)不同地表覆盖状况下的径流泥沙对比试验。根据试验区域的地表植被状况和利用程度不同,在罗玉沟流域天水站试验场布设径流观测小区,研究不同土地利用对水土流失的影响。小区的布设应在坡度大概一致的情况下进行。主要有荒坡、农地、牧草地、灌木地、乔木林等,每级 2 个重复,共 10 个小区。

(3)全坡面径流小区。全坡面径流小区选择布设在罗玉沟流域天水站试验场西面"葫芦"地(2 亩),按照试验研究的方向,布设全坡面径流观测小区。坡长按 10、30m,宽为 5m 布设,共设小区 2 个。

3.4 其他观测内容布局

3.4.1 沟道重力侵蚀观测

在侵蚀严重的桥子东西沟流域分别布设重力侵蚀、冲沟、切沟观测点(断面长 30m),汛前、汛后定点观测。并在主沟道上布设 1 个观测断面,进行不同降雨强度后的定点观测,做出雨前、雨后、汛前、汛后的对比,取得沟道侵蚀资料。采用 GPS 定位系统,观测主沟道冲淤变化、沟头前进、沟岸扩张、滑塌等情况。

通过对主沟道及较大支沟侵蚀状况及冲淤变化观测分析,结合流域土壤理化性质、沟道推移质、悬移质颗粒级配分析，研究推移质与洪水之间的关系，确定推移质数量。

3.4.2 植被观测

在植被覆盖条件较好、植被类型多的吕二沟流域石马坪村选取3块能代表植被特征的典型地块作为标准地，对林草结构、郁闭度、林草覆盖度、生物量、根系等指标进行观测，其中乔木林标准地面积10m×10m，灌木林地3m×3m，草地1m×1m，通过测定林冠截留量、地被物持水量、土壤入渗量、径流泥沙量等参数来分析其蓄水保土效益。

4 水土流失原型观测工程设计及分年度实施计划

4.1 径流泥沙测站建设

(1)站址选择。《水文测验手册》规定，小流域径流泥沙站址选择在水流流动顺畅，无弯道和宽窄变化、床质均一，能够完全控制流域集水面的地段，一般选择在支沟交汇的下游或河流出口处。罗玉沟、吕二沟和桥子东西沟四条流域的径流泥沙观测站均选在流域沟口(把口站)。

(2)测验断面设计及有关参数，见表2。

表2 测验断面设计参数

流域名称	断面下底宽(m)	断面上底宽(m)	断面高(m)	断面长(m)	备注
罗玉沟	27	40	16	50	改建
吕二沟	9	16	6	30	改建
桥子东沟		5	3	20	改建
桥子西沟	1	5	2	20	改建

(3)新修、改造土方工程量计算，计算结果见表3。

表3 断面工程改造土方工程量

流域名称	站址	土方量(m^3)	石方量(m^3)	备注
罗玉沟	左家场	400	240	新建
吕二沟	沟口	90	54	新建
桥子东沟	烟铺	30	18	改建
桥子西沟	烟铺	20	12	改建

4.2 径流场建设

4.2.1 标准径流场

根据该区域地形地貌较复杂、较破碎的特点，选择较为平整的坡面布设小区，径流小区采用宽5m、长20m(水平投影距)的尺寸，其长边垂直于等高线，短边沿着等高线。

4.2.1.1 径流小区的构成

径流小区主要由小区(集流区)、拦水边墙、承水槽、输水管和集水桶(池)等部分组成。

受地形限制一般每一径流区须作单独布置，小区下端设承水槽，其他三面设挡水边墙，边墙可用混凝土预制板或金属、木板建造，前者规格为5cm×35cm×100cm，边墙一般入土15~30cm，高出地面10~15cm，小区上部和两侧设有截水沟排除上部径流，以防外来径流侵入。截水沟靠近小区的边坡,距边墙应不少于 0.5cm,沟的尺寸为深 30cm,顶宽 50cm,底宽 30cm。

4.2.1.2 承水槽设计

承水槽设计做成矩形,可用混凝土预制,砖砌水泥护面或石板浆砌,槽上加设金属或木制盖桶,以防雨水进入影响精度;槽底壁内面深 0.5cm 厚的沥青,以防裂缝漏水。

承水槽横断面以当地频率 1% 的最大暴雨径流量计算确定,计算时应按槽中水深低于槽壁顶 1 ~ 2cm 的条件进行,计算公式为:

$$\omega = Q/v$$

式中,ω 为承水槽的流水断面面积;Q 为采用当地频率为 1% 的最大暴雨径流量;v 为槽中水流的平均速度 $v = c \times R^{1/2}$,系数 $c = \frac{1}{n}R^{y}$,n 为混凝土槽粗糙系数,采用 0.11,水力半径 $R = \omega / x$,其中 x 为槽的边周,指数 y 按公式 $y = 1.5n^{1/2}$ 确定。

将承水槽用输水管(槽)与集水池相连,输水管的输水能力,采用苏联瓦尔达依水文科学试验站 N.R.沃里秦公式计算:

$$Q = 78.6\frac{d^{3}\sqrt{i}}{1 + 2\sqrt{d}}$$

式中,d 为管的直径,m;Q 为管的输水能力,m^3/s;i 为管的坡度,一般采用 3% ~ 5%。

4.2.1.3 径流观测方法

(1)选择量水方法,以暴雨量及试验区面积为依据,根据可能发生的最大、最小径流量选定适当的方法。主要有体积法、溢流堰式测流槽法和混合法。体积法以水位升高计算某一时段内的径流量。在承水槽下装置锐缘的溢流堰或测流槽,根据堰(槽)上面水头变化,应用水力学中的堰流公式计算流量。混合法特点是小径流时用体积法测定,大径流时用积水箱(堰、桶)内的溢流堰测定。

(2)当径流量过大时,利用分水设备将试验区全部径流加入分割,只取其小部分通过量水设备,最后按比例还原,以免购置庞大的量水设备。

(3)堰槽及分水设备均需预先做好率定工作,并在使用一个时期后(1 ~ 2 年)重新进行检定。

(4)泥沙测验,在积水或流水中采取单位水样,测定其含沙量,取样品采用瓶式或其他适宜形式,含沙量测定采用烘干法或置换法。

4.2.1.4 径流量及泥沙量计算

$$净水率(kg/L) = \frac{泥水重量(kg) - 干土样(kg)}{泥水样体积(L)}$$

净水量(kg) = 净水率(kg/L) × 泥水量(L)

$$径流量(L/hm^2) = 净水量(L) \times \frac{10\,000}{小区面积(m^2)}$$

径流深(mm) = 净水量(L)/试验区面积(m^2)

径流系数(%) = [径流深(mm)/降雨量(mm)] × 100%

净泥沙率(kg/L) = 干泥沙重(kg)/泥沙样体积(L)

净泥沙量(kg) = 净泥沙率(kg/L) × 泥水量

侵蚀量(kg/hm^2) = 净泥量(kg) × [10 000/小区面积]

小区中经自记水位计求得的径流过程记于表 4,径流过程可用径流深(mm)和径流量(m^3)表示。泥沙径流分析统计结果记于表 5 中。

表 4 自记水位计结果统计

时间	时段(h)																							
	1	2	3	4	5	6	7	8	9	10	11	12	13	14	15	16	17	18	19	20	21	22	23	24
1																								
2																								
3																								
4																								
⋮																								
30																								
31																								

表 5 泥沙径流分析统计 时间: 年 月 日

水样编号						
瓶重						
瓶重 + 泥水重						
泥水样重						
泥水样体积						
滤底重						
滤底 + 干泥重						
干泥重						
小区面积						
泥沙 + 径流总量(L)						
净泥率						
净泥量						
侵蚀量						
净水率						
径流总量						
径流量						
径流深						
径流系数						

月总径流量 m^3。月总径流深 mm,月最大 24h 径流量 m^3,月最大 1h 径流量 m^3。月总平均径流系数为 x/y,x 为某日某时段径流量,y 为径流历时。

4.2.2 因子径流场

因子径流场建设方法依据标准径流小区设计,土石方工程量按照不同的坡度、长度通过典型设计具体估算。

4.2.3 其他观测内容布局

截留量观测设计:冠层截留量包括林下二次降雨量观测和树干径流量观测。观测前在选好的林地径流小区内作每木检尺,求出不少于 3 株的标准株,然后以标准株为中心作不同半径同心圆(间距 0.5 ~ 1.0m)。在正交的四个方向与各圆的交点上设置雨量桶 1 个,直至相邻株间距的中心为止,收集林下二次降雨量。树干径流量收集是在标准株的茎杆下部距地面小于 1m 处用剪开的胶膜从上向下绕杆茎一周半,并用合成胶密封胶膜与杆茎,底口用小口瓶收集沿树杆流下水量。

土壤入渗量观测设计:观测点设置同上,即在标准株周围不同半径同心圆组成的环带面积中,每带按 20cm 一层取土钻取土样,直达湿润锋处,用烘干称重法测定,进行 3 个重复,在雨前定期或不定期测定土壤含水率。

地被物持水观测设计:在选定的观测坡面上,选取地被物没有破坏保存完好的地点布设围栏,每块 $1m^2$,从树杆中心到株间中心,每标准株不少于 3 块。将围起的地被物用锋利的刀片切成 10cm × 10cm 的正方块,在雨后立即称重测定。在围栏周围布设对照地,定期取样称重并烘干求持水率。

4.3 测验仪器设备配置与更新

现行测验的设施、设备落后,技术水平偏低,水位、流量、含沙量、降水等水文要素的操作方法还很落后,先进的测验仪器、设备使用得很少,无法和现行“三个黄河”的要求相适应。随着计算机技术发展,“3S”技术的广泛应用,各种新设备、仪器的出现使得使用新技术进行观测、分析、计算成为可能。

现行降水、径流、泥沙测验仪器技术落后,需更新改造。

降水:现使用仪器为日记型自记雨量计,降水资料需人工整理,无法采用计算机处理。拟采用 JDZ-1 型固态存储雨量计进行观测。该仪器可无人值守,长期自记,数据固态存储,用计算机直接读取数据,无需人工处理,计算生成各种成果以供使用。

水位:现径流泥沙观测点采用流量过程线法推求水量,这种方法工作量大,精度差,无法满足需要,拟为观测水位,建立水位-流量关系,通过水位来推求流量,也可率定堰槽的水位-流量关系,用水位变化过程来推求流量变化过程。拟采用水尺和 HW-1000 超声波非接触式水位计观测水位,该水位计不接触水面,太阳能供电,数据和远传,固态存储,可使用计算机处理。

流量:现行流量测验大多采用浮标法,此法需人员较多,且精度差,夜间测量尤其困难。拟采用流速仪测量,大洪水可采用电波流速仪测速;该仪器不接触水面,可直接测取水面流速;采用激光测距仪测定水面宽。

泥沙:现行泥沙测量采用器皿在水边取样,因含沙量存在横向分布的不均匀性和垂线分布的不均匀,故用现行测验方法测取的单沙代替断面平均含沙量,存在一定的误差。故需通过分析确定单样含沙量取样位置,建立单-断沙关系,用测取的单沙推求断沙。可采用横式采样器或悬沙测沙仪测取沙样,用电子天平称重水样。

在罗玉沟观测断面上建立全自动水文缆道进行测流,采用 EKL-3 型全自动水文缆道综合测验设施。

4.4 分年度实施计划

初步设计 3 年完成基础设施建设部分,即 2003~2005 年。

2003~2004 年完成新建的和原有的测验站,就建设内容、规模、仪器设备配置、经费预算等进行设计,完成观测办公用房的建设。

2004~2005 年完成径流泥沙测验站点的布设,原有测验站观测断面的改造和新建,修筑径流场。

2005 年 5 月前完成新增雨量观测站网的布设,购置安装降水、径流泥沙、径流场等所需测验仪器设备,调试观测、传输软件系统。

5 投资概算

本设计投资估算中基础设施建设部分依据水利部颁发的《水土保持工程概算定额》编制完成,仪器设备部分价格按照市场报价。

5.1 投资总经费概算

从2004年开始,初步建立黄土高原丘陵沟壑区第三副区水土保持观测体系。包括雨量测站、径流测站、径流场在内的站网建设和测验手段设施的更新、换代、配套等。所需经费140.79万元,见表6。其中前期工作经费1.0万元,基础设施建设费49.38万元,仪器设备费49.41万元,年运行费36.00万元,其他费用5.00万元。

表6 水土流失原型观测投资概算总表

项目	工程名称	分项目工程名称	经费(万元)
基本建设费	测验设施建设费	水文观测断面改造或新建费用	12.00
		水文测桥或综合测流设施建设费	17.04
		修建不同类型径流场费用	7.87
	附属设施工程建设费	观测房屋建设费	12.47
		其他设施建设费用	
	小计		49.38
仪器设备	仪器设备购置费	径流泥沙观测仪器	16.78
		雨量观测仪器	20.40
		其他观测仪器	9.00
	仪器、设备运输费		0.92
	安装调试费		2.31
	小计		49.41
前期工作经费	初步设计		1.00
其他费用	培训费、建设管理费		5.00
运行费	18万元/年×2年		36.00
总计			140.79

5.1.1 分项工程投资概算

5.1.1.1 基本建设费

(1)水文观测断面改造或新建费用,如表7。

表7 小流域新建及改造观测断面所需费用

测站名称	站址	所需费用(万元)	备注
罗玉沟测站	左家场	4.00	改建
吕二沟测站	沟口	4.00	改建
桥子东沟	沟口	2.00	维修
桥子西沟	沟口	2.00	维修

(2)修建不同类型径流场费用,如表8。

表8 径流场建设费用

流域名称	标准径流场		因子径流场		合计	
	个数	费用(万元)	个数	费用(万元)	个数	费用(万元)
罗玉沟	2	0.85	15	7.02	19	7.87
丘三区小计	2	0.85	15	7.02	19	7.87

(3)观测房屋建设费。吕二沟、桥子沟新建观测办公用房,其中吕二沟计14间210m²,费用9.03万元;桥子沟3间40m²,费用1.72万元;左家场观测用房进行加固维修,费用1.72万元。共计12.47万元(见表9)。

表9 观测房屋建设费

测站名称	站址	测房建设工程费(万元)	备 注
罗玉沟	左家场	1.72	加固维修
吕二沟	沟口	9.03	新 建
桥子沟	沟口	1.72	新 建
总计(万元)		12.47	

(4)缆道综合测验设施建设费,如表10。

表10 缆道综合测验设施材料费估算(单套费用) (单位:万元)

项目	设备费	人工费	配套材料费	机械使用费	其他直接费	合计
缆道综合控制台	11.00	0.60	0.60		0.19	12.39
水文绞车	1.20	0.70	0.70	0.11	0.20	2.91
变频调速装置	0.75					0.75
缆道测距仪(CELZ-2型)	0.01	0.01	0.22	0.50	0.25	0.99
合计	12.96	1.31	1.52	0.61	0.64	17.04

5.1.1.2 仪器设备

(1)径流泥沙观测仪器。所需仪器设备及其购置费用见表11。

表11 径流泥沙观测仪器设备及其购置费

仪器名称	数量	单价(万元)	合计(万元)
气泡式水位计	2	3.20	6.40
浮子式水位计	2	0.26	0.52
振动测沙仪	1	5.00	5.00
DLY-954A光电颗粒分析仪	1	2.50	2.50
LS1206B型旋桨式流速仪	4	0.10	0.40
XZ-2型通用智能流速仪计数器	4	0.15	0.60
超声波测深仪	2	0.68	1.36
小 计	16		16.78

(2)雨量观测仪器。包括观测站网所需的雨量计等仪器(见表12)。

表12 雨量观测仪器设备及其购置费

仪器名称	数量	单价(万元)	合计(万元)
JDZ-1型雨量计	30	0.15	4.50
雨量计固态存储仪	30	0.50	15.00
FZZ-1型遥测蒸发器	3	0.30	0.90
小计	63		20.40

(3)其他设备及其购置费用,如表13。

表13 其他设备及期购置费

设备名称	数量	单价(万元)	复价(万元)
小气候观测仪	1	1.90	1.90
电子天平	2	1.80	3.60
笔记本电脑	1	1.90	1.90
台式电脑	2	0.80	1.60
小计	6		9.00

5.1.2 安装调试费

所有雨量站、径流观测站、自动测报系统内仪器设备安装调试,按仪器设备购置费用的4.8%计算,共计2.31万元。

5.1.3 仪器、设备运输费

按仪器设备总经费的1.9%估算,共需0.92万元。

5.1.4 年运行费

包括各径流观测站、雨量站(含委托雨量站)及径流场观测外聘临时技术工人工资、补贴、燃动费、设备设施维修维护费等,每年共需18.00万元(见表14)。

5.2 资金筹措方案

申请国家专项投资经费。

6 项目组织管理

6.1 经费保障

水土流失规律观测研究是一项长期的应用基础理论研究工作,所取得的各项成果尽管有极高的学术价值和社会效益,但不能直接产生经济效益,为了保证该项基础研究工作的正常开展,上级主管部门必须保证所需各项的预算经费。

6.2 技术管理

目前我站已有15人从事该项工作,其中高级工程师1人,工程师1人,助工3人,技术工人10人,随着该项目的进一步实施,一方面要充实专业技术人员,另一方面要加强技术人员的理论知识和操作技能的培训,保证该项目的顺利实施。

表 14　　观测年运行费

项目名称		经费(万元)	说明
临工工资	常年观测人员	3.84	4 800元/(人·年),天水站按8人计算
	委托雨量站	3.00	1 000元/(站·年),天水站按30站计算
测站人员津贴		3.00	2 000元/(人·年),天水站按15人计算
设备运行维护费		1.20	径流站测验设施、雨量计及附属工程的正常运行及维护
分析化验费		0.80	土壤、泥沙样品的分析化验
燃动费		1.00	测站原型观测、流域普查、巡测用车
办公及通讯费		1.20	购置办公用品,电话、资料传输等
差旅及交通费		1.20	差旅费:3人×40天×100元
资料整编、刊印费		0.80	观测资料整编、分析计算、录入、印刷等
会议、咨询费		0.50	原型观测有关协调会议、观测技术会议
水电费		0.96	
场地租赁费			部分径流场、测站需要租用地
其他费用		0.50	
合 计		18.00	

6.3 组织实施

该项目由主管领导牵头,分管领导负责,水文水资源室具体负责基础设施项目的建设、仪器设备的安装调试和各项观测内容、资料整编等工作的实施。

6.4 制度保障

测验工作因工作环境艰苦、待遇低,从事这项工作的人员流动大,为了加强该项工作的顺利实施,首先必须组建一支知识结构合理,工作岗位相对稳定的测验队伍。其次要严明工作纪律、岗位职责,制定切实可行的技术规程、管理制度,使测验工作在技术上规范,制度上完善。